operación: JESUCRISTO

y al tercer día...

OG MANDINO

operación: JESUCRISTO

y al tercer día...

EDITORIAL DIANA
MEXICO

1a. Edición, Septiembre de 1980
40a. Impresión, Agosto de 2004

ISBN 968-13-0612-0

Título original: THE CHRIST COMMISSION

Traducción: Guadalupe Meza Staines de Gárate

IMPRESO EN MÉXICO – PRINTED IN MEXICO

Para dos hombres
llamados Silvio,
mi padre y mi hermano.

Si un hombre empieza con certidumbres,
acabará con dudas,
pero si se conforma con empezar con dudas,
acabará con certidumbres.

FRANCIS BACON

1

Me acomodé en el mullido terciopelo color ébano del espacioso asiento posterior de la limusina Cadillac y verifiqué la hora en mi Omega. El recorrido hasta los Estudios Burbank de la NBC, de acuerdo con la gente de relaciones públicas que se encargaba de mi gira, se llevaría cuando menos cincuenta minutos en el tráfico del anochecer.

Éste era el punto culminante, grandioso y perfecto, de tres semanas de entrevistas para los periódicos, de presentaciones personales en la radio y la televisión, como invitado en sus programas de entrevistas, y de fiestas para firmar autógrafos en las librerías de costa a costa. Si solamente hubiese sabido lo importante que sería esta noche en mi vida, quizá hubiera permanecido en mi habitación del Century Plaza, dándole doble vuelta a la cerradura y viendo la televisión en pijama.

—¿Alguna vez antes ha estado en el espectáculo de Johnny Carson, señor Lawrence?

Sacudí la cabeza ante los inquisidores ojos color café que me miraban entrecerrados a través del lejano espejo retrovisor. Aun cuando me dirigía a mi presentación número sesenta y uno ante los medios publicitarios en el curso de veinte días, por primera vez me sentía tenso. Ya me las había arreglado para comportarme con cierta medida de aplomo en el espectáculo de Donahue, había charlado con Merv, bromeado con Snyder y aun estrechado la mano de Dinah, así que, ¿por qué ahora sentía mariposas en el estómago? Cerré los ojos tratando de descansar, con la esperanza de que el personal de las limusinas Tanner me hubiese enviado un chofer que no fuera conversador, pero no tuve esa suerte.

—He leído un buen número de sus libros, señor Lawrence. ¡Extra-or-r-r-dinarios! A mi esposa y a mí nos fascinan.

—Es usted muy amable —respondí, antes de poder detenerme. Una acción refleja; sólo una frase que muchos autores emplean repetidas veces para agradecer los elogios vehementes y con frecuencia incómodos que les prodigan sus admiradores. Jamás me había dado cuenta de lo banales que resultan a veces esas palabras, hasta el día en que compartí una sesión de autógrafos con Erma Bombeck, y nos sorprendimos el uno al otro pronunciando la misma respuesta mientras firmábamos nuestras rúbricas tediosamente. A Erma el incidente le causó hilaridad, pero ambos decidimos que a partir de ese momento seríamos un poco más creativos en nuestra conducta humilde.

Mi chofer, con habilidad, hizo avanzar lentamente su carroza reluciente para abandonar la entrada circular del hotel, atestada de Mercedes, en dirección a la Avenida de las Estrellas.

—Usted debe ser un hombre sumamente inteligente, señor Lawrence. ¡Sí señor! ¡Todo un genio! No sé cómo puede inventar todos esos crímenes imposibles y después hacer que encajen todas las piezas. Nunca he podido llegar a saber quién es el asesino hasta no haber leído las últimas páginas. ¡Jamás! Su material es todavía mejor que esas antiguallas de Sherlock Holmes, ¡sí señor!

—Muchas gracias.

Incliné la cabeza hacia atrás cerrando nuevamente los ojos, cuidando de no cruzar las piernas y arrugar el traje de paño color café, de Calvin Klein, que mi esposa, Kitty, había insistido que llevara para el "Espectáculo de esta noche". ¿Sherlock Holmes, había dicho el hombre? Mientras nos deslizábamos sobre nuestros cojines radiales en dirección a Burbank, traté de mantener la mente apartada del espectáculo, intentando recordar los nombres de todos los maestros de las novelas de misterio con quienes me habían comparado durante mi gira. Los nombres de Rex Stout y Ágata Christie se habían mencionado a menudo, así como el de mi favorito, S. S. Van Dine. El nombre de John Dickson Carr también había surgido con frecuencia, y un reportero del *Sun-Times* de Chicago había sugerido a Ellery Queen, sin saber que dos primos, Manfred B. Lee y Frederic Dannay, habían escrito con el seudónimo de Queen, y que el señor Lee ya había partido hacia ese gran santuario recóndito en el cielo. Una joven entusiasta del *Writer's Digest* aun había llegado a comparar lo que efusivamente llamó el "realismo vívido" de mis escritos con el mejor escritor de novelas policiacas de Francia, Georges Simenon. La tentación de responderle que "era muy amable" había sido muy fuerte, pero logré resistirla. A todos nos agrada un poco de halago, aun sabiendo que no es verdad.

Con mis veintiséis novelas en ediciones de bolsillo todavía en el mercado, y vendiéndose tan bien como cuando se publicaron por primera vez, tanto Kitty como mis editores se habían opuesto a mi gira. Mi esposa había insistido en que era una intrusión innecesaria en mi tiempo y mis energías, y mis editores estuvieron de acuerdo, afirmando que, de cualquier manera, todos los libros de Matt Lawrence aparecían en la lista de los libros de mayor venta. Aun así, prevaleció mi opinión. Nunca antes había estado en el remolino promocional de un autor, y pensé que esta experiencia me ofrecería un buen camino en mi ritmo de trabajo, y quizá hasta podría ofrecerme algo de material para una nueva historia.

Mirando hacia atrás, había disfrutado de cada día y noche absurdos de la gira, tal y como me lo había dicho Elia Kazan. No tenía la menor idea de si mis presentaciones habían ayudado o perjudicado las ventas de mi último esfuerzo, *Where Weep the Silver Willows,* pero ahora que la gira terminaría para mí, después de mi presentación con Carson, casi sentía tener que volver a la tranquila serenidad de nuestro hogar en Camelback Mountain, mucho más arriba de la ciudad de Phoenix.

Exactamente cuarenta y ocho minutos después de abordar la limusina, se desvió en West Alameda en dirección a un bosque de altos cercados de alambrados, deteniéndose ante una puerta en su interior el tiempo suficiente para que el vigilante reconociera a mi chofer, y después se deslizó hasta llegar a una puerta sin ningún letrero. Le di las gracias a mi ferviente admirador tras el volante y entré, reconociendo de inmediato a la pequeña rubia inquieta de la empresa de relaciones públicas de mi editor. Casi me había ocasionado un ataque a las coronarias la mañana del día anterior, demostrándome en forma experta la habilidad con que su Porsche 924 podía tomar las curvas a alta velocidad, después de habernos retrasado para una entrevista grabada en el elegante patio de la cafetería del hotel Beverly Hills.

—Hola, Mary, ¿o debo empezar a llamarte Mario?

Ignoró mi débil intento por bromear.

—Oh, señor Lawrence, estábamos empezando a preocuparnos. ¡Caramba, luce maravilloso! ¡Tal y como ese buen mozo que aparece en los comerciales del perfume Canción del Viento!

—Bueno, jovencita, como jamás he visto esos comerciales, no sé si eso es un cumplido o si me ha clasificado en una categoría que dudo mucho que me atraiga.

Sacudió la cabeza con desenfado y se rió.

—¡Ah, sí que lo sabe! Sígame, lo conduciré al famoso salón verde. Creo que los demás invitados ya se encuentran allí. La grabación se iniciará en unos treinta minutos.

En el interior del salón verde, que por cierto no es verde, Mary me presentó a un joven del personal de Johnny Carson, llamado Alfred. Después me dio un ligero beso en la mejilla, me deseó suerte y desapareció. Alfred me preguntó si me agradaría conocer a los demás invitados al programa y le respondí afirmativamente. Primero estreché la mano de Charles Nelson Reilly, comediante y director, quien admitió haber sido admirador mío durante años, y lo demostró recitando cuando menos una docena de títulos de obras mías. Le respondí felicitándolo por su dirección, tan llena de sensibilidad, en la hazaña de Julie Harris de la representación de la vida agitada de Emily Dickson.

Después, llegó Jimmy Stewart, en persona, presentándose él mismo. Muy pronto encontramos nuestro terreno en común, puesto que ambos servimos en la Octava División de la Fuerza Aérea durante la Segunda Guerra Mundial. Por último, estreché la mano de una cautivadora cantante morena, Donna Theodore, quien me recordó mucho a la chica de las fotografías favoritas de nuestro escuadrón, Jane Russell.

Poco después, se pidió cortésmente a los amigos de los invitados que abandonaran el salón y quedamos los cuatro solos, para mutuamente tratar de levantar nuestro valor menguante, en lo cual fracasamos por completo. Hay algo tan sobrecogedor, aun para las personalidades del mundillo del espectáculo, al saber que lo que uno dice y hace aparecerá ante quince millones de personas, que solamente un lunático o un completo idiota no se sentiría inhibido. Con excepción de unas cuantas observaciones al azar acerca del omnipresente neblumo y de Jerry Brown, el gobernador de California, ninguno de nosotros dijo gran cosa hasta que escuchamos a Ed McMahon exclamar: "¡A-a-a-quí está Johnny!" y, todos agradecidos, dirigimos nuestra atención íntegra al gran aparato de televisión.

En su monólogo, Johnny increpó a los Dodgers de Los Ángeles por su racha tan prolongada de juegos perdidos, aguijoneó al Congreso por su incapacidad para aprobar legislación alguna, exceptuando otro aumento para sus miembros, y la emprendió con los vendedores de autos usados, cuya opinión acerca de sus propias aptitudes para vender es tan presuntuosa que insisten en aparecer en sus propios comerciales de televisión detestables, con auxiliares que van desde una boa constrictor hasta dobles de Dolly Parton. Charles Nelson Reilly casi me hizo olvidar mi nerviosismo cuando describió su encuentro con un cúter de la guardia costera mientras desesperadamente trataba de controlar el motor desbocado de su pequeña embarcación. Después Jimmy Stewart exhibió algunos trozos de película de un programa especial próximo a presentarse en otra cadena de televisión, en el cual actuaba como anfitrión, y en donde se hablaba de objetos voladores no identificados; y Donna Theodore cantó con voz chillona dos éxitos musicales de rock, que a mí me parecieron completamente improbables viniendo de una mujer tan majestuosa y encantadora.

Alfred hizo que me sobresaltara al decir:

—¡Hoy está de suerte, señor Lawrence!

—¿Sí, y cómo es eso?

-Usted sigue justamente después del próximo corte de dos minutos, y parece que va a tener nada menos que *catorce* o *quince* minutos con el señor Carson.

—¡Maravilloso, eso me colocará justamente a la altura de Carl Sagan y de Paul Ehrlich!

—¿Qué dice? Ah, sí... eso es muy divertido. Diver-tido —respondió, dejando de sonreír—. ¿Puede controlar bien todo ese tiempo?

Puesto que solamente tres noches antes había hablado casi durante dos horas en el programa de la cadena de radio de Larry King, le di a Alfred una palmadita en la mejilla vellosa:

—Lo intentaré, hijo, lo intentaré.

—Sígame, señor... y por favor, camine con cuidado. Está bastante oscuro entre bastidores.

La orquesta tocaba al otro lado de la cortina, complaciendo al auditorio que se encontraba en el estudio, mientras los televidentes en toda la nación se instruían acerca de los beneficios del alimento Alpo para perros y de los pantalones Jaymar. Alfred se acercó a mi oído y gritó:

—Espere aquí, por favor, hasta que yo corra la cortina. Después salga, camine tres pasos hacia adelante y gire a la derecha hasta llegar a donde se encuentra el señor Carson. ¡Tenga cuidado de no tropezar cuando suba a la plataforma que se encuentra alrededor de su escritorio!

Asentí y deseé, como siempre lo hacía justamente antes de una aparición en cualquier programa, estar de vuelta en Camelback Mountain, sentado cerca de la alberca en compañía de mi perro basset y un buen libro. De pronto Alfred, que tenía el oído pegado a la separación de la cortina, tiró del pesado cortinaje y me dio una palmada en la espalda. Las luces me cegaron momentáneamente al dar un paso hacia adelante, sonriente. Saludé a un auditorio que todavía no podía ver, di vuelta a la derecha tal y como se me había indicado, subí a la plataforma y estreché la mano de Johnny. Después me volví para besar a Donna en la mejilla y estrechar la mano de Jimmy, Charles y Ed.

—Señor Lawrence —dijo Johnny afectuosamente—, durante años he sido uno de sus admiradores. ¡Bienvenido!

—Gracias; es un placer para mí estar aquí.

—¿Por qué no lo habíamos invitado antes? —dijo Johnny frunciendo el entrecejo y ladeando la cabeza de manera que la pregunta iba dirigida a mí y también al director, Freddy DeCordova, quien estaba sentado fuera de las cámaras en la fila izquierda delantera con sus audífonos y su micrófono pegados al rostro.

—Jamás he hecho muchas presentaciones en radio o televisión, Johnny. Afortunadamente para mí, mis libros siempre se han vendido tan bien que creo que mis editores tenían la sospecha de que todo lo que podría hacer con mis apariciones sería tal vez echar a perder algo bueno. Por lo que he podido ver, deberían encerrar bajo llave a la mayoría de los autores tan pronto como se publican sus libros, porque cada vez que abren la boca disminuyen las ventas de sus libros.

Johnny asintió, haciendo una mueca irónica.

—Le creo. ¿Cuántos libros suyos se han vendido, tiene alguna idea?

—No con exactitud, porque también se han publicado en muchos idiomas extranjeros, pero calculo que alrededor de ochenta millones de copias en todas las ediciones.

El auditorio profirió un sonido de admiración.

—¿Ochenta millones? Veamos.

Johnny tomó un lápiz y humedeció la punta de plomo con la lengua.

—Si sus regalías son de veinticinco centavos de dólar por cada libro, entonces eso sería veinticinco por ochenta millones... ¡santo cielo!

Entre el auditorio se dejaron oír algunas risitas entrecortadas.

Discutimos varios de mis libros que habían sido llevados a la pantalla. El favorito de Johnny había sido *The Century Plant,* y Jimmy dijo que había disfrutado más con el ganador del Premio de la Academia, *Scarecrow.* Después Johnny estudió sus notas y habló brevemente de varios crímenes de la vida real, en los cuales la policía había acudido a mí para que actuara como consultor. Por supuesto, mi caso más notorio fue la solución de los terribles asesinatos con martillo, perpetrados en Houston, cinco años después de haberse cometido.

Después de otra interrupción para comerciales, Johnny cambió la discusión y empezó a tutearme, llamándome por mi nombre.

—Matt, ¿alguna vez has iniciado un libro que no hayas podido terminar, uno en el cual tu propia trama se volviera tan complicada que ni siquiera tú mismo pudieras desenmarañar?

Vacilé; todas mis campanitas internas del instinto de conservación empezaron a sonar, advirtiéndome que estábamos aproximándonos a aguas peligrosas. Mi instinto me decía que guardara silencio, contestando simplemente en forma negativa, pero en vez de ello repliqué:

—Sí, de hecho he estado luchando con esa clase de libro desde mucho tiempo antes de escribir mi primera novela de misterio y crímenes, hace más de veinte años.

—¡Veinte años! ¡Vaya! ¿Podrías hablarnos de ello?

Ahora ya era demasiado tarde para dar marcha atrás.

—Y bien, Johnny, siempre me han fascinado las novelas bíblicas, tú sabes, *Ben-Hur, El manto sagrado, El cáliz de plata,* y durante muchos años he estudiado libros que hablan de la vida de Jesús. Probablemente poseo una de las colecciones más completas en todo el mundo en su clase, por lo menos, de propiedad privada. Mi obra inconclusa trata de una investigación ficticia de la última semana de la vida de Jesús, una semana llena de suspenso, drama y misterio, y en donde figuran numerosas personalidades que lo odiaban o lo amaban. Por supuesto, en esa época no había detectives tal y como los conocemos ahora, pero la historia nos dice que a menudo se empleaban comisiones para averiguar los hechos, tanto entre los romanos como entre los judíos, semejando, por su naturaleza y propósitos, a las que se reúnen hoy en día para fines de investigación.

—¿Quieres decir... como nuestra Comisión Watergate o la Comisión Warren?

—Exactamente, y en una época más reciente, la Comisión de la Cámara sobre Crímenes para volver a analizar las muertes de Kennedy y King. Mi manuscrito aún inconcluso, una novela bíblica de misterio, si así lo quieres, trata de una investigación llevada a cabo por una comisión formada por tres tribunos romanos, todos ellos hombres eruditos, para averiguar todo lo relacionado con la muerte de Jesús, y la he situado seis años después de su crucifixión.

—¿Seis años después...?

—Sí. Para entonces, el gobernador romano de Siria, Lucio Vitelio, había llegado a preocuparse grandemente por el creciente número de seguidores de Jesús, que para entonces se llamaban a sí mismos cristianos, y estaban levantando a la gente en la provincia bajo su mando, un vasto territorio que incluía a Israel, o Judea, como Roma llamaba a la pequeña nación de judíos conquistados. En mi libro, Vitelio forma una comisión y la envía a Judea con un solo objetivo: acallar, de una vez por todas, los rumores que estaban haciendo circular los miembros de esa nueva ola, potencialmente peligrosa, de agitadores, diciendo que su maestro crucificado había resucitado de entre los muertos después de su ejecución, y era el Mesías tan esperado que pronto volvería para liberar a su pueblo de las cadenas de Roma.

Johnny frunció el entrecejo y el auditorio quedó tan silencioso que parecía que nos encontrábamos en un estudio vacío.

—¿Y cómo diablos harías que llevaran eso a cabo?

—El plan de acción de mi comisión es muy sencillo. Se dedican a demostrar que Jesús no resucitó de su tumba, sino que, en vez de ello, su cadáver fue robado por facciones desconocidas que lo trasladaron a otra tumba, permitiendo así que sus discípulos sacaran partido de un acontecimiento milagroso que jamás tuvo lugar. Escogí el sexto año después de su crucifixión para el escenario de tiempo de mi libro porque la historia, así como el Nuevo Testamento, confirman que la mayoría de los principales participantes y testigos de los acontecimientos de esa última semana aún se encontraban en Jerusalén. La comisión trataría de escuchar el testimonio de todos aquellos envueltos con Jesús, y de investigar toda pista posible, hasta que, finalmente, llegaran a conocer la identidad de los culpables que habían hecho desaparecer el cuerpo y el sitio en donde lo habían ocultado. Entonces, obtendrían las confesiones firmadas, por cualesquiera medios que fueran necesarios, de quienes habían engañado a la gente, después de lo cual pretendían crucificarlos con sus confesiones firmadas colocadas en un sitio prominente abajo de sus cuerpos, para que todos pudieran verlas. Los restos de Jesús también se recuperarían y se exhibirían, destruyendo así ese nuevo movimiento tan peligroso antes de que estuviera completamente fuera de control y amenazara la paz de Roma. En mi libro, aun llegué a dar un nombre a ese grupo formado por los tres tribunos: Comisión: Cristo que, por cierto, también es el título del libro.

Johnny se veía confundido. Durante algunos momentos, golpeó nerviosamente con el lápiz sobre la cubierta de su escritorio, antes de estirarse para tocar mi brazo.

—Matt, no estoy muy seguro de que te comprendo. ¿Quieres decir que durante veinte años has estado escribiendo un libro en el cual esperas demostrar, a través del testimonio de aquellos que conocieron a Jesús, que *no* resucitó de entre los muertos?

Con el rabillo del ojo podía ver a Ed McMahon inclinándose hacia adelante; estaba seguro de que el gran hombre me estaba mirando con cierta ira. Sacudí la cabeza.

—No, Johnny. Lo estaba escribiendo de tal manera que a medida que se desarrolla la trama y la comisión examina a testigos como Poncio Pilato, Pedro, Mateo, Santiago, el sumo sacerdote Caifás y varios más, todos los miembros gradualmente empiezan a darse cuenta de que la evidencia señala en otra dirección de la que habían provisto, y de que *jamás* podrán recuperar el cuerpo de Jesús ni aprehender a ningún culpable implicado en el robo de una tumba, porque nada de eso ha tenido lugar. De acuerdo con mis planes originales, al final del libro tanto la Comisión: Cristo como también mis lectores, espero, habrían llegado a la misma conclusión: que Jesús sí se levantó de su tumba en el jardín en algún momento del amanecer de ese domingo, hace largo tiempo.

—Fascinante... fascinante —murmuró Johnny, interrumpiendo un estruendo de aplausos nerviosos.

—¿Por qué no lo terminas, Matt? Sería un libro grandioso, sobre todo con tu habilidad para lograr que hechos e indicios tan complicados sean fáciles de entender. Esta obra sería el misterio de detectives que acabaría con todas las novelas de misterio.

Los aplausos se reanudaron, en forma mucho más entusiasta, y ahora sabía que estaba metido en eso a fondo. No tenía adónde ir, ningún sitio en donde ocultarme y sólo podía culparme a mí mismo por los apuros en que me encontraba. Inhalé profundamente y me hundí todavía más.

—No lo he terminado por una razón muy sencilla. Mientras más estudiaba los acontecimientos de esa última semana de la vida de Jesús, mientras más trataba de desenmarañar y resolver las grandes incongruencias que se encuentran en los cuatro Evangelios, mientras más investigaba los escritos de hombres mucho más eruditos que yo, que han luchado con ese enigma por más de mil novecientos años, ¡más me convencía de que Jesús *jamás resucitó de entre los muertos!*

Un murmullo de desaprobación corrió de inmediato por todo el auditorio, seguido por un crescendo de rechiflas que se iniciaron en la parte de atrás del estudio. Johnny se me quedó mirando con la boca abierta, y el rostro convertido en una máscara helada. A mi derecha, Donna Theodore se quedó sin aliento y Ed McMahon empezó a refunfuñar. Traté de conservar mi aplomo y seguí hundiéndome cada vez más.

—Pablo, cuando buscaba conversos, a menudo decía: "Si Jesús no hubiese resucitado, entonces nuestras enseñanzas son vanas, y la fe de todos ustedes es en vano". Johnny, mientras más estudio e investigo esta cuestión, más convencido estoy de que durante veinte siglos la fe de miles de millones de personas ha sido en vano. Nos hemos dejado engañar por el mayor fraude que jamás se haya perpetrado con la humanidad. No existe ninguna evidencia sólida que demuestre que Jesús resucitó de entre los muertos o de que sea el Hijo de Dios, como tantos desean creer.

Johnny extendió el brazo para alcanzar su cajetilla de cigarros, sacó uno y lo encendió. Su pequeño encendedor de oro dejó oír un sonido como el del disparo de un rifle en medio del silencio lleno de presagios que ahora reinaba entre el auditorio. Yo continué:

—Esto puede parecer presuntuoso y aun demente, pero cómo desearía poder retroceder en el tiempo para encontrarme durante una semana en el mismo escenario en donde ubiqué a mi ficticia comisión seis años después de la crucifixión de Cristo. Estoy seguro de que podría descubrir lo que realmente le sucedió a Jesús, durante esos días decisivos de su última semana:

qué conspiraciones estuvieron involucradas, y entre quienes; qué hechos se ocultaron y se mantuvieron fuera del conocimiento del pueblo; quién robó realmente el cuerpo de Jesús y por qué lo hizo; y, especialmente, cómo es posible que la verdad, cualquiera que haya sido, desapareciera tan repentinamente y ahora ya no tengamos ninguna base, excepto rumores, desde hace casi dos mil años. Eso es todo, poco más o menos, Johnny.

—Sí —replicó brevemente, haciendo una señal a la orquesta—. Ciertamente que lo es, no hay duda.

Tan pronto como la música se dejó oír, un caramelo lanzado de entre el auditorio aterrizó a mis pies; después una manzana se estrelló contra el frente del escritorio de Johnny, y las monedas empezaron a rebotar como proyectiles por todo el escenario, silbando al pasar por encima de nuestras cabezas. Donna gritó inclinándose hacia Jimmy, ocultando el rostro en su pecho. Un murmullo siniestro corrió entre la multitud y pude ver a Freddy DeCordova haciendo señales frenéticas a las personas que se encontraban en el interior de la caseta de ingenieros, circundada por cristales. Una mujer obesa de cabello gris saltó desde su asiento en la primera fila, corrió hasta el borde del escenario y sacudió su puño regordete en dirección a mí, al mismo tiempo que gritaba algunas palabras que no pude escuchar por encima del clamor. Johnny, obviamente alterado, se inclinó hacia mí, diciendo:

—¡Por tu propia seguridad, y por la nuestra, ¿por qué no cruzas esa cortina, ahora mismo?!

Me puse de pie y le tendí la mano, pero fingió no verla.

—Conque, ¿cómo salió todo? —preguntó el mismo chofer que me había traído, y ahora me llevaba de vuelta al Century Plaza.

—Me sorprende que me esté llevando de vuelta. Por un momento pensé que me diría que caminara, por en medio de la autopista.

—¿Por qué? ¿Qué sucedió?

No respondí.

—¿No apareció en el programa, señor Lawrence?

—Oh, sí, por supuesto.

—¡Magnífico! Veré el programa cuando llegue a casa por la noche. Mi Rosie siempre se emociona mucho cuando vemos a los invitados de Carson a quienes llevé en mi Cadillac. Y cuando se entere de que usted fue mi pasajero... ¡Bueno!

Frente al hotel, salté fuera del automóvil y le entregué un billete de veinte dólares.

—Gracias por dos paseos muy agradables; y dígale a Rosie que espero que no se sienta muy decepcionada de mí.

La entrada del hotel estaba atestada, con parejas muy bien vestidas que salían a cenar y a ver algún espectáculo, o bien, que llegaban para asistir a una u otra función en los numerosos salones de banquetes. En el vestíbulo, una pequeña orquesta mexicana pugnaba por dejarse oír por encima del barullo de las charlas y risas constantes que surgían del área hundida del bar. Estaba seguro de que la última cosa en el mundo que deseaba hacer era sentarme en mi habitación a compadecerme de mí mismo, de manera que me detuve en la recepción para encargar que me despertaran a las siete treinta de la mañana, antes de abordar la escalera descendente en busca de un rincón tranquilo y una bebida. En el piso bajo encontré una caseta de teléfono y usé mi tarjeta de crédito para llamar a Kitty. Le dije todo lo que había sucedido, lo mejor que pude recordar. Al principio, todo lo que hizo fue repetir:

—¡Matt, dime que no lo hiciste! ¡Matt, no lo hiciste!

—Kitty, lo hice —respondí roncamente.

—En el nombre de Dios, ¿qué fue lo que te hizo hacer eso? ¿Por qué simplemente no hablaste de tu nuevo libro, haciendo gala de tu encanto y tu modestia, dejando que Johnny diera muestras de su ingenio?

—No lo sé. He estado haciendo eso durante tres semanas, y ya había empezado a sacarme de mis casillas. Simplemente creí que eso animaría un poco las cosas, pero parece que perdí el control.

—¿Animar *un poco* las cosas? ¡No puedo creerlo! ¿Tienes una idea de lo que sucederá mañana cuando todo esto llegue a los periódicos? Ya puedo ver los encabezados desde ahora: "Escritor mundialmente famoso de novelas de misterio ¡rechaza a Jesús por fraude!" ¡Todos y cada uno de los dirigentes de todos los grupos cristianos en el mundo estarán en contra tuya! Habrá un motín fuera del Century Plaza aun antes de que te levantes mañana por la mañana. Y espera a que tus amados editores se enteren de las noticias. Las cosas realmente llegarán muy lejos. ¡Dios mío, serás el primer autor a quien revoquen sus libros!

—No, no seré el primero; el año pasado fueron revocados cuatro libros de cocina por contener recetas con ingredientes nocivos para la salud.

—Qué momento tan adecuado y encantador para esta clase de trivialidades publicitarias.

—Kitty, estás llevando las cosas fuera de toda proporción. Te estás poniendo histérica por nada.

—¿Por *nada,* dices?

—Escucha, ya he dejado una llamada para que me despierten temprano, porque pensaba jugar dieciocho hoyos con Lemmon en Hillcrest. En vez de ello, tomaré el primer avión que salga de aquí y estaré en casa antes del mediodía. Te llamaré desde Sky Harbor; y tranquilízate. Te amo.

—Yo también te amo, idiota. Simplemente no comprendo por qué tenías que hacer algo tan estúpido. Es como si a cada momento trataras de destruir todo aquello por lo que has trabajado tan arduamente. Constantemente estás tentando al destino, esos deslizamientos en paracaídas, esa loca lancha rápida, la ascensión a esas estúpidas montañas, siempre tratando de ver hasta dónde puedes forzar la suerte. Hazme un favor, te lo suplico.

—Por supuesto, cualquier cosa.

—No has estado bebiendo mucho, excepto uno o dos tragos en una cena o en alguna fiesta, desde hace mucho, mucho tiempo, gracias a Dios. Por favor, no trates de ocultarte en una botella esta noche.

—Te lo prometo; te amo.

—Yo también te amo, Matt.

—¿Kitty?

—¿Sí?

—Una cosa más.

—¿Qué cosa?

—No te pierdas el programa de Carson hoy por la noche. ¡Hay invitados muy importantes!

Colgué el teléfono. Siempre me trastorna escuchar a una dama renegar.

La caseta telefónica estaba sofocante; me enjugué la frente y caminé hacia el salón de la planta baja del Plaza, un sitio llamado el Salón Granada. Consulté mi reloj; casi faltaban tres horas para que saliera al aire el "Espectáculo de esta noche". Pedí mi bebida favorita, tomé asiento en un taburete en el bar casi vacío y me instalé para ver los programas de televisión de más auditorio en el viejo aparato colgado precariamente encima de varias hileras de botellas medio vacías.

Con un control cuidadoso de las bebidas, apenas iba en mi quinto escocés ligero cuando las palabras de Ed McMahon: "¡A-a-aquí está Johnny!", me recordaron cuál era la causa de que me encontrara a solas, sentado en un bar ya cerca de la medianoche, un hábito con el que había roto hacía ya mucho tiempo. El salón ahora estaba atestado, saturado de cuerpos y de ruido, y en el bar había tres hileras de agentes de seguros que acababan de asistir en el salón de baile principal a lo que debió ser una conferencia sobre la perseverancia, porque en ese momento todos trataban con gran entusiasmo de llegar al punto de embriaguez antes del "último toque".

Ninguno de los agentes de seguros prestó gran atención al monólogo de Johnny o a las aventuras marítimas de Nelson Reilly, ni tampoco a los objetos voladores no identificados de Jimmy Stewart mientras seguían bebiendo sus cervezas Coors y comparando su producción de ventas. Solamente cuando Donna Theodore empezó a cantar, el lugar se calmó lo suficiente para poder escuchar a esos resueltos miembros de la comunidad haciendo algunos comentarios acerca de Donna, que se hubieran avergonzado de repetir delante de sus hijos.

Por último, por encima del estrépito, escuché a Johnny haciendo la presentación de "una de las principales autoridades criminales de todo el mundo, así como el escritor de novelas de misterio más popular de nuestros tiempos". Ordené otra bebida y mientras el cantinero la servía, señaló hacia el aparato de televisión, exclamando:

—Ese es usted, ¿no es así?

Justamente en ese momento debí pagar la cuenta del bar y apresurarme a subir las escaleras hasta llegar a mi habitación para ver el resto del programa. En vez de ello, asentí con un movimiento de cabeza, y muy pronto se corrió la voz entre todos los bebedores de que el tipo a quien estaban viendo en el programa de Carson se encontraba sentado en el bar. Traté de escuchar lo que le había dicho a Johnny acerca de los asesinatos con martillo cometidos en Houston, pero solamente pude captar algunos fragmentos por encima del ruido de la multitud. Después pasaron los comerciales, y pude darme cuenta de que me sentía cada vez más tenso cuando el letrero de "aún hay más" brilló en la pantalla. ¡Más, y en qué forma!, pensé.

Todo resultó mucho peor de lo que había imaginado. Cuando finalmente anuncié que había sido incapaz de encontrar alguna prueba aceptable de que Jesús había resucitado de entre los muertos y que creía que millones de cristianos se habían dejado engañar por un fraude a lo largo de veinte siglos, el camarógrafo, perversamente, enfocó el lente de acercamiento para hacer algunas tomas de los rostros, alternando entre mi cara seria y el gesto perplejo de Johnny. Los micrófonos de acercamiento aun llegaron a captar algunas de las rechiflas y abucheos, antes de que Doc Severinsen y su orquesta misericordiosamente pusieran fin a esa parte.

Después de los tres últimos comerciales, Johnny hizo su resumen acostumbrado, anunciando primero a los invitados para la noche siguiente. Después, la cámara lentamente enfocó a Reilly, a Stewart, a la señorita Theodore, mientras el anfitrión agradecía a cada invitado su presencia, enfocando finalmente la silla vacía que yo había ocupado antes de mi salida precipitada. Johnny murmuró algo acerca de la libertad de expresión y del derecho de todo norteamericano de expresar sus opiniones, sin importar lo desagradables que puedan ser para el resto de la gente, pero cuando el auditorio nuevamente comenzó a silbar, sonrió débilmente y se despidió deseando a todos las buenas noches.

Me había concentrado tan intensamente en el programa que no me di cuenta de la calma que reinaba en el salón. Ahora había un gran espacio a mi alrededor, como si de pronto todos y cada uno se hubieran enterado de que yo tenía lepra. Estaba a punto de firmar la cuenta del bar cuando sentí en mi hombro una mano pesada, y al volverme miré los ojos inyectados de sangre de un gigante de mandíbula cuadrada, vestido con un traje informal de algodón, con las mangas enrolladas casi hasta la altura de los codos. Se balanceaba vacilante hacia adelante y hacia atrás, y su acento era completamente tejano.

—Perdóneme, señor, pero, ¿fue usted quien acaba de decir todas esas cosas malas de Jesús, insinuando que todos los cristianos somos unos tontos por creer en Él?

En toda mi azarosa vida me he encontrado en algunas situaciones de perdedor, de las cuales pude salir adelante en lo que parecía ser un trance difícil, pero ésta era una confrontación que sabía era imposible ganar, y ni siquiera evitar. Todos los presentes se habían vuelto a mirarnos, excepto los dos cantineros, que en forma repentina y muy conveniente, de pronto habían encontrado cosas que hacer en el extremo opuesto del bar.

Sonreí forzadamente.

—Ese era yo ciertamente, pero...

El pesado anillo con un monograma brilló a la luz en su puño del tamaño de un jamón, justamente antes de explotar en el centro de mi mandíbula. Sentí que caía y creí escuchar algunos aplausos mientras mi cabeza golpeaba contra el suelo...

2

El rostro viejo y apergaminado que me contemplaba, parecía estar surcado por más líneas que un mapa geodésico de Norteamérica. Su piel, oscura como una cáscara de nuez, ofrecía un contraste vívido con el cabello plateado que le caía hasta los hombros y con una luenga barba cuidadosamente recortada. De su cuello colgaba un pesado amuleto de oro, que se balanceaba precariamente cerca de mi nariz, mientras el anciano se inclinaba para mirarme a los ojos.

Abrí la boca, pero lo que escuché no parecía ser mi voz.

—¿Quién es usted? —murmuré con voz áspera— ¿y en dónde me encuentro?

La respuesta del desconocido fue benévola y amistosa y su voz, rica y profunda, era completamente incongruente saliendo de un marco tan frágil y anciano.

—Mi nombre es José, y ahora te encuentras en un diván del comedor de mi humilde morada. ¡Bienvenido, Matías!

¿Matías? Un presente de Dios; una de las muchas variantes de Mateo. Me habían bautizado con el nombre de Mateo, en honor de un abuelo italiano por el lado materno. Siempre odié ese nombre, así que desde la escuela primaria fui Matt.

¿Cómo sabía mi nombre? El anciano sonreía, moviendo la cabeza y extendiendo su mano en una invitación silenciosa para que me enderezara. Cuando lo hice y miré a mi alrededor, casi volví a sumergirme en la inconsciencia.

La habitación en donde nos encontrábamos hubiera hecho justicia a cualquier palacio real en el mundo. En lo alto había un cielo abovedado de color azul celeste oscuro, en el cual se encontraban engastadas pequeñas figuras metálicas de oro y plata, para simular las estrellas y planetas del firmamento. El piso rectangular estaba completamente incrustado con diseños complejos de piedras multicolores, y en el centro del mosaico había un pequeño estanque alimentado desde las fauces abiertas de un león de mármol de tamaño natural. Rodeando el estanque oval había cajas repujadas en plata que contenían muchas variedades de flores de dulce aroma, que no podía identificar.

El anciano, quien dijo llamarse José, miraba con expresión divertida, que no trataba de ocultar, cómo yo volvía la cabeza con admiración reverente e instintivamente seguía adelante con mi observación. Los muros estaban recubiertos de maderas de color oscuro, probablemente nogal, y cada uno servía como telón de fondo para unos pulidísimos espejos de bronce y plata que colgaban encima de unas mesas con incrustaciones de carey, sobre las cuales se exhibían esculturas complicadas de árboles y animales, realizadas en un marfil de tonalidades rosa pálido. En cada rincón se encontraba un brasero de bronce de tres patas, en los cuales se apilaban los carbones; y a través de la única ventana, situada muy arriba del suelo, podía contemplar las copas de los cipreses que se mecían plácidamente contra un cielo de tintes cobrizos y turquesa.

Por último, llegué al inventario de mi persona; no llevaba mi reloj pulsera de oro Omega, y me faltaba la ancha banda de mi argolla de matrimonio. Toda mi ropa acostumbrada había desaparecido, y la reemplazaba una túnica que me llegaba hasta la rodilla, que daba la impresión de estar hecha de lino, anudada a la cintura con una delgada correa de piel. A lo largo de esta tela había una sola franja color púrpura, de unos dos y medio centímetros de ancho, que iba desde el hombro hasta el borde, tanto al frente como atrás, y debajo de esa sencilla prenda externa llevaba un taparrabos suave del mismo material. En el suelo, al lado del diván, había un par de sandalias de tiras de cuero.

Tan completa y absoluta era mi desorientación, que todo esto me sorprendió como si formara parte de una mala comedia, como si de pronto me hubiera convertido en el protagonista de una novatada de fraternidad y por fin estuviera pagando, en la misma moneda, todas las bromas hechas a lo largo de los años. Empecé a reír, histéricamente, estoy seguro.

—Y bien, José, si me han raptado, quienquiera que lo haya hecho ciertamente tiene clase, debo decirlo en su favor. Es mucho mejor que encontrarse apretujado en la cajuela de un automóvil.

—Pero nadie te ha raptado, Matías.

—¿Ah, no? Entonces, ¿de qué se trata? ¿Estoy muerto? ¿Realmente me golpeó tan fuerte ese payaso? Y si estoy muerto, ¿en dónde me encuentro? ¿Es esto el cielo, o...?

—No estás muerto, hijo mío.

—Por favor, no me diga que todo lo que está sucediendo se debe a que soy víctima de un sueño de ebrio. Kitty me advirtió que tomara las cosas con calma, y así lo hice. ¿Es eso, José? ¿Estoy soñando todo esto?

La risa gutural de José hizo eco en el elevado cielo raso.

—Alguien de tu propia profesión hubiera disfrutado grandemente respondiendo a tu pregunta.

—¿Alguien de mi propia...? ¿Quién?

—Samuel L. Clemens, o Mark Twain, como prefería llamarse a sí mismo. En una ocasión escribió que la vida sólo era una visión, un sueño.

Bendita sea mi memoria enciclopédica.

—*¡El desconocido misterioso!* Leí esa obra hace mucho tiempo. ¿Acaso Twain no escribió que todo es un sueño: Dios, el hombre, el mundo, el Sol, y que nada existe, excepto cierto espacio vacío, y que nosotros no somos otra cosa que pensamientos?

—Exactamente.

—Por favor, olvidemos los problemas de Twain para concentrarnos en los míos. Usted me dice que no he sido raptado y que no estoy muerto, y que esto no es un sueño. Así que, ¿en dónde me encuentro y qué estoy haciendo aquí? ¿Acaso alguien, uno de mis amigos, me ha jugado una broma costosa? ¡Eso es! ¡Lemmon está detrás de todo esto, y en esta ocasión realmente se superó! ¿Acaso me encuentro en el Caesar's Palace?

José frunció el ceño.

—¿En Capri? No, no, no.

—No en Capri —repliqué con sarcasmo— en Las Vegas.

Una vez más, José se rió hasta que sus ojos se llenaron de lágrimas, pero se detuvo en seco cuando comprendió que yo hablaba en serio.

—No, Matías —dijo suavemente— esto no es Las Vegas.

—Entonces, hombre, dígame ¿en dónde estoy y qué estoy haciendo aquí?

José lanzó un gran suspiro y se colocó a mi altura, sentándose en una banca de piedra cerca del diván, mirando intensamente sus manos abiertas, como si estuviera tratando de leer sus propias palmas. Su voz era tan baja que me vi obligado a inclinarme hacia adelante a fin de poder escuchar sus palabras.

—Hijo mío, todo esto es muy complicado y, sin embargo, muy sencillo. Hace poco tiempo, hiciste algunas declaraciones violentas en un programa de televisión, que ven y escuchan incontables millones de personas.

¡Sentí un escalofrío repentino! Como si me hubiesen echado cubos de hielo por la espalda. Cautelosamente pregunté:

—¿Quiere usted decir mis declaraciones acerca de Jesús y su resurrección, diciendo que no son otra cosa que un fraude?

Sus amistosos ojos color café, de pronto se convirtieron en hendiduras de una hostilidad apenas disimulada.

—El mundo ha estado exponiendo ideas como las tuyas durante veinte siglos. Los detractores desde la época de Nerón han hecho todo lo posible para destruir la fe de todos aquellos que decidieron creer en Jesús. Pero tú, Matías, debido a la época en que vives, eres más importante que cien Nerones. Y debido al progreso humano tan sorprendente en las ciencias de la comunicación, no es del todo irrazonable llegar a la conclusión de que cuando alguien con tu reputación e importancia, tan difundidas, habla como lo hiciste, sus palabras tienen un impacto casi instantáneo sobre todo el mundo.

—¿Cómo es posible que la verdad hiera a la humanidad, José? Shakespeare alguna vez escribió: "Mientras tengas vida, habla con la verdad y confunde al mal".

—Un consejo excelente que procede de una mente brillante. Por supuesto que la verdad jamás puede herir a nadie, amigo mío, ya que es la base de todo conocimiento y el cimiento de todas las sociedades. Exactamente por eso te encuentras aquí.

Me sentí absolutamente impotente.

—No comprendo. ¿En dónde me encuentro?

—En ese programa, hacia el final de tus observaciones, expresaste un deseo específico, ¿no es verdad?

—Lo hice, y he expresado ese mismo deseo con mucha frecuencia, sintiéndome frustrado, a menudo en la intimidad de mi propio estudio, mientras luchaba con las piezas del rompecabezas de la vida de Jesús, que simplemente se rehusaban a encajar.

—¿Y qué fue lo que deseaste en ese programa?

—Expresé el deseo de poder pasar una semana en el mismo escenario de tiempo y lugar que describo en "Comisión: Cristo", en Jerusalén, seis años después de la crucifixión, cuando todos los testigos importantes aún estaban con vida y se encontraban en la ciudad, a fin de interrogarlos e investigarlos. Dije que si solamente dispusiera de una semana, estaba seguro de que podría llegar a la verdad en todo lo concerniente a Jesús, especialmente los hechos que incluyen el fraude de la tumba vacía. ¿Qué tiene que ver eso?

El anciano se puso de pie, se adelantó y decidido tomó mi cara entre sus manos largas y suaves.

—Matías —me dijo compasivamente—, tu deseo se ha convertido en realidad.

—¿Qué está diciendo?

—*Estás* en Jerusalén, y este año, de acuerdo con tu calendario, es el año 36 d. C., ¡seis años después de la crucifixión de Jesús!

Podía escuchar el latido apagado de mi corazón en medio del silencio solemne que siguió al anuncio de José. Solamente el arpegio de las gotas de agua, que caían al estanque desde las fauces abiertas del león, perturbaba la quietud de la habitación sumida en el silencio. Me quedé mirando con incredulidad el rostro sereno de mi anfitrión, buscando desesperadamente un indicio, una ceja ligeramente alzada o un labio torcido, el guiño de un ojo, cualquier cosa que me asegurara que todo esto era parte de una gran broma o aun de una pesadilla. Sí, oh sí, con gusto me conformaría con una pesadilla.

—Simplemente estoy soñando todo esto, ¿no es verdad? —pregunté débilmente.

José ladeó la cabeza como si pensara que yo debía saber que no era así.

—Matías, ¿puedes recordar alguna ocasión en que hayas tenido un sueño durante el cual *supieras* que solamente estabas soñando?

—No lo recuerdo.

—Por supuesto que no puedes recordarlo; la mente subconsciente es incapaz de tal raciocinio.

—¡Pero esto es una absoluta locura! ¡Es imposible! —grité, sintiendo que mi acostumbrada confianza en mí mismo disminuía con cada intercambio de palabras.

—Oh, vamos, eres demasiado prudente para hacer un juicio tan a la ligera, contando con tan poca evidencia. Ciertamente, ninguno de los héroes ficticios que creas haría una declaración tan arbitraria, porque, de lo contrario, jamás resolvería crimen alguno. ¿Y acaso no fue Napoleón quien dijo que la palabra imposible solamente se encuentra en el diccionario de los tontos?

Para ese momento, estaba empezando a pensar en una forma un poco más coherente. Por su última observación, pensé que ya lo tenía en mis manos.

—¿Cómo es posible que *usted* sepa algo de Napoleón, para no mencionar a Mark Twain o al programa de Carson, si, como dice, apenas estamos en los primeros años del primer siglo? ¿No se está adelantando un poco a su época?

El anciano me palmeó en el hombro en señal de aprobación, y después procedió a hablarme tan pacientemente como un maestro amable lo haría con su discípulo favorito.

—Existe un puñado de nosotros, quizá demasiado pocos, a quienes se nos ha concedido el poder de quebrantar las barreras del tiempo y del espacio, siempre que se considera necesario hacerlo, en interés de la verdad. Para nosotros, en realidad no existe ni el pasado ni el presente. En vez de ello, hay un presente de cosas pasadas, un presente de cosas presentes, y un presente de cosas por venir.

—Eso me suena como algo tomado de las *Confesiones* de San Agustín.

Nuevamente volvió a darme una palmada en el hombro.

—¡Muy bien, Matías! El acervo de tus conocimientos es mayor de lo que me había atrevido a esperar. Aurelio Agustín es uno de los nuestros; a su manera, ha ayudado a muchas de las mejores mentes del mundo en sus luchas contra la oscuridad de la incertidumbre durante casi dieciséis siglos. Él y yo somos dos de los mensajeros más antiguos, pero todavía nos las arreglamos para encender nuestra parte de velas.

¿Mensajeros? ¿Velas? ¿Dieciséis siglos? ¿Acaso estaba sufriendo alucinaciones? ¿Me había vuelto completamente loco después del "Espectáculo de esta noche"? ¿O alguien había deslizado una droga en mi bebida en ese bar? ¿O simplemente había traspasado el borde de la realidad hacia un mundo de apariciones bíblicas, fantasmas con los que había luchado durante tanto tiempo para captarlos en las páginas de mi manuscrito y que ahora me habían capturado a mí? Siguiendo mi costumbre, busqué un cigarro, pero la mano se me heló en el aire.

José se rió ahogadamente.

—Recuerda, hijo mío, estamos en el año 36 d. C. Aún los indios de tu hemisferio no adquirirán el vicio de fumar tabaco sino hasta dentro de otros setenta años, poco más o menos. Y tus cigarros no evolucionarán a partir del puro sino hasta dentro de unos mil quinientos años. Desafortunadamente, mis poderes tienen sus limitaciones; solamente puedo trasportar tejido viviente de un lado a otro a través del tiempo y del espacio. Tus cigarros, Golden Lights, según creo que los llaman, al igual que tu ropa y todas tus pertenencias, se encuentran allá, en tu habitación del Century Plaza.

—¡Cielo santo! ¿Qué sucederá cuando encuentren todas mis pertenencias en esa habitación y no haya ningún rastro mío? ¿Y mi esposa? Casi me olvido de Kitty, ¡estará frenética!

—No te preocupes por todo eso, Matías; es posible lograr que el tiempo retroceda o se adelante, y aun que permanezca estacionario. Si eres afortunado, podrás satisfacer tu deseo, encontrar aquí la verdad que buscas y todavía estar de vuelta en tu hotel a tiempo para desayunar. A menos que...

—¿A menos qué?

—A menos que, debido a algún suceso inesperado que no pueda impedir porque esté más allá de mis facultades, llegaras a enfermar o a morir aquí, o. . .

—¿O qué?

No me agradaban nada las insinuaciones que estaba haciendo.

—. . . o que alguien te asesine para impedir que descubras los hechos que buscas. Desafortunadamente, en cualquiera de esos casos, tu cadáver tendría que permanecer aquí. Como ya dije, solamente puedo trabajar con tejido viviente.

¡Grandioso! Nacido en 1923, fallecido en el año 36. Necesitaba algún tiempo para reflexionar en todo esto. Era extraño que el anciano hubiera mencionado a Mark Twain, quien otrora escribió la historia de un yanqui terco de Connecticut, a quien golpearon en la cabeza con una barra de hierro en el Connecticut del siglo diecinueve y despertó en la Inglaterra del rey Arturo, en el siglo dieciséis.

—José —le pregunté en la forma más informal que pude hacerlo—, ¿quién es usted realmente?

—Me conocerás por mi nombre completo; estoy seguro de que te has tropezado con ese nombre durante los veinte años que pretendes haber dedicado al estudio de la vida de Jesús. Siempre se refieren a mí como José de Arimatea.

Sin pensarlo, exclamé abruptamente:

—¡El hombre misterioso de los Evangelios?

José asió fuertemente los pliegues de su túnica y expresó con ceño:

—¿Por qué me llamas así?

—Porque lo es; con toda seguridad debe estar consciente de qué algunas de las mentes más grandes del mundo han tenido serias dudas acerca de que usted haya existido. Ni en Mateo, ni en Marcos, Lucas o Juan, su nombre aparece una sola vez hasta que Jesús es crucificado. Después los cuatro hablan de usted en sus relatos como del hombre que se dirige a Poncio Pilato para pedirle el cuerpo de Jesús para darle sepultura antes de la puesta del sol, hora en que se inicia el sabat. Inexplicablemente, a pesar de su odio por todos los judíos, Pilato le entrega el cuerpo después de asegurarse por sí mismo de que Jesús ha muerto en la cruz. Con ayuda de otro hombre misterioso, Nicodemo, se lleva el cuerpo, lo prepara para su sepultura y lo entierra en un cementerio de las cercanías, en una tumba que algún día hubiera sido la de usted mismo. Después desaparece de las páginas de la historia bíblica, para nunca volver a ser mencionado. ¡Eso, amigo mío, es un hombre misterioso!

José se encogió de hombros e hizo una mueca.

—Yo soy ese hombre, y tu breve resumen de mis pequeños esfuerzos es bastante acertado.

—José, ¿se da cuenta de que todos los eruditos de la Biblia jamás han sido capaces de fijar con exactitud la ubicación original de Arimatea?

—Los eruditos de la Biblia se esfuerzan demasiado. Mi lugar de nacimiento y primer hogar se encontraba en la región montañosa de Efraím, Ramatáyim de donde surgió el profeta Samuel.

—Entonces, la mayoría de ellos están en lo cierto cuando lo ubican en lo que, en mi época, se llama Ramá o Ramla, o Ramallah, dependiendo del libro que se lea.

—Eso carece de importancia. Casi toda mi vida ha transcurrido aquí, en Jerusalén, controlando y extendiendo mis numerosas caravanas de comercio que ahora cubren toda esta tierra, desde Capadocia hasta Egipto.

—José de Arimatea... José de Arimatea... ¿realmente es usted? ¿En verdad me encuentro en la misma habitación, y conversando, con el hombre que dio sepultura a Jesús?

—Debes creerlo, Matías. Y estás aquí conmigo, porque sucede que soy el único en toda Jerusalén que puede ayudarte en tu deseo. Por tus investigaciones y tus estudios, sabrás que estoy en buenos términos, no solamente con los seguidores de Jesús, sino también con las autoridades romanas y judías, y disfruto de la confianza de todos ellos. Todos me deben algún favor que les he hecho, y conmigo como tu amigo y guía, cuando menos aceptarán recibirte y hablar contigo. No obstante, no puedo garantizarte ningún éxito en tu investigación; eso dependerá enteramente de ti y de tus supuestas habilidades.

Extendí mi mano y toqué la suya por vez primera.

—También a ti tengo que hacerte muchas preguntas, José.

—Estoy seguro de que así es. Sin embargo, ¿no deberías interrogar a tus "testigos", llamémoslos así, en el mismo orden en que habías planeado que la Comisión: Cristo escuchara sus testimonios en tu libro? Por tu reputación, me imagino que había una razón lógica de por qué ibas a presentarlos a tus lectores en una secuencia específica, ¿no es así?

—Sí, en mi esbozo del libro había planeado dedicar cada capítulo del mismo al interrogatorio de un testigo diferente, en el mismo orden en que esos individuos desempeñaron un papel en la vida de Jesús. En esa forma, cuando Vitelio, el gobernador romano de Siria, estudiara más adelante las transcripciones de las audiencias de la comisión a fin de decidir cuál sería el mejor curso de acción por seguir, sería como si estuviera leyendo la vida de Jesús de principio a fin, junto con mis lectores, por supuesto. Simplemente era una estratagema de escritor, pero hubiese sido una forma nueva y diferente de narrar la historia de Jesús.

El anciano extendió ambas manos, con las palmas hacia arriba.

—Ya lo ves; no querrás interrogarme sino hasta después de que lo hayas hecho con casi todos los demás. Yo fui de los últimos en llegar a ese escenario.

—Es verdad —asentí—. De acuerdo con mi boceto, hubiera sido uno de los últimos en prestar testimonio ante la comisión encargada de la investigación.

—Eres un hombre inteligente, Matías. Con tu talento y tu reputación, ese libro hubiese tenido un efecto profundo en millones de personas.

—Ahora ya no será así, no después del programa de Carson. El libro que quería escribir era demasiado para mí. Mis primeros años fueron muy difíciles, y mi fe en Jesús me ayudó a salir adelante a lo largo de épocas realmente adversas. Quería rendirle homenaje a Él y a todo lo que había significado para mí, no con las frases acostumbradas y almibaradas de la fe ciega y la adoración que llenan libro tras libro, sino con la verdad, con hechos, evidencias inexorables, pruebas más poderosas que cualquiera de las de mis historias de detectives, de que, ciertamente, era el Hijo de Dios. Los tres tribunos de mi historia, dotados de todas sus habilidades, conocimientos y poder, fraguarían planes para atacar a cada uno de los testigos con preguntas e interrogatorios implacables, hasta que alguno de ellos cediera, bajo presión, y confesara estar implicado en el robo del cuerpo de Jesús, sacándolo de su tumba, a fin de que sus seguidores pretendieran que había resucitado de entre los muertos. Pero, de acuerdo con mi trama, ¡los mayores esfuerzos de la comisión fracasarían! Ninguno de los discípulos cedería bajo presión, y cada uno de los testimonios solamente vendría a reforzar a los anteriores. De esa manera, al comparar todos los hechos, la comisión se vería obligada a llegar a la conclusión de que, basándose en toda la evidencia que habían acumulado, Jesús sí había resucitado en su tumba. Fin del libro.

José había vuelto a tomar asiento en la pequeña banca y se dedicó a estudiarme durante algunos momentos.

—¿Qué fue lo que salió mal en tus planes?

—Al principio, nada. Yo ocupaba el cargo de editor en una pequeña revista, en Chicago ni siquiera había escrito mi primera novela de detectives cuando tuve la idea de escribir "Comisión: Cristo". Empecé a estudiar todos los libros que pude encontrar que hablaran sobre la vida de Jesús, preparando largas listas de las preguntas que quería que los miembros de dicha comisión hicieran a testigos como Pedro, Mateo, Santiago, Pilato, Caifás y a ti mismo.

El anciano jamás apartó ni por un momento su mirada de mí, y sólo asentía de cuando en cuando para animarme a continuar y para indicar que comprendía.

—Todas esas lecturas y anotaciones continuaron durante tres o cuatro años, antes de llegar a dos conclusiones aterradoras. Para entonces, ya tenía varios cuadernos llenos con las preguntas que mis tribunos harían a cada uno de los testigos, pero en un gran número de casos *no podía encontrar respuestas* a esas preguntas, ninguna explicación lógica y objetiva que pudiera poner en labios de mis testigos a fin de hacer que mi libro avanzara hacia el desenlace deseado. De cuando en cuando me encontraba con una mina de oro, o por lo menos eso creía, al encontrar una explicación lógica para alguna pregunta desafiante en algún libro, solamente para descubrir, más adelante, a otro experto que estaba en completo desacuerdo con el primero. El estudio de los cuatro Evangelios me hizo toparme con un muro; había contradicciones por doquiera. ¡Ni siquiera concordaban en la hora en que Jesús había muerto! Leí a Voltaire y me enteré de que él había luchado contra la misma clase de problema. Seguí investigando y estudiando, y para cambiar de ritmo escribí mi primera novela de detectives. Se convirtió en un éxito de librería; tan grande, que me permitió renunciar a mi trabajo para pasar todo mi tiempo escribiendo. Eso me dejó más espacio para trabajar en "Comisión: Cristo" y perseveré en esa labor. En alguna parte, me decía a mí mismo, tiene que haber respuestas; rechacé absolutamente a quienes sostenían que tenía que aceptar muchas cosas basándome únicamente en la fe. ¿Por qué debía pasar semanas y quizá meses estudiando todos los hechos y especificaciones antes de adquirir un automóvil o una casa, o una cámara fotográfica, dejando lo más importante de mi vida apoyado en una fe ciega? Eso me parecía ridículo, y aún sigo pensando así. Quizá esa fue mi debilidad, un Santo Tomás incrédulo de nuestros días, que quería creer, pero necesitaba pruebas. Juan hace esta cita de Jesús: "Si no ves señales y prodigios, no creerás". Jesús estaba describiéndome... y sigo pensando igual.

José dijo:

—Matías, mencionaste que habías llegado a dos conclusiones aterradoras. ¿Cuáles fueron esas conclusiones?

—La primera fue la más decepcionante. En algún momento, me di cuenta de que *jamás* encontraría fuentes fidedignas que pudiesen proporcionarme respuestas aceptables y lógicas para muchas de las preguntas que quería que hiciera la comisión a los testigos. Y la segunda conclusión fue que la única forma en que podría terminar el libro sería publicarlo como uno más en el largo desfile de libros en contra de Cristo, algo que simplemente era incapaz de hacer.

—¿Por qué?

—Mi madre, que en paz descanse, fue una mujer muy devota. Aun cuando ya no existe, la amé demasiado para arrojar lodo sobre su fe. Y nunca antes había insinuado ninguna de mis dudas en público hasta que me dejé llevar en ese maldito programa.

José apartó su mirada de mí y sacudió la cabeza.

—Dime, Matías, ¿cuáles fueron algunas de las preguntas que obstaculizaron tus esfuerzos?

—Ah, José, eran cientos de ellas —respondí en tono quejumbroso.

—¿Por ejemplo?

—Muy bien, si Jesús en realidad les hubiese dicho a sus discípulos que moriría y después resucitaría de entre los muertos, ¿por qué huyeron todos cuando fue arrestado en el huerto, y por qué se sorprendieron tanto cuando María Magdalena les llevó las nuevas de la tumba vacía? Si Jesús estaba enterado de que su misión en la tierra era padecer y morir por la humanidad, ¿cómo es que le preguntó a Dios, desde la cruz, por qué se había olvidado de Él? Cuando Jesús entró a Jerusalén, ese domingo anterior a su muerte, ¿realmente había una gran multitud que salió a recibirlo?, y si fue así, ¿por qué las autoridades romanas permitieron que tuviese lugar una exhibición de esa naturaleza, tan potencialmente peligrosa? Y la misma pregunta en lo referente al Templo, cuando derribó las mesas de los mercaderes. ¿Era posible hacer una cosa así y retirarse con toda libertad para volver, al día siguiente, sin ser arrestado por la policía? ¿Quieres más?

José asintió.

—Si Juan el Bautista reconoció a Jesús como el "Cordero de Dios", ¿por qué los seguidores de Juan siguieron su propio camino, mucho tiempo después de que Jesús, supuestamente, había resucitado de entre los muertos? ¿Qué fue lo que sucedió realmente en esa tumba el domingo por la mañana? ¿Realmente un ángel le habló a María Magdalena, y, de no ser así, cómo se arraigó esa historia? En Cesarea de Filipo, ¿fue Pedro quien finalmente convenció a Jesús de que él era el Mesías, y por qué disminuyó el número de seguidores de Jesús a medida que transcurría el tiempo? ¿Por qué no hizo algunos milagros más en la Jerusalén cosmopolita, en donde hubiera obtenido mayor provecho? ¿Qué quiso decir Jesús con "el Reino de Dios"? Si las multitudes verdaderamente creían que Jesús era el Mesías, ¿cómo es posible que hayan permitido que lo crucificaran, cuando en el pasado habían demostrado estar dispuestas a morir por causas menos importantes. ¿Te basta con eso?

Sacudió la cabeza negativamente.

—¿Qué pudo causar que un hombre que estuvo tan cerca de Jesús, durante tanto tiempo, finalmente se volviera en su contra y lo traicionara? Y los discípulos, ¿realmente promovieron el fraude de la resurrección a fin de conservar su posición y el apoyo del pueblo? Cuando fue bajado de la cruz, ¿había muerto, o simplemente se encontraba en estado de coma?

El anciano se sobresaltó al escuchar la última pregunta, pero guardó silencio.

—¿Cuáles fueron los verdaderos cargos por los que Jesús fue condenado a muerte? ¿Existió alguna confabulación entre el sumo sacerdote Caifás y Poncio Pilato y, posteriormente, colaboraron ambos para ocultar los hechos? Cuando Jesús envió a los doce apóstoles a anunciar que el Reino de los Cielos estaba al alcance de todos, ¿les dijo que el Hijo del hombre volvería antes de que hubieran terminado su jornada? Y si lo hizo, ¿cuáles fueron los verdaderos sentimientos de los apóstoles cuando volvieron de su misión y se dieron cuenta de que nada había cambiado? ¿Por qué Mateo, Marcos y Lucas ignoran en sus escritos un suceso tan asombroso y poderoso como la resurrección de Lázaro? ¿Acaso los judíos esperaban que su Mesías hiciera milagros? ¿Por qué la familia de Jesús lo ignoró durante su ministerio? ¿Por qué Jesús fue el único arrestado y juzgado? ¿Qué sucedió con la multitud, la mañana de su juicio ante Pilato, que pidió a este último que liberara a Barrabás y ejecutara a Jesús. . . ?

El anciano alzó ambas manos como en señal de rendición. Tenía los ojos húmedos y se aclaró la garganta varias veces antes de hablar.

—Matías, ahora comprendo por qué tus libros son tan populares. No estoy muy seguro de que puedas encontrar respuestas a todas las preguntas que has hecho, aun si pasaras aquí toda una eternidad.

—José, para mí ya no tiene importancia encontrar respuestas para todas esas preguntas. Creo que el asesinato de nuestro presidente Kennedy me hizo comprender, finalmente, que si los mejores cerebros del hombre moderno, con todos nuestros artilugios técnicos, no pueden resolver a fondo la verdad acerca de sucesos que tuvieron lugar hace apenas unos cuantos años frente a miles de testigos, ¿cómo en nombre del cielo puedo esperar encontrar las explicaciones objetivas de sucesos que tuvieron lugar hace dos mil años? En el transcurso de los años, la clave para la terminación del manuscrito de "Comisión: Cristo" se ha reducido a tratar de encontrar solamente la respuesta a una pregunta. Si pudiera resolver esa a mi entera satisfacción, todas las demás carecerían de importancia.

—¿Solamente una pregunta? —respondió José, frunciendo el ceño.

—Sí, sólo una. Si tuviera esa respuesta, podría terminar el libro.

—Te suplico, Matías, dime cuál es esa pregunta.

—Estoy de acuerdo con Pablo, quien llegó hasta el fondo de la cuestión cuando dijo: "Si Jesús no hubiera resucitado, entonces nuestras enseñanzas son en vano, y la fe de todos ustedes es en vano". El deseo que expresé en el programa de Carson depende de la declaración de Pablo, y ciertamente debes reconocer que hay millones de personas que comparten mis sentimientos, pero que jamás se atreverían a confesar sus dudas. José, si pudiese convencerme de que nadie retiró el cuerpo de Jesús de la tumba, tu tumba, y de que, por consiguiente, sí resucitó de entre los muertos, todas las demás preguntas serían improcedentes.

José pareció aliviado. Caminó con ligereza hasta una mesita lateral, haciendo sonar una campanita de cristal. De inmediato apareció un sirviente en el vano de la puerta, llevando una charola de plata con una jarra de vino blanco y dos copas. El anciano sirvió cuidadosamente el líquido, colocó en mi mano una copa llena, rozándola con la suya, y alzó su bebida por encima de la cabeza.

—Quiera la verdad liberarte de tus dudas, hijo mío. Hay algo muy especial que quiero que veas, pero primero vamos a beber por tu éxito. Durante los próximos días, siempre estaré cerca de ti, haciendo las veces de tu guía y confidente; no obstante, tú debes señalar el camino. Los resultados que logres al tratar de descifrar lo que, sin lugar a dudas, es el misterio más grande de la historia del mundo, dependerá exclusivamente de tu propia capacidad, de tus conocimientos y habilidades para seleccionar la evidencia y los testimonios. Yo solamente estaré a tu lado para protegerte y aconsejarte, en la mejor forma que pueda, si llegara a ser necesario.

Durante varios minutos bebimos nuestro vino en silencio. Después me dijo:

—No te envidio, Matías; sobre tus hombros ha caído un peso más grande de lo que te imaginas.

Bajé mi copa y miré inquisitivamente al anciano. Se encogió de hombros, sonriendo y disfrutando, aparentemente, con mi expresión perpleja.

—¿Todavía no te has dado cuenta, Matías, de que tú, y solamente tú, ahora te has convertido en la fuerza que creaste en tu mente hace veinte años?

—No comprendo. ¿Qué quieres decir, José?

—Tú, hijo mío, ahora eres. . . ¡la comisión que investigará acerca de Cristo!

3

Antes de que hubiéramos terminado nuestras copas, el sonido distante de fanfarria de trompetas interrumpió nuestro brindis. José depositó su copa medio vacía sobre la charola, y dijo ansiosamente:

—Ponte las sandalias y acompáñame, Matías. Te prometí mostrarte algo muy especial.

—Esas son las siete trompetas de plata, ¿no es verdad? —pregunté—. Suenan desde el Templo, cuatro veces al día, para anunciar que todos los fieles deben hacer una pausa durante un momento para orar y reflexionar.

—Has investigado muy bien, amigo mío. Ven.

Al aproximarnos a una puerta que se abría sobre un largo pórtico cubierto de enredaderas, el anciano se volvió hacia mí, los ojos centelleantes con obvio placer.

—Hazme el favor de cerrar los ojos y dame tu mano para que pueda guiarte, y te suplico que no los abras hasta que yo te lo indique.

Lo hice tal y como me lo pedía, y con mi mano en la suya caminamos lentamente hacia adelante.

—José, esto me recuerda otros tiempos —le dije—. Mi esposa y yo siempre acostumbramos seguir esta rutina con nuestros dos hijos, cuando eran pequeños, en la mañana de Navidad. Juntos los guiábamos escaleras abajo hasta la sala y nos deteníamos justamente frente al árbol, rodeado de regalos amorosamente envueltos por Kitty. Las expresiones de sorpresa y alegría que aparecían en sus caritas cuando, finalmente, les decíamos que podían abrir los ojos, era nuestro mejor presente navideño. Con suerte, pronto volveremos a hacerlo, para nuestros nietos.

—Me sorprendes, Matías.

—¿Cómo es eso?

—Que estés anticipando, aun ahora, la celebración del natalicio de Jesús, a pesar de tus dudas personales y de tus argumentos públicos.

—Bue-no, en nuestro país, la Navidad ha llegado a convertirse en algo apenas más importante que cualquier otro día de fiesta. Ahora, las personas de cualquier fe se unen a la celebración, por lo menos en el intercambio de regalos. Con excepción de uno o dos villancicos anticuados, ya rara vez se escucha el nombre de Jesús por encima del clamor de las multitudes que pululan en los grandes almacenes y del ruido de las cajas registradoras.

—Sí, lo sé —dijo tristemente.

Pronto sentí en mi rostro una brisa cálida, y supe que estábamos bajo el sol cuando la luz que se filtraba a través de mis párpados cerrados cambió a un color amarillo brillante, como el de un albaricoque. Luché contra la tentación de atisbar pero dimos unos cuantos pasos más antes de que José dijera:

—Ahora ya puedes mirar, Matías.

Al principio, me sentí cegado por el sol despiadado del desierto. Después, de mi garganta escapó una poderosa exclamación al contemplar, desde la propiedad de José, en la ladera de la montaña, la ciudad de Jerusalén, tal y como la conoció Jesús, aferrándose con obstinación a la escarpada altiplanicie de piedra caliza inclinada, con su perfil desigual suspendido en lo alto del borde circundante de desierto ondulante y yermo. Traté de empaparme de esa visión de una sola mirada: los cercanos palacios terraplenados, los valles púrpura, los lejanos hacinamientos de chozas de piedra caliza con tejados que se tocaban unos a otros, los estrechos caminos y las callejuelas atestadas, y la distante construcción de techo dorado que reconocí al instante como el grandioso Templo.

No sé cuánto tiempo me quedé mirando todo eso, antes de escuchar la voz de José.

—Y bien, ¿qué piensas de la ciudad de David?

Al principio, me sentí incapaz de hablar o de apartar mi vista del panorama que se extendía a nuestros pies. Mis ojos abarcaban de una elevación a otra, señaladas por estanques azules, torrecillas de piedra, jardines llenos de verdor, tejados de azulejos rojos, muros de mármol y torres amarillas, edificios de piedra caliza e hileras interminables de palmeras y cipreses. Finalmente pregunté deslumbrado:

—¿Por qué yo, José? Con tantas personas verdaderamente santas y creyentes que hay en todo el mundo, que gustosas darían su vida por vislumbrar aunque fuese un minuto lo que estoy viendo ahora, ¿por qué yo?

Mi anfitrión se volvió retrocediendo varios pasos hacia la villa. Antes de mirarme por encima del hombro pronunció estas palabras:

—Quizá algún día llegues a comprenderlo. Por ahora, te dejaré a solas con tus pensamientos y la ciudad de Jerusalén.

¿A solas con Jerusalén? Si todo esto era un sueño, había cambiado de opinión. Ahora, el escritor que había en mi interior no quería despertar. Sobre peldaños de piedras de un color azafrán, descendí cruzando macizos cultivos de gladíolos y anémonas, hasta encontrar una banca de mármol que ofrecía una perspectiva sin obstruir de toda la ciudad. Allí me senté, apoyando la barbilla en la mano, luchando por comprender el milagro que se ofrecía ante mi vista.

La ciudad era pequeña, más pequeña de lo que había imaginado, aun cuando recordé haber leído que cubría solamente poco más de ciento veintiún hectáreas durante el primer siglo. Para cualquier extranjero como yo, que la contemplaba por vez primera, Jerusalén daba la impresión de ser una fortaleza invulnerable, circundada como lo estaba por sólidas murallas de color terracota, salpicadas por elevadas torres que proyectaban sombras profundas hacia los fosos naturales formados por un valle hacia el Este y por otro hacia el Oeste y el Sur. Y sin embargo, como sabía muy bien, gracias a mis investigaciones, ninguna barrera, ya fuese natural o hecha por la mano del hombre, había resistido nunca los interminables desfiles de enemigos y adoradores devotos que llegaban, ya fuese para destruir o bien para honrar el santuario de Yahvéh, dios de

Israel, y también, según los antiguos profetas judíos, dios del universo entero.

Bajo mis sandalias, la tierra delgada de Jerusalén, veteada con fajas de pedernal de un color tostado, tenía tintes rosa, magenta y rojizos. Si no fuese debido a su rico contenido de hierro, se podría creer que eso se debía a la sangre que constantemente se había derramado sobre esta tierra torturada desde la época en que David, con ayuda de Joab, capturó a la ciudad que estaba en poder de los jebusitas, reclamándola para su pueblo, el pueblo de Israel, siglos antes de la fundación de Cartago o de Roma.

He observado que muchas ciudades del mundo tienen un sonido característico propio, y así sucedía con ésta, un murmullo gutural, pero amortiguado, interrumpido frecuentemente por un grito humano o por el sonido de las ruedas de madera que bailaban sobre los adoquines, o el tañido de una campana, que ascendía llevado por las ráfagas caprichosas de un viento polvoso. Mientras me encontraba sentado allí, embelesado y confundido, no fue difícil dejar que mi mente retrocediera a la historia sorprendente de esta tierra hostigada, que había estudiado durante tanto tiempo.

En dos ocasiones, el rey de Babilonia, Nabucodonosor II, había capturado y saqueado a Jerusalén, y su segundo pillaje convirtió a la ciudad en lo que, según las lamentaciones de Isaías, solamente era un "yermo de espinos y zarzas", con sus murallas reducidas a escombros, junto con el magnífico templo construido por David y Salomón, el hijo de Betsabé. Todos los ciudadanos, con excepción de los pobres y los enfermos, habían sido desalojados y llevados en cadenas hasta una tierra extraña y pagana, en donde habían soportado la humillación y la iniquidad de la esclavitud durante más de medio siglo, hasta que el rey de Persia, Ciro el Grande, derrotó a Babilonia y permitió que todos aquellos judíos que no habían olvidado, junto con sus descendientes, volvieran a su devastado país.

Con el tiempo, las ruinas que habían sido la morada de bestias, invadidas por la vegetación silvestre, fueron reemplazadas por nuevos edificios, incluyendo un pequeño templo poco impresionante. Los ancianos que recordaban la elegancia y gloria de la construcción de Salomón, lloraron avergonzados cuando vieron terminada su nueva morada de culto. Bajo el reinado de Nehemías, se reconstruyeron los muros de la ciudad y gradualmente volvió a reavivarse el espíritu del pueblo, junto con su fe en que la morada celestial de Dios seguía existiendo justamente en lo alto de su humilde sitio terrenal.

De acuerdo con la historia, Jerusalén se vio después sometida a la brutalidad de los incansables ejércitos de Alejandro el Grande, que irrumpieron a través de la tierra indefensa, después de derrotar a Persia y Siria en su marcha hacia Egipto. Más adelante, el antiguo general de Alejandro, Ptolomeo I, quien había sido escogido por su comandante para ser rey interino de Egipto, volvió a Jerusalén, después de la muerte de Alejandro, para capturar una vez más a la desventurada ciudad, esta vez para su propio imperio floreciente.

Antíoco III, el Grande, de Siria, fue el siguiente en someter al país, y su sucesor, Antíoco Epífanes, instituyó un reinado de terror, cuya meta era la destrucción total de todo vestigio de religión judía. Casi lo logró, obligando a los sacerdotes del templo a quemar cerdos enfermos e intocables en su altar sagrado, ordenando que se destruyeran todas las copias de la Ley y haciendo tanto de la circuncisión como de la observancia del sabat un crimen que se castigaba con la muerte.

Aun así los judíos resistieron, sufriendo toda clase de degradaciones de parte del déspota sirio, hasta que éste llegó demasiado lejos y destruyó su altar de sacrificios. En la revuelta que siguió, una banda suicida de voluntarios valerosos, sobrepasados en número por los invasores, bajo el mando de Judas Macabeo y sus hermanos, quienes asumieron el mando cuando él cayó, lograron una independencia empapada en sangre para su pueblo, una libertad que perduró únicamente hasta que se vieron aplastados bajo el talón de un nuevo poder, el de Roma.

Cuando César Augusto escogió a Herodes, el despreciado edomita del sur, como su gobernador para toda la provincia de Judea, el pueblo de Jerusalén se rebeló una vez más, rehusándose a reconocer o a rendir homenaje a ese gentil que profesaba ser uno de ellos. Nuevamente la ciudad fue sitiada, y los ejércitos de Herodes masacraron despiadadamente a miles de habitantes de todas las edades, incluyendo a su reverenciado sumo sacerdote y guía, Antígono.

Después de tres meses, los hambrientos sobrevivientes se vieron obligados a capitular.

Herodes el Grande gobernó mediante supercherías y terror durante treinta y tres años, imponiendo a sus súbditos tributos que casi iban más allá de lo que podían soportar, a fin de complacer a sus amigos de Roma; construyó por todo el país grandes teatros e hipódromos, viaductos y palacios de mármol y oro, como una evidencia material de su mando supremo. También tomó diez esposas y asesinó a siete miembros de su familia, incluyendo a tres de sus hijos. Como Herodes, según la observancia de la Ley hebrea, se abstenía, cuando menos en público, de comer carnes prohibidas como la de cerdo, la broma común entre el pueblo hacía correr la voz de que era mucho más conveniente ser un cerdo en la corte de Herodes, y no un hijo suyo.

Cuando el cuerpo y la mente enfermos del tirano finalmente expiraron a la edad de sesenta y nueve años, la necrología que se murmuraba entre los judíos era que "había usurpado el trono como una zorra, había gobernado como un tigre y había muerto como un perro". Uno de sus últimos actos infames tan de acuerdo con su personalidad, fue dictar un mandato para que fuera pasado a cuchillo todo hijo varón menor de dos años que viviera en la pequeña aldea vecina de Belén y sus alrededores. Habían llegado a sus oídos algunos rumores alarmantes de que había nacido uno que estaba destinado a gobernar al pueblo, tal y como lo había predicho la profecía judía.

Ahora Herodes se había convertido en polvo, lo mismo que su amo, César Augusto; y Tiberio, el nuevo emperador de Roma, había dividido la pequeña nación entre dos de los hijos sobrevivientes de Herodes y un gobernador o procurador romano, que en esa época era Poncio Pilato. Cada uno de ellos disfrutaba de considerable libertad para gobernar su territorio, pero los tres estaban demasiado conscientes de que todas sus acciones siempre estaban bajo el escrutinio del poderoso gobernador de Siria, Lucio Vitelio.

Siempre me había sentido fascinado con la personalidad de Vitelio, desde los primeros días en que comencé a trabajar en "Comisión: Cristo". Firme y capaz, desde un principio había sido él mi elección lógica de la clase dirigente que no hubiera dudado en nombrar un grupo de tribunos para llevar a cabo audiencias secretas a fin de indagar las actividades de cualquiera que amenazara la Pax Romana, aun las de un predicador crucificado originario de Nazaret y de sus seguidores, quienes, ilógicamente, aumentaban en número a pesar de la muerte de su maestro.

Lucio Vitelio no solamente era el gobernador de Siria, sino también el funcionario de más alto rango de todo el sector oriental del vasto imperio romano. Desde su sede en Antioquía, estaba al mando de cuatro de las veinticinco legiones romanas, y era responsable solamente ante Tiberio del mantenimiento de la paz y la estabilidad en Siria y a todo lo largo de sus fronteras, así como entre los tres millones de judíos hacia el sur.

Poncio Pilato, quinto procurador romano para las provincias judías de Judea, Idumea y Samaria, no parecía estar demasiado preocupado por la amenaza creciente que presentaban para su autoridad las hordas de rebeldes en potencia que se multiplicaban con gran rapidez en Jerusalén y sus alrededores, las cuales ahora se habían bautizado a sí mismas con el nombre de cristianos. Por otra parte, su superior, Vitelio, dándose cuenta de que la responsabilidad final del mantenimiento de la paz y el orden descansaban únicamente sobre sus hombros, no hubiera tenido escrúpulo en hacerse cargo de todo, a fin de enterarse por medio de una comisión elegida por él mismo de todo lo concerniente al fallecido Jesús y al supuesto fraude perpetrado por sus seguidores de que había resucitado.

Después de una carrera larga y honorable, Lucio Vitelio había fallecido a consecuencia de una parálisis en el año 52 d. C., afortunadamente mucho tiempo antes de que su único hijo, Aulo, se convirtiera en emperador de Roma el 2 de enero del año 69 d. C. Aulo no era la clase de hombre que fue su padre, y después de haber estado sólo unos cuantos meses en el poder, las tropas de Vespasiano lo arrastraron por todas las calles de Roma y después arrojaron su cuerpo al Tíber.

La voz de José me sobresaltó.

—¿Qué es lo que escuentras tan divertido?

El anciano se había acercado a mí por detrás tan silenciosamente que ni siquiera lo había oído llegar. Sacudí la cabeza.

—Simplemente he estado pensando en un emperador romano que fue arrastrado por las calles.

José hizo un gesto de desagrado.

—¿Y encuentras eso muy divertido, Matías?

—No, no, es sólo en medio de lo absurdo de mi situación actual, puesto que ese suceso no tendrá lugar sino hasta dentro de treinta y tres años si, como pretendes, éste es apenas el año 36 d. C. Realmente podría predecirle su futuro a ese joven, si llegara a conocerlo. Tú sabes, aconsejarle renunciar al imperio cuando fuera mayor, y mantenerse alejado de Roma.

José ignoró mi nerviosa impertinencia.

—Eso es algo con lo que debes tener mucho cuidado, hijo mío —me advirtió—. En posesión como estás del conocimiento histórico acumulado en veinte siglos, eres capaz de profetizar acertadamente el destino final de casi todos aquellos a quienes llegues a conocer, así como de predecir el futuro de esta ciudad. Debes ser sumamente discreto y precavido en la forma en que entrevistes a tus testigos. Un solo desliz al hablar, y el desastre sobrevendrá, arruinando tu misión. ¿Lo entiendes?

—Ahora puedo entenderlo; no he tenido mucho tiempo para pensar en ello. —Me dio una palmadita en la cabeza.

—Lo comprendo. Y bien —preguntó, señalando con ambas manos en dirección a la ciudad—, ¿es tal y como lo esperabas?

—Lo es, y mucho más. Ahora puedo comprender por qué los discípulos exclamaron: "¡Vean qué forma de piedras y edificios se encuentran aquí!" Y sin embargo, José, todo me parece tan conocido. He estudiado tantos mapas y dibujos que muestran la Jerusalén de Jesús a fin de lograr que mi libro fuese lo más auténtico posible, que probablemente podría encontrar mi camino allá casi tan bien como tú.

El anciano inclinó la cabeza, alzando ambas cejas.

—En verdad, qué pedantes nos vuelve un poco de cultura. Vamos a ver qué tanto de verdad hay en tu alarde. Estoy seguro de que por la posición del sol poniente has podido deducir que esta villa se encuentra ubicada en la parte alta de la ciudad, cerca del ángulo suroeste. Ahora bien, al sur del punto en donde nos encontramos, al otro lado de la muralla, hay un valle muy profundo, como podrás ver. Dime, ¿cuál es su nombre?

Sin vacilar respondí:

—El Valle de Hinnom, algunas veces llamado "Gehenna" o "Infierno", debido a que antaño en ese lugar quemaban a los niños en las ceremonias de sacrificios. Posteriormente, se convirtió en un basurero permanente, siempre envuelto en llamas.

—¡Excelente! Y, por supuesto, ¿reconocerás ese magnífico edificio con su techo de oro y alabastro, ubicado en la cima de la colina, al otro lado de la ciudad?

—Por supuesto; es el grandioso Templo de los judíos. Está situado en lo alto del Monte Moría y fue el legado supremo de Herodes a un pueblo del cual jamás recibió amor ni respeto. Más de diez mil ingenieros y obreros trabajaron día y noche durante las primeras etapas de su construcción, y casi un millar de sacerdotes recibieron preparación especial en el arte de la mampostería, de manera que únicamente sus santas manos tocaran el mármol y la argamasa que después dieron forma al altar y patios interiores sagrados. Mientras nos encontramos aquí, si éste es el año 36 d. C., ya ha estado en construcción durante más de cincuenta años. Treinta y cuatro años después, a partir de ahora, y poco tiempo después de su terminación, será completamente destruido por Tito y las legiones romanas, después de haber ahogado la revuelta judía en septiembre del año 70 d. C.

José parecía estar furioso.

—Matías, ¡no debes hacer eso! Debes evitar cuidadosamente el abuso de tus conocimientos del futuro y hacer uso de ellos para profetizar. Eso te conducirá a la clase de problemas de los que no hay salvación.

No pude resistirlo, y dije:

—Jesús también profetizó la destrucción del Templo, y eso le acarreó algunos problemas.

Las mandíbulas del anciano se endurecieron; me volvió la espalda y señaló:

—Más allá del Templo, en las afueras de la ciudad, hacia el oriente, hay una colina cubierta de árboles. ¿Cuál es su nombre?

—El Monte de los Olivos, y está separado de la ciudad por el valle del Cedrón. Allí se encuentra el Huerto de Getsemaní, el sitio en donde Jesús fue hecho prisionero aquel jueves por la noche...

—A la izquierda, al norte del Templo y casi rozándolo, ¿qué edificio es ese?

Al fin en su voz había un tono de admiración. Volví la mirada en la dirección que me señalaba, y dije:

—Esa monstruosidad originalmente llevaba el nombre de Baris, y fue erigida por los macabeos para defender la ciudad. Herodes la convirtió en un palacio suntuoso y le dio un nuevo nombre, el de Antonia, en honor de su poderoso amigo de otros tiempos, Marco Antonio. Ahora es una fortaleza romana, bajo el mando de Poncio Pilato, ocupada por tropas en un número aproximado de mil, que son responsables del mantenimiento de la ley y el orden en este lugar. El cuartel general de Pilato se encuentra en Cesarea, pero normalmente viene a Antonia para la celebración de las fiestas judías más importantes, trayendo consigo tropas adicionales para hacerse cargo del número creciente de peregrinos que, por lo general, se dejan llevar por el celo patriótico durante sus festividades más sagradas. Sobre el pavimento de Antonia, en el amplio patio exterior, fue donde Jesús compareció ante Pilato para ser juzgado, la mañana de su crucifixión.

José asintió y señaló hacia el área al sur del Templo, en donde un humo oscuro colgaba permanentemente por encima de los tejados de paja y de las calles obstruidas por las multitudes.

—¿Y cómo se llama esa sección?

—Es la parte baja de la ciudad, los barrios bajos, en donde dos tercios de la población de Jerusalén luchan simplemente para sobrevivir, en la misma forma en que los pobres han luchado en cada ciudad desde el principio de los tiempos. Es un sitio en donde prosperan la enfermedad, el crimen, el vicio y la violencia. Más de la mitad de los niños nacidos allí mueren en el momento de nacer, y muy pocos llegan a romper sus lazos con la pobreza, si es que logran sobrevivir, para cruzar esos puentes y, más adelante, convertirse en residentes honorables de la parte alta de la ciudad.

—¿Puedes ver ese valle que separa las partes alta y baja de la ciudad, y que corre de Norte a Sur? ¿Por casualidad sabrías cuál es su nombre? —me preguntó el anciano, observándome con curiosidad.

—Sí, lo llaman el Valle de los Comerciantes de Queso, pero la gente que habita en ese lugar lo llama el Valle del Estiércol. Allí arrojan todo, desde basura hasta cadáveres, y ese humo que vemos proviene del cenagal, constantemente abastecido de escoria ardiente que esparce su repugnante hedor sobre toda la parte baja de la ciudad, día y noche.

José volvió a asentir.

—A pesar de tu descripción, lamentablemente acertada, Matías, ¿hay algo en esa zona que pueda atraer a los peregrinos cuando vienen a Jerusalén?

Traté de evitar una sonrisa ante su selección de las palabras.

—Ah, casi me olvido de ello. Por razones que jamás pude comprender, el mercado más ambicioso y más variado de todo el mundo civilizado se encuentra ubicado en el corazón de toda esa inmundicia. Allí se encuentran cientos de tiendas y bazares, así como muchos sitios excelentes para comer, y todo eso atrae primordialmente a quienes vienen desde muy lejos a rendir culto en el Templo.

Le identifiqué en rápida sucesión el hipódromo, el teatro, el palacio hasmoniano, en donde se alojó Herodes Antipas cuando visitó la ciudad, y el Estanque de Siloam. Finalmente, me tomó por los hombros, con frustración obvia, y me hizo girar de manera que quedara viendo directamente hacia el Norte.

—Matías, ¿qué lugar es ese?

—Esa magnífica propiedad era la residencia de Herodes el Grande. La muralla que circunda los edificios tiene casi catorce metros de altura. En una de las alas del palacio hay cuando menos cien habitaciones, que Herodes acostumbraba llenar con sus invitados, y cada una de ellas ostenta su propio baño con todos los detalles, incluyendo accesorios de oro y plata. Aquellas tres torres fueron construidas para defender al palacio; cada una de ellas se levanta a más de dieciocho metros por encima de la muralla, y puede dar cabida a toda una compañía de soldados.

Una expresión taimada se insinuó en el rostro del anciano.

—Herodes bautizó con un nombre a cada una de esas torres, Matías. Por casualidad, tus extensas investigaciones ¿no te revelaron cómo las llamó?

Hice una pausa para tratar de reunir mis recuerdos; si esta era la serie de preguntas más extraña de cualquier época, quería ganar. Respondí lentamente:

—Una de ellas se llama... Hippicus, en honor de un amigo de Herodes; otra se llama Fasael, en honor de su hermano, y la tercera es... es...

—¡Ah, ah! —se rió ahogadamente José.

—¡La tercera se llama Mariamne! en honor de la esposa a quien decía que más amaba, pero que aun así Herodes mandó ejecutar.

El anciano no se daba por vencido fácilmente. Me condujo a través de la parte más baja del jardín hasta que nos encontramos viendo hacia el Sur. Más abajo y ligeramente a nuestra derecha, se erguía una pesadilla arquitectónica. A diferencia de sus vecinos más agraciados, el edificio principal tenía dos niveles.

—¿A quién pertenece ese lugar? —preguntó José con el tono de voz calmado de un buen jugador de póker.

Ésta iba a ser una conjetura al azar, porque no estaba muy seguro, pero me daba cuenta de que para ahora ya no quedaban muchos puntos sobresalientes que tuvieran significado para ambos, así que con mi tono de voz más positivo le respondí:

—Ese es el hogar de Caifás, el sumo sacerdote de los judíos, el sitio a donde Jesús fue llevado finalmente, después de su arresto, para ser juzgado por el Sanedrín. Y ese patio exterior es el sitio donde Pedro fue reconocido cuando trataba de calentarse cerca de una fogata, mientras en el interior estaban juzgando a su Maestro. Allí es donde negó a Jesús tres veces, antes de que cantara el gallo, tal y como Jesús había dicho.

—Una pregunta más —exclamó el anciano como si se dispusiera a mostrar cuatro ases. Señaló más allá de la casa de Caifás, colina abajo, a una morada mucho más pequeña, cerca de la muralla sur, también de dos pisos, en donde un hombre joven parecía muy diligente aserrando madera, cerca de la entrada posterior. Me decidí a arriesgarme; después de todo, con mi promedio, podía permitirme fallar en una.

—Ese es el sitio en donde Jesús y sus discípulos celebraron su última cena pascual antes de su arresto. Allí, en el salón del piso superior, el jueves por la noche, celebró su última cena en la tierra.

José cerró los ojos; sus labios se movían como si estuviera pronunciando una plegaria silenciosa. Después, con los ojos todavía cerrados, murmuró:

—¿Y ese joven, quién podría ser?

Para ahora, las lágrimas corrían deslizándose por mi rostro, unas lágrimas que no podía comprender. Pero *sí* sabía quién era ese joven.

—Habita en esa casa, en compañía de su madre, una viuda acaudalada, de nombre María. Pedro es su tío y más adelante en su vida, después de muchas pruebas y tribulaciones, escribirá la primera vida de Jesús. He leído sus palabras y padecido agonías al hacerlo cientos de veces, durante los últimos veinte años. ¡Su nombre es Marcos, Juan Marcos!

Nos abrazamos por primera vez y caminamos lentamente de vuelta a la casa, sin volver a pronunciar otra palabra.

Después de terminada nuestra cena de perdices tiernas y lentejas, acompañada con una fría cerveza egipcia, pregunté:

—¿Qué haremos ahora, José?

El anciano levantó ambas manos, con las palmas hacia afuera.

—Mañana comenzaremos.

—Pero antes hay varias cosas que deberás explicarme.

—¿Como cuáles?

—El lenguaje, ¿cómo puedo hablar con todas esas personas?

José se rió entre dientes.

—Igual que lo has estado haciendo conmigo, Matías. ¿No te habías dado cuenta de que hemos estado conversando en arameo, el idioma del hombre común en este lugar?

—¿A-a-arameo?

—Y también puedes hablar griego y hebreo con fluidez y, por supuesto, el idioma de tu propio país.

—¿El inglés? ¿Para qué? ¿Quién puede hablar inglés aquí, cuando ese idioma ni siquiera existe todavía?

—No, no, no me refiero al inglés —respondió pacientemente—. Por lo que concierne a todos aquí, tú eres un viejo amigo mío, un escritor de historia y prosa ¡procedente de Roma!

Por minutos todo esto se volvía cada vez más y más increíble.

—¿Puedo hablar arameo y griego, hebreo y latín?

—Cualquiera de esos idiomas al cual necesites recurrir en cada ocasión particular. En realidad, en la mayoría de los casos, bastará con el arameo y el griego; ambos son de uso común aquí.

—Y soy un amigo tuyo que ha llegado de Roma —repetí indeciso— ¿y un escritor de historia y prosa?

—Estamos totalmente dentro de la verdad, Matías —me tranquilizó José—. Tú ya eres un excelente escritor y tienes muchos libros en prosa; tu manuscrito durante largo tiempo inconcluso, "Comisión: Cristo", ciertamente tiene que ver con la historia; créeme, las raíces de tu finada madre tienen su origen en donde ella decía, en Roma.

—¿Y cómo vamos a explicar el motivo de mi estancia aquí?

—Muy fácilmente. Muchos nobles ciudadanos de Roma visitan este humilde lugar durante el curso del año, por lo general, en visitas de negocios relacionadas con mis caravanas de comercio. Para todos, tú estás aquí para investigar la historia del pueblo de las provincias orientales, y has venido a visitarme, porque tenemos amigos mutuos en la capital. Les explicaremos que tu historia también deberá incluir la vida de los grandes hombres de Israel, y que yo te sugerí que deberías incluir en tu obra la historia de Jesús. Todos aquellos que estuvieron cerca de Jesús gustosamente confiarán en ti, ante mi recomendación, con la esperanza de poder convertirte a su causa, como se han convertido muchos otros romanos influyentes, tanto dentro como fuera de las filas de los militares.

—¿Y qué hay acerca de Caifás, el sumo sacerdote de los judíos?

José sonrió cínicamente.

—Como probablemente sabrás por tus trabajos de investigación, soy miembro del Sanedrín, y mis contribuciones anuales al tesoro del Templo son de cierta magnitud. Él y sus subordinados estarán deseosos de conocerte, ya que probablemente sospecharán que eres un agente de Vitelio, o aun del emperador, que ha venido aquí con el subterfugio de escribir una historia, pero que en realidad vienes a estudiar las condiciones generales y las relaciones actuales entre ellos y Pilato. No escatimarán esfuerzos para mantener a Vitelio y a Tiberio satisfechos de que todo está tranquilo y bajo control.

—¿Y qué hay de Poncio Pilato, por qué querría hablar conmigo?

—Por las mismas razones de Caifás. Se las ha arreglado para conservar su puesto aquí durante diez años, gracias a su amistad con Sejano, que era el consejero más allegado a Tiberio; pero ahora Sejano ha muerto, estrangulado por órdenes del Senado después de haberse visto envuelto en un complot para dar muerte a Tiberio. El futuro de Pilato aquí se ha vuelto muy incierto, por no decir más. Ya ha dado varios pasos en falso, y está plenamente consciente de que los judíos no tendrán ningún escrúpulo en hacer caso omiso de su autoridad, dirigiéndose ya sea a Vitelio o directamente a Roma si se sienten maltratados. Pilato, al igual que Caifás, hará cualquier cosa por complacerte.

Todo eso parecía demasiado oportuno, demasiado sencillo.

—Pero, supongamos que empieza a sospechar que mi visita aquí, y todo lo que podría llegar a descubrir con respecto al asunto de Jesús, podría implicarlo en alguna clase de encubrimiento de una ejecución que, en vez de sofocar un movimiento potencialmente rebelde, ha sido la causa de su mayor crecimiento, cosa que probablemente jamás se ha preocupado de informar a Roma en todos sus detalles.

José suspiró.

—Desde luego, siempre existe ese peligro. Sin lugar a dudas, hará que te sigan si tu interrogatorio de los testigos se vuelve demasiado obvio, y si llegara a pensar que hay alguna probabilidad de que descubras ciertos hechos que obstaculizarían su posición, probablemente dispondría que te dieran muerte, sepultando tu cadáver en donde nadie lo descubriría jamás. Pilato haría cualquier cosa por proteger su carrera. Y tampoco debes tomar a Caifás a la ligera, o a cualquiera de los seguidores originales de Jesús. Todos ellos tienen mucho que perder si llegaran a verse implicados en cualquier cosa que pudiese disgustar a Vitelio o a Roma.

Cada vez más tenía la impresión de que resolver un homicidio extraño cometido a puerta cerrada sería la cosa más fácil del mundo, en comparación con la tarea que me esperaba. Suspiré.

—Bueno, yo me lo busqué. No puedo recordar quién escribió que la broma más triste del destino es la concesión de nuestros deseos. —el anciano se rió.

—¿A quién quieres entrevistar primero?

—Si es posible, al hermano de Jesús, a Santiago.

José asintió.

—Es posible; Santiago se encuentra en el Templo todos los días, orando y predicando, pero, ¿por qué Santiago? ¿Hubiera sido él el primer testigo llamado por la comisión investigadora en tu libro?

—Sí, hubiera sido la mejor fuente disponible para obtener información de primera mano relacionada con los primeros años de la vida de Jesús. Como dije en el programa de Carson, si la comisión después llamaba a los demás testigos en el orden en que desempeñaron un papel primordial en la vida de Jesús, eso permitiría a Vitelio, o a mis lectores, si así lo quieres, avanzar a lo largo de las páginas del testimonio como si estuvieran leyendo una historia de principio a fin.

—¡Muy ingenioso!

—Eres muy amable —respondí, antes de darme cuenta de lo que estaba diciendo.

—Muy bien, Matías, entonces permíteme mostrarte tus habitaciones. Contarás con un asistente para prepararte tu baño, a fin de que puedas dormir casi con tanta comodidad como si te encontraras en tu propio lecho.

El baño era sumamente lujoso, la habitación, acogedora y el lecho era algo más que cómodo. Aun así, no podía conciliar el sueño y, finalmente, abandoné mi mullido colchón para caminar de un lado a otro de la habitación hasta el amanecer.

Muy pronto, dentro de unas cuantas horas, iniciaría una investigación cuyos descubrimientos posiblemente cambiarían el mundo. Nadie, ni siquiera el mismo Sherlock Holmes, hubiera podido pegar los ojos ni por un momento teniendo en mente esa posibilidad aterradora.

4

Era el ejemplar más grande de virilidad que jamás había visto. Llevaba únicamente un ceñidor de piel de algún animal y grandes botas amarradas hasta sus inmensas rodillas llenas de cicatrices; su aceitada piel oscura brillaba con la luz reflejada por el brasero llameante. El gigante estaba de pie al lado de su amo, en una posición tan rígida que parecía estar forjado en bronce.

Éste es Shem, mi guardián personal y compañero de toda mi confianza —me explicó José, después de que terminamos un desayuno de pan caliente con miel y queso—. Nos acompañará siempre que nos encontremos lejos de esta casa.

—¿Tenemos necesidad de un guardián?

José asintió con pesar.

—El éxito, estoy seguro de que lo has descubierto, Matías, nos hace a todos prisioneros de nuestros propios logros. Los raptos y la extorsión para obtener rescates son tan comunes aquí como en tu mundo, y no disponemos de ninguna fuerza policiaca para protegernos.

—¿Un esclavo?

—No, no, si acaso, yo sería su esclavo. Shem era uno de mis conductores de camellos, hace muchos años, cuando fuimos atacados por una banda de malhechores cerca de Petra. Armado solamente de un espadón, dio muerte a nueve de ellos y estranguló a los otros dos. Desde entonces, ha permanecido muy cerca de mí, mi orgulloso nabateo, y además habla varios idiomas, así que no habrá problemas de comunicación entre nosotros —dijo el anciano, y después señaló hacia mis mejillas y mi cuello—. Tienes varias heridas recientes esta mañana, Matías.

—Afortunadamente no me degollé; una navaja de rasurar recta de bronce es un arma peligrosa, José. Con la práctica, creo que podré hacerlo mejor.

—Muy bien. Vamos, empecemos con nuestros asuntos. Mi carruaje ya está dispuesto y Shem nos llevará al templo, al otro lado de la ciudad; allí habremos de encontrar a Santiago.

Nuestro descenso desde la parte alta de la ciudad fue fresco y cómodo en el vehículo resistente, aunque sin pretensiones, propiedad de José. Durante todo el trayecto el anciano no dejó de hacer comentarios. Sin embargo, muy pronto las mansiones señoriales y el camino sombreado por los cedros iban quedando atrás, y el recorrido se convirtió en una tortura que hacía castañetear los dientes. Los remolinos de polvo rojizo llenaban el interior del carruaje, y el avance se veía interrumpido con frecuencia por las paradas bruscas y repentinas que nos sacudían. En dos ocasiones resbalé al piso del carruaje y en otra me di un fuerte golpe en la cabeza al ser lanzado hacia atrás en el asiento, después de un viraje inesperado para evitar un rebaño de ovejas. Shem maniobraba hábilmente para controlar a los cuatro caballos al galope, amenazándolos con el restallido feroz de un látigo de cuero, guiando a los animales a lo largo de un camino obstruido por ganado errante, niños que lloraban, perros vagabundos y hordas de peregrinos que arrastraban lentamente los pies en dirección al templo del monte Moriá.

Por fin, debido a la inclinación del carruaje, me di cuenta de que ya habíamos atravesado la parte baja de la ciudad y ahora estábamos ascendiendo. El calor era sofocante y no había ninguna brisa que disipara las emanaciones del humo, de los desperdicios en putrefacción y de los desechos humanos que ahora hasta hacían que me lloraran los ojos. Apenas si escuchaba mientras José trataba de dirigir mi atención a la magnífica estructura del anfiteatro de Herodes cuando el carruaje dio vuelta hacia una plaza activa y bulliciosa, dirigiéndose al Norte. Unos momentos después, como ni siquiera había echado un vistazo al palacio hasmoneo ocupado por Herodes Antipas en sus visitas a la ciudad, el anciano me tomó las manos y se me quedó mirando a los ojos.

—¿Te sientes mal, hijo mío?

—No, estoy bien.

—¿Asustado? ¿Has empezado a arrepentirte de ese deseo tuyo?

—No, a ambas preguntas. Mientras avanzábamos, trataba de recordar las preguntas más importantes que había acumulado en el transcurso de los años para que mi ficticia comisión las hiciera al hermano Santiago.

—¿Y...?

Apreté los dientes y me obligué a responder:

—Estoy preparado.

Pero no lo estaba, en absoluto, para el edificio tan abrumador y majestuoso que se erguía por encima de mi cabeza cuando descendí del carruaje, después de que Shem detuvo a sus animales delante de una de las puertas de la muralla del templo. Ninguno de los dibujos, planos o modelos de arcilla que había visto de la prodigiosa estructura de Herodes le hacían justicia. Estupefacto y sin poder pronunciar palabra, dejé que José me condujera a través de los arcos de la puerta de entrada, con Shem pisándonos los talones, hasta que penetramos al área atestada del patio, pavimentado con sólidos bloques de piedra pulida. Entonces, así fuertemente el brazo del anciano. Tenía que detenerme, tenía que concederme algún tiempo para recuperar mis sentidos mientras ladeaba la cabeza como un turista, admirado ante esos magníficos picos de mármol y oro que se elevaban, una capa tras otra, a más de noventa metros de altura.

Allá arriba, en algún sitio, sabía que existían unos peldaños de mármol conducentes a unas puertas sólidas enchapadas en oro y plata, las cuales yo jamás podría contemplar, puesto que no era judío. Esas puertas se abrían sobre un área llamada el Atrio de los Sacerdotes, en donde se encontraba un altar expuesto al cielo, en el cual se consumaban las ofrendas y los sacrificios. Dos puertas de bronce, de más de dieciocho metros de altura, se abrían desde donde se encontraba ese altar hacia el Santuario, al cual solamente podían tener acceso las autoridades de la suprema jerarquía del Templo. De acuerdo con mis estudios, por encima de esas puertas gigantescas colgaba una inmensa vid forjada en oro macizo, cuyo valor era incalculable. En el interior del Santuario, débilmente iluminado, dos velos pesados, bordados con sedas preciosas en tonos azules, púrpura y escarlata, armonizaban con linos de repliegues delicados que colgaban de argollas de oro y boquillas de plata, que servían para dividir la habitación. La parte delantera, llamada el Lugar Sagrado, albergaba el Candelabro de Oro de Siete Brazos, el Altar de Oro del Incienso y la Mesa del Pan de Proposición, cada uno de ellos un elemento importante en las ceremonias de los sacerdotes.

Tras de los velos se encontraba el Sanctasanctórum. El Templo original de Salomón había albergado al Arca de la Alianza, un cofre con cubierta de oro, dentro del cual se guardaban las dos tablillas de piedra en las cuales, de acuerdo con los judíos, Dios había dictado los Mandamientos a Moisés. Ahora la pequeña habitación se encontraba vacía y a oscuras, y nadie podía recordar cómo o cuándo se había extraviado el Arca, o si algún conquistador se la había llevado. Aun así, el Sanctasanctórum, al cual solamente tenía acceso el sumo sacerdote, y eso solamente una vez al año durante el Yom Kippur, el Día de la Expiación, seguía siendo para todos los judíos creyentes el sitio en donde moraba la presencia de Dios.

Estábamos demasiado cerca del edificio para ver su cúspide, pero era sabido que el techo exterior del templo, de forma oblicua, estaba formado por grandes hojas de oro martillado, alternadas con losas de mármol rosado y alabastro puro, tachonadas con clavos de oro largos y afilados, para empalar a cualquier ave suficientemente torpe que dejara caer sus deyecciones sobre la superficie sagrada. De un inmenso arco, fuera de la muralla y frente a la ciudad propiamente dicha, en otros tiempos Herodes colgó un águila enorme, hecha de oro, pero antes de su muerte sufrió la humillación de ver cómo bajaban de allí, para destruirlo, su vulgar tributo a Roma.

José seguía poniendo a prueba mi conocimiento. Inclinándose cerca de mi oído, a fin de que pudiera escucharlo por encima del clamor de la humanidad que cantaba, gritaba y reía, y que empujaba y trataba de abrirse paso por todas partes, me gritó:

—¿Conoces el nombre de este patio?

Lo conocía, y así se lo dije. Este patio exterior, el Patio de los Gentiles, era tan espacioso que podía dar cabida a más de 300 000 visitantes, así como a incontables hordas de animales destinados a los sacrificios. Aquí se permitía la entrada a judíos y gentiles por igual, con libertad para reunirse, para negociar o simplemente descansar bajo la sombra de las grandes vigas de cedro, sostenidas por largas hileras de columnas de mármol de Corinto, algunas hasta de cuatro metros y medio de circunferencia, que rodeaban completamente el patio a todo lo largo de las cuatro murallas de más de trescientos cinco metros de longitud.

A nadie que no fuese judío se le permitía ir más allá del Patio de los Gentiles para dirigirse a cualquiera de los patios interiores que se encontraban más arriba, protegidos por balaustradas de piedra. Había letreros que se exhibían en sitios prominentes, escritos en hebreo, griego y latín, alrededor de toda la balaustrada, con esta advertencia explícita: *Quienquiera que sea sorprendido, no podrá culpar a nadie sino a sí mismo de su muerte, que sobrevendrá luego.*

No habíamos caminado más de una docena de pasos con gran dificultad en dirección al patio, cuando tropezamos con los mercaredes y cambistas. Varias filas ruidosas e impacientes de adoradores se habían formado frente a las hileras irregulares de mesas de madera toscamente construidas, en donde había grandes pilas de monedas. En cada mesa, parecidos a los detalles de las pinturas de Rembrandt, estaban sentados los acosados funcionarios del Templo, dedicados activamente a pesar y cambiar las monedas extranjeras impuras por los siclos y minas sagrados, únicas monedas aceptadas por los sacerdotes como pago del impuesto al Templo y de otras deudas sagradas. Detrás de cada cambista se encontraba de pie un imperturbable guardia, de aspecto hastiado, con los musculosos y velludos brazos cruzados sobre el pecho y un gran garrote de madera colgando holgadamente de la muñeca. Más allá de las mesas de los cambistas estaban los fétidos y endebles establos, dentro de los cuales se apiñaban miles de ovejas y carneros, cabras y corderos, cuyos gritos y olores dominaban toda el área. Cerca de los animales estaban las jaulas de las palomas, precariamente apiladas, alrededor de las cuales se encontraban reunidos los peregrinos más pobres que no podían permitirse el lujo de presentar ofrendas mayores para los sacrificios.

Desde el sitio en donde me encontraba, podía contar a veintiún guardias uniformados estacionados a lo largo de la parte interior de la muralla del patio. A mi izquierda, muy por encima del muro norte del templo, se erguía la fortaleza romana de Antonia, con su muralla propia que dominaba el patio. De pie, sobre el muro, había cuatro soldados romanos, cada uno de ellos ataviado con su yelmo y armadura tan conocidos, y armados con sus escudos, sus lanzas y espadas, que mantenían la mirada vigilante sobre todos nosotros.

—¿Por qué frunces el ceño, Matías? —me preguntó José.

—¿Estaba todo así, hace seis años, cuando Jesús venía aquí? El anciano se encogió de hombros.

—Jamás cambia.

—¿Había guardianes detrás de cada cambista, policías del templo a todo lo largo de los muros y soldados romanos por encima de las cabezas?

—Sí.

—Y, sin embargo, Jesús, sin la ayuda de nadie, derribó las mesas, abrió los establos y liberó a los animales, aplastó las jaulas y puso en libertad a las palomas, ¿y nadie le puso una mano encima?

—Eso fue lo que informaron quienes se encontraban aquí esa mañana. Yo no fui testigo de ese acontecimiento.

—Pero, ¿cómo pudo hacerlo? Si yo lo intentara, justamente ahora, ¡en cuestión de minutos estaría inconsciente o muerto!

José sonrió misteriosamente.

—Todos los apóstoles estaban con Él ese día, aun cuando no se unieron a su temerario acto de protesta contra las lamentables condiciones que prevalecían entonces, igual que hoy, en esta casa de Dios. Guarda tus preguntas para ellos, y ahora, vamos a reunirnos con Santiago a fin de que puedas iniciar tu misión.

Cuando José se volvía para guiarme, experimenté un impulso repentino.

—¡Permite que sea *yo* quien *te* muestre el camino, José!

Su rostro moreno palideció.

—¿Acaso *tú* sabes en dónde se encuentra Santiago?

—Así lo creo. A juzgar por la posición del Sol, entramos al patio por el lado oeste; probablemente Santiago esté en algún lugar cerca del muro este, predicando u orando en el área llamada Pórtico de Salomón, que ve hacia el valle del Cedrón.

El anciano introdujo la mano en el interior de su túnica y se quitó del cuello el cordón de cuero con el amuleto de oro.

—¡Matías, es una gran alegría estar en tu compañía! ¡Mira! Toma esto y llévalo debajo de tu túnica mientras estés con nosotros. Podría hacer más sencilla tu tarea —sonrió—. Y quizá aun te proteja de los espíritus malignos.

En el acabado toscamente martillado del amuleto se recortaba la figura de un pez, y sobre esa figura un trazo burdo de un ancla. Sobre el cuerpo del pez estaban talladas cinco letras griegas. Por lo que sabía, era uno de los primeros símbolos de los seguidores perseguidos de Jesús, un predecesor de la cruz que los cristianos adoptaron más adelante.

—¿Sabes lo que significan esas cinco letras griegas, Matías?

—Sí, forman la palabra griega que significa "pez". Sus letras también forman un acróstico con las iniciales de las cinco palabras griegas que significan "Jesús el Cristo, Hijo de Dios, Salvador".

—¿Y el ancla?

Ya me tenía; estaba seguro de saberlo, pero simplemente era incapaz de recordarlo, por lo que sacudí la cabeza negativamente.

Con gran regocijo, José unió las manos como si estuviera orando, y las elevó hacia el templo en un acto exagerado de gratitud.

—Finalmente he logrado confundir a este brillante maestro de la historia y las palabras; después de todo, quizá pueda contribuir con una pequeña parte a sus esfuerzos —dijo. Después colocó ambas manos sobre mis hombros, se inclinó hacia adelante y murmuró:

—El ancla es nuestro símbolo de esperanza, esperanza de que algún día el hombre llegue a darse cuenta de que la verdad fue crucificada pero no destruida aquí, en Jerusalén, hace seis años.

Sopesé el amuleto en mi mano.

—Debe ser muy valioso, José, y agradezco tu generosidad, pero no puedo aceptarlo. Ahora no soy de los tuyos, ya no.

Él insistió:

—De cualquier manera, acéptalo; puedes usarlo como un dije, como un amuleto de la buena suerte o, si así lo quieres, para complacer a un anciano.

Froté suavemente mis manos sobre la superficie áspera, que se sentía cálida y dúctil, casi como si tuviese vida. Quizá resultara útil en algún apuro. Después de todo, algunos de esos cristianos primitivos eran personajes bastante rudos, y éste podría ser mi pasaporte para escapar del peligro, si llegara a cometer algún error permitiendo que cualquiera de ellos sospechara que mi verdadero motivo era poner al descubierto a su maestro crucificado.

Le expresé mi gratitud, pasé el cordón de piel por encima de mi cabeza y oculté cuidadosamente el "signo del pez" debajo de mi túnica, fuera del alcance de las miradas.

Se esperaba su regreso en cualquier momento.

Cada día, los seguidores de Jesús, cuyo número iba en aumento, se reunían bajo las columnatas sombreadas del Pórtico de Salomón, a lo largo del muro este del patio del Templo, orando y esperando. Muy pronto vendría en toda su gloria. ¡Quizá el día de hoy!

Por supuesto, Jesús vendría primero al Templo. ¿Acaso el profeta Malaquías, hacía cinco siglos, no había predicho que "el Señor a quien buscan vendrá de pronto a su Templo"? ¿Y adónde iría Jesús, dentro del área del Templo, de no ser al Pórtico de Salomón, en donde con tanta frecuencia había caminado y enseñado, entre el pueblo?

En mi ansiosa previsión por encontrar a Santiago, corrí alejándome de José, que con Shem a su lado para protegerlo se había rezagado en sus esfuerzos por abrirse paso entre el populacho apretujado que se desparramaba hacia el área del pórtico, procedente de todas direcciones. Me detuve a esperar; a fin de impedir que me llevaran hacia adelante, aseguré mis pies con firmeza sobre el suelo recientemente humedecido por la orina de olor acre de los animales, extendiendo los codos para protegerme las costillas contra el flujo y reflujo de hombres y bestias. Los peregrinos cantando salmos, los sacerdotes orando, los hoscos soldados romanos, los inválidos en busca de caridad, las prostitutas toscamente pintarrajeadas y los incontables aldeanos burdos, que era obvio procedían de las zonas rurales, todos se unían produciendo un coro de sonidos y un calidoscopio de colores que aturdían los sentidos.

Finalmente José llegó hasta mi lado, respirando con dificultad y apoyándose en el cuerpo cubierto de sudor de Shem.

—Ve, Matías —jadeó—, ¡ve cómo esperan!

—¿Cómo esperan a quién?

—¡Al Señor, a Jesús!

Tenía que decirlo.

—¿Por qué no los quitas de padecer? Tú, mejor que nadie, sabes que esperan en vano.

Pretendió no escucharme.

—Debemos encontrar a Santiago cerca de la torre sur —gritó señalando la torre que se levantaba muy por encima de las columnas estriadas de mármol en la unión de los muros sur y este—. ¡Vamos!

Finalmente llegamos a una muralla humana inexpugnable, la cual se rehusaba a abrirnos paso, y pude darme cuenta de que nos encontrábamos en los bordes extremos de la multitud reunida para escuchar a Santiago. Protegiéndome los ojos con las manos, me paré sobre las puntas de los pies hasta que pude ver una figura envuelta en un manto, cuando menos a unos sesenta metros de distancia de nosotros, gesticulando violentamente, mientras caminaba de un lado a otro sobre una plataforma elevada. Aun cuando la multitud guardaba un silencio relativo, apenas podía escuchar algunos fragmentos de lo que decía: "...habéis condenado al justo, dándole muerte, y Él no ofreció ninguna resistencia... esperad pacientes, hermanos, la venida del Señor... preparaos... preparaos..."

El anciano tiró de mi túnica.

—Sígueme; hay una forma mejor —dijo, conduciéndome a un cubículo sombreado apoyado contra el muro sur, cerca del Pórtico Real, y alejado de la multitud; su rostro se veía abochornado y respiraba con dificultad—. Sentémonos aquí para descansar. Shem nos traerá a Santiago a su debido tiempo.

Cerca de nosotros pasó una figura de elevada estatura, ataviada con una túnica azul, con campanitas minúsculas colgando de su borde, que tintineaban suavemente a cada paso. Saludó inclinándose respetuosamente en nuestra dirección, y siguió avanzando.

—¿Un sacerdote del Templo? —pregunté en voz alta.

—Sí, de una de las órdenes menores. Se necesitan más de siete mil sacerdotes para servir a Dios y a su pueblo en este templo, Matías.

—¿Burocracia, aun en este lugar?

José se rió entre dientes.

—Ah, sí.

—Dime, José, ¿por qué las autoridades permiten que Santiago, de entre todos, se dirija a las multitudes? ¿No se están buscando más problemas?

José se encogió de hombros.

—Este patio exterior es para uso común, judíos y gentiles por igual. Cualquier hombre puede decir aquí todo lo que piensa, siempre y cuando no blasfeme ni incite a la gente a un motín. Como estricto observante de la Ley, Santiago tiene tanto derecho como cualquiera a venir a este lugar y ser escuchado. Durante tus investigaciones, jamás debes olvidar que los discípulos y otros seguidores cercanos de Jesús son todos judíos piadosos. Para ellos, este Templo sigue siendo el lugar más sagrado sobre la Tierra, como lo fue siempre para Jesús. Y aun si Santiago no aceptara el yugo de la tora, incluyendo sus restricciones más opresivas, todavía así se le permitiría hablar.

—Pero por lo que he podido deducir, ¡justamente ahora está diciendo a la multitud que si tiene paciencia pronto verá a su Mesías!

—Cualquiera puede proclamar que él mismo, u otra persona, es el Mesías —explicó José con paciencia—. Seguramente tus indagaciones te han revelado que el Mesías tan esperado sería un hombre común y corriente, imbuido con el espíritu de Dios, que un día llegaría para liberar a nuestro pueblo de la opresión. El Mesías no sería Dios, solamente su instrumento; por consiguiente, Santiago no está blasfemando. Muchos han pretendido el título de Mesías para sí mismos o para otros, a todo lo largo de nuestra historia. Aun ahora, aparece uno nuevo por lo menos una vez al mes, desvaneciéndose rápidamente en el olvido cuando sus hechos no van de acuerdo con sus palabras. Sólo cuando uno de esos charlatanes autoungidos trata de organizar al pueblo en una rebelión contra nuestro organismo de gobierno, los sumos sacerdotes actúan con todo su poder, antes de que la cólera de Roma caiga sobre nuestra nación y los inocentes tengan que sufrir junto con los culpables.

—¿Y qué hace Santiago? ¿Acaso no está promoviendo la causa de su hermano muerto en una forma que podría trastornar a la clase gobernante? ¡Mira a esa multitud! Si estuviese organizada y armada, sería difícil controlarla —José suspiró.

Desde su llegada a Jerusalén, poco tiempo después de la crucifixión de Jesús, Santiago ha estado caminando sobre terreno peligroso. Ha atraído a un gran número de seguidores entre la gente común, y ha convertido a muchos a Jesús, gracias a su valor y a sus firmes convicciones. Por fortuna, para su propia seguridad, también se las ha arreglado para reunir a varios sacerdotes y fariseos, de manera que la jerarquía presta oídos sordos a sus observaciones más incendiarias. Aun así, estoy enterado por fuentes dignas de crédito de que sus palabras, en más de una ocasión, han provocado al sumo sacerdote, y esto posiblemente podría llevarlo a que se presentaran serios cargos en su contra.

—¡José! —nos interrumpió una voz áspera—, ¡José, mi querido amigo!

Al escuchar su nombre, el rostro del anciano se iluminó y saltó de la banca. Yo hice lo mismo, sintiendo que las rodillas se me doblaban ante la figura apresurada que cada vez se aproximaba más, hasta que al fin me encontré frente a frente con el hombre a cuyo hermano yo había condenado ante el mundo como un fraude.

5

A primera vista, Santiago me decepcionó. Al ver a los dos amigos abrazándose, era difícil comprender que José de Arimatea, el jefe poderoso de una caravana de mercaderes, ricamente ataviado, rindiera homenaje a ese individuo tan poco impresionante cuyo aspecto insignificante y miserable no se acercaba, ni con mucho, a la imagen que de él me había forjado en la mente.

Me sentí decepcionado y, no obstante, recibí con beneplácito esa decepción, como si su aspecto desaliñado y su manera de ser retraída indicasen una debilidad que yo podría explotar a todo lo largo de mi interrogatorio. Debí haberlo sabido; he andado por allí demasiado tiempo para dejarme llevar por una primera impresión, pero aun así, lo sigo haciendo.

Santiago era de pequeña estatura, como la mayoría de sus paisanos, con largas guedejas de cabello negro desaliñado que colgaban libremente cayendo sobre sus mejillas y la ancha espalda. Su rostro oscuro y cuadrado, dominado por una frente amplia que sobresalía sobre unas cejas espesas y ojos de un tono café claro, estaba enmarcado por una luenga barba descuidada, que relucía debido a la transpiración, y que cubría parcialmente un tórax tan amplio como un barril. El frente de su túnica de lino estaba tan raído que dejaba ver unas rodillas tan toscas y encallecidas por la constante oración, que en realidad se parecían a las de un camello, tal y como yo lo recordaba por mis lecturas.

Por fin José se volvió hacia mí diciendo:

—Éste es un amigo mío, de nombre Matías, que ha venido de Roma. Está preparando para sus compatriotas una historia de nuestra nación y de nuestros grandes dirigentes y profetas.

Santiago se acercó más a mí y me abrazó brevemente. Abrí la boca, pero la voz se rehusaba a cooperar. ¿Sería posible? ¿En realidad me encontraba en el templo construido por Herodes, y era el hermano de Jesús quien había colocado sus manos alrededor de mi persona?

Ahora que nos encontrábamos a corta distancia, era obvio que este hombre estaba al borde del agotamiento después del sermón tan prolongado y vigoroso que acababa de dar al pueblo. Sus ojos estaban inyectados con sangre y cerraba con frecuencia sus párpados hinchados, como si necesitara de un gran esfuerzo para mantenerlos abiertos. Aun así, sonrió cordialmente y dijo:

—La paz sea contigo, Matías, y con tu obra. ¿Otra historia para que la poderosa águila romana mastique? La obra grandiosa de Livio fue suficiente para Augusto, ¿acaso Tiberio quiere más?

Me sentí como un colegial de primer año, con la lengua atada tratando de decir su parlamento en una obra representada en el salón de clases, y la pregunta no era como para aumentar la confianza en mí mismo. ¿Cómo era posible que este galileo rústico y supuestamente inculto supiera algo acerca del mejor historiador de Roma? Le expliqué que la obra suprema de Livio trataba primordialmente de la ciudad de Roma desde la época de su fundación, pero que había una necesidad poderosa de narrar la historia de los otros grandes pueblos que ahora formaban parte del imperio, y que yo había escogido a las provincias de Oriente para mi proyecto.

—Pero, ¿cómo puedo ayudarte? Si lo que buscas es la auténtica historia de nuestra nación y de nuestros profetas, te sugeriría que hablaras con ellos —me dijo, señalando hacia el Templo.

Me volví a mirar a José, quien movió la cabeza en señal de aliento.

—¿Tú eres el hermano* de Jesús, no es así?

* La palabra *hermano* en hebreo ('āḥ) y en arameo tiene un significado diferente del que nosotros le damos, pues además de los hermanos incluye a los primos y sobrinos. Esto se debe a que hebreo y arameo carecen de denominaciones exactas para estos últimos parentescos. Cf. Gen. 13: 8; 14: 14; Lv. 10: 4; Jn. 1: 41.

Santiago ladeó la cabeza y se me quedó mirando hasta que empecé a sentirme incómodo.

—Sí, lo soy.

—Quisiera saber todo lo concerniente a Jesús.

—¿Por qué? —preguntó mientras sus ojos fatigados recorrían de arriba a abajo la franja púrpura de mi túnica—. Jesús jamás fue rey, ni general; nunca ganó una batalla ni encabezó un gobierno, ni tampoco escribió un discurso erudito. ¿Por qué tú, o Roma para el caso, se preocupan por él?

—Perdóname, pero he escuchado muchas historias acerca de Jesús, historias que no he podido aceptar, especialmente el rumor de que resucitó de entre los muertos al tercer día después de su crucifixión. Como las autoridades romanas estuvieron implicadas en su ejecución, me parece que esto cae dentro de mis dominios, como ciudadano y como escritor, a fin de enterarme de la verdad acerca de este hombre, ya que la vida de tu hermano sigue siendo un enigma para muchos.

Hice una pausa para aclarar la garganta. Tanto José como Santiago permanecieron silenciosos, así que continué:

—Yo no llevo el yugo del César; no estoy aquí para encubrir acontecimientos del pasado, como los jornaleros encalan las fachadas de los edificios para ocultar viejas huellas del tiempo. No busco otra cosa que no sea la verdad acerca de Jesús, y como hermano suyo, tú estás en una posición única para proporcionarme información que sería imposible obtener de cualquier fuente. ¿Estás en disposición de prestarme tu ayuda, Santiago?

Mi voz temblaba, pero no podía evitarlo. Sintiéndome absolutamente impotente, esperé su reacción, seguro de que podría presentar mi caso en una forma un poco más diplomática si me concedieran una segunda oportunidad.

Santiago me fulminó con la mirada y sentí que el corazón se me iba hasta los talones. Después, con un quejido, dio la vuelta y cojeó lentamente hasta la banca sombreada y con la mano me señaló el sitio a su lado, diciendo:

—Ven a sentarte, Matías. Sospecho que lo que tienes en mente se llevará mucho tiempo y mis huesos ya están muy fatigados.

Experimenté un impulso de saltar de alegría, lo cual seguramente se reflejó en mi rostro, pero la mirada severa de José me calmó rápidamente; me acompañó hasta la banca y tomó asiento al otro lado de Santiago, mientras Shem seguía caminando de un lado a otro en las cercanías; su presencia imponente era una perfecta barrera para cualquier extraño que quisiera aproximarse demasiado a nosotros.

Tenía muy pocas esperanzas de que Santiago pudiera decirme algo sobre los últimos días de la vida de Jesús, o del lugar en donde hubieran ocultado su cadáver. Por lo que había leído, él se encontraba en Nazaret durante esa última semana fatídica, y lo que me dijera lo sabría sólo de oídas. Yo únicamente quería relatos de fuentes originales. Sin embargo, siguiendo los planes de mi comisión ficticia, tenía necesidad de enterarme de los antecedentes de los primeros años, no sólo para tener una imagen completa de Jesús, sino también para escudriñar entre los acontecimientos de su juventud, con la esperanza de poder encontrar algún indicio que me ayudara a comprender mejor sus motivaciones y acciones posteriores, acciones que lo llevaron inexorablemente a la cruz, un destino que podía haber evitado con facilidad.

—Adelante con tus preguntas, historiador —me apremió Santiago—. Ya que Dios siempre es mi testigo, puedes estar seguro de que no te mentiré.

Exhalé y empecé en una forma tan trillada como cualquier detective o reportero novato.

—¿Qué edad tienes?

—Estoy en el año número treinta y nueve de mi vida.

—Según mis informes, tus padres ya fallecieron.

Santiago asintió, estrechando suavemente sus manos sobre las rodillas.

—Mi padre murió hace ya muchos años, y mi amadísima madre fue llevada a la tumba, aquí en Jerusalén, hace solamente un año.

—¿Tienes otros hermanos y hermanas?

—Tres hermanos, que aún viven, y dos hermanas.

—¿Se encuentran todavía en Nazaret?

—O en sus alrededores.

—Jesús era el primogénito, ¿no es verdad?

Los ojos de Santiago se abrieron sorprendidos de que yo estuviera enterado de un detalle que relativamente carecía de importancia, pero asintió, replicando:

—Sí, era tres años mayor que yo.

Podía darme cuenta de que ya estaba más tranquilo y gradualmente había bajado la guardia. Ahora me correspondía a mí hacer que siguiera hablando, incitándolo en el menor grado posible; así la verdad siempre surge con mayor rapidez a la superficie, por lo que le pedí que me contara todo lo que podía recordar de los primeros años de Jesús.

—Hay muy poco que decir. La profesión de nuestro padre era de *naggara,* es decir, construía muchas cosas con madera y piedra, y tanto Jesús como yo trabajamos con él como aprendices. Cuando no asistíamos a la escuela, siempre estábamos con nuestro padre, en su taller o en cualquier otro lugar de la aldea o la campiña, reparando un tejado o un arado, y en ocasiones hasta construyendo alguna casa. Los días eran largos y arduos, sobre todo con el calor del verano y, sin embargo, aun cuando éramos pobres en cosas materiales, siempre había suficiente para comer, un lecho mullido por la noche y teníamos la fe en nuestro Dios para sostenernos. En verdad, como a menudo decía nuestra madre, éramos más ricos y más felices que Herodes.

—Tu familia no se mudó a Nazaret sino hasta después del nacimiento de Jesús. ¿Por qué fueron a vivir allí?

—No sé por qué escogieron Nazaret, excepto que mi padre no sentía ningún amor por la tierra o la gente de aquí, en el Sur. A menudo lo escuchamos decir que era más fácil cultivar todo un bosque de olivos en Galilea que criar un niño en Judea.

Decidí embromarlo un poco, esperando que se relajara aún más.

—Pero Santiago, ¿no es verdad que cuando los de Jerusalén hablan de los galileos, hablan de ellos como de tontos?

Santiago rió por primera vez.

—Peor que eso, Matías; se ha sabido que han llegado hasta a preguntar si alguna vez ha salido algo bueno de nuestra aldea de Nazaret.

En lo referente a la educación formal de Jesús, Santiago me explicó que la escuela de la sinagoga era obligatoria para todos los niños desde los seis años de edad. Allí se les enseñaban los pergaminos de la Ley y la historia de su pueblo, hasta que llegaban a los diez años de edad, después de lo cual estudiaban la Mishná, o ley tradicional, durante cinco años.

—Después de los quince años de edad, ¿qué enseñanzas recibió Jesús?

—Ninguna, excepto la que él mismo se impartía estudiando las sagradas escrituras siempre que no estaba ocupado con la lezna o la sierra, o con el mazo y el cincel. Jesús desempeñaba el trabajo de dos, ya que la salud de mi padre no era muy buena, y para la familia hubiera significado muchas penurias si asistía a las escuelas más avanzadas de los rabíes. Entonces falleció mi padre, y Jesús, como el primogénito, se convirtió en la cabeza de la familia, encargándose de alimentarnos, vestirnos y proporcionarnos abrigo con su trabajo, desde el amanecer hasta la puesta del sol.

Traté de sondear un poco más.

—Durante esos primeros años, ¿cuál era el comportamiento de tu hermano cuando se encontraba cerca de alguien que estuviera inválido o enfermo en su aldea? ¿Trataba de hacer algo fuera de lo común para proporcionar algún alivio o consuelo a aquellos afligidos por enfermedades mentales o corporales?

—No más que cualquiera de nosotros. Nazaret es un lugar muy pequeño y todos somos custodios de nuestros semejantes. Nadie padecía hambre, nadie sufría enfermedades corporales sin que se le cuidara y ayudara, y nadie moría sin atención.

—Por lo que recuerdas, ¿llegó alguna vez a imponer sus manos sobre alguien o a pronunciar cualquier cántico o plegaria con los inválidos, enfermos o ciegos, en un esfuerzo por sanarlos?

—¡Jamás! Si lo hubiera hecho, los aldeanos se hubieran burlado de Él, o hubieran hecho algo peor. Sin embargo, durante los dos días y noches en que nuestro padre ardía por la fiebre, recuerdo que Jesús estuvo sentado a su lado sosteniéndole las manos, atendiendo a sus necesidades y orando. Y aun así.... mi padre falleció.

—¿Cómo reaccionó Jesús ante la muerte de su padre?

—Igual que todos nosotros: lloró.

Traté de evitar que mi voz traicionara mi decepción.

—En esos primeros tiempos, antes de la muerte de su padre, ¿estuvo Jesús envuelto en alguna situación que pudiera parecer insólita?

Santiago cerró los ojos.

—Durante los últimos seis años, he meditado día tras día sobre la época de nuestra juventud. Creo que solamente una ocasión encajaría en tu descripción. Cuando Jesús llegó a los doce años de edad, por primera vez se le permitió acompañar a nuestros padres a Jerusalén y participar en las ceremonias sagradas, aquí en el Templo. Su extraño comportamiento durante esos días festivos fue tema de muchas discusiones, comentadas entre susurros por nuestros padres los meses siguientes.

De pronto pensé en mi madre. La narración de Lucas sobre la conducta del joven Jesús en el Templo siempre había sido una de sus favoritas, y me la leía a menudo mientras me arropaba en la cama. Ahora me encontraba a punto de enterarme con toda exactitud de lo que había sucedido durante ese lapso tan importante de su vida.

Santiago continuó:

—La jornada hasta Jerusalén tuvo lugar sin ningún incidente, lo mismo que su visita al Templo el primer día, cuando nuestra familia hizo entrega de su cordero pascual a los sumos sacerdotes para que lo sacrificaran. El segundo día, después de que llevaron su gavilla de cebada al Templo, iniciaron su jornada de regreso a casa, a lo largo de los caminos atestados de peregrinos y animales, creyendo que Jesús iba más atrás en compañía de nuestros vecinos. No fue sino hasta la mañana siguiente cuando se dieron cuenta de que mi hermano no se encontraba con ninguno de nuestros amigos. Apresuradamente, volvieron a Jerusalén y lo buscaron durante tres días; por fin lo encontraron en uno de estos cubículos, sentado como lo estamos nosotros ahora, entre algunos de nuestros rabíes y maestros más respetados, no solamente haciendo preguntas como los demás niños presentes, sino respondiendo a muchas, ante la sorpresa de la multitud. Como sólo lo haría una madre, la nuestra se abrió paso entre la muchedumbre, se apoderó de Jesús y enojada le pidió una explicación, queriendo saber por qué los había tratado de esa manera, ocasionando tal angustia tanto a ella como a mi padre.

—¿Cuál fue su respuesta? —pregunté, casi demasiado ansioso.

—Jamás lo sabremos con certeza; nunca volvió a discutirse abiertamente ese incidente en nuestro hogar, pero justo antes de su muerte, mi madre me confió algunos de los detalles en la mejor forma que podía recordar. Parece que después de avergonzar a Jesús reprendiéndolo en presencia de los rabíes, él colocó sus manos sobre el rostro de mi madre y le dijo: "¿Qué razón tenías para buscarme? ¿Acaso no sabes que debo estar en el sitio que pertenece a mi padre?" Sin embargo, el ruido del patio, atestado por la muchedumbre, hacía difícil que pudiera escuchar, especialmente en la condición tan alterada en que se encontraba. Mi padre, de pie cerca de ella, más adelante le dijo que creía que Jesús había dicho: "¿Qué razón tenías para buscarme? ¿Acaso no sabes que debo dedicarme a los asuntos de mi padre?"

—Permíteme tratar de entender. Tu madre creyó haber oído a Jesús decir que debía estar en el sitio que pertenece a su padre; y, sin embargo, tu padre lo escuchó decir que debía dedicarse a los asuntos de su padre. ¿Estoy en lo cierto?

—Así es.

—¿No le pidieron después a Jesús que repitiera las palabras que había pronunciado?

—Si lo hubieran hecho, creo que mi madre me lo habría dicho. Aparentemente encerraron todo el asunto en su corazón y nunca volvieron a discutirlo con nadie, ni siquiera con él mismo.

Proseguí con mi interrogatorio, y señalando con un ademán de la mano en dirección a la maravilla arquitectónica que se encontraba delante de nuestros ojos, dije:

—Santiago, todos los judíos consideran a este Templo como el sitio en donde mora su único Dios, a quien también llaman "Padre", ¿no es verdad?

—Sí.

—Entonces, ¿no había nada insólito en el hecho de que Jesús se refiriera al Templo como al sitio de su padre?

—Estás en lo cierto. Creo que en parte fue la otra observación, la que mi padre creyó escuchar que Jesús pronunciara en voz baja, la que los aterrorizó.

—¿Quieres decir, cuando dijo que debía dedicarse a los asuntos de su padre?

Santiago asintió.

—Pero, ¿por qué habrían de alarmarlos esas palabras? Se trataba de un muchacho campesino que por primera vez se veía expuesto a los sonidos y a la emoción de una Jerusalén invadida por las multitudes, todo ello aunado a la pompa, el fervor y el bullicio general de este Templo durante los días festivos. Rodeado por este ambiente, ¿no podría haberse impresionado tanto por todo lo que había visto, que decidió dedicar su vida a los asuntos de su padre, queriendo decir con ello a las actividades religiosas, igual que cualquier niño romano soñaría en convertirse en gladiador después de su primera visita a los juegos en el Coliseo?

Santiago se encogió de hombros.

—Matías, mira a tu alrededor. ¿Puedes concebir a cualquier joven campesino, alguien que siempre ha estado muy unido a sus padres, decidiéndose de pronto a abandonar su amor y protección a fin de pasar sus días aquí, rodeado por completo de extraños?

Me había derrotado.

—Muy bien —concedí—, pero existe otro aspecto desconcertante en ese comportamiento tan misterioso de tu hermano. Según tu madre, Jesús dijo: "Debo estar en el sitio que pertenece a mi padre". Y según tu padre, sus palabras fueron: "Debo dedicarme a los asuntos de mi padre". ¿Estás seguro de que, cualesquiera que hayan sido sus verdaderas palabras, tanto tu padre como tu madre recuerdan que haya empleado la palabra "debo"?

—Estoy seguro de ello.

—¿No tienes la impresión, con todo eso, de que Jesús creía estar bajo un mandato u orden de alguna clase para estar en el Templo? Quizá fue eso, más que nada, lo que los preocupó.

Sus ojos café parpadearon, y suavemente colocó una mano sobre mis rodillas.

—Matías, eres un caso raro entre los hombres.

—Ciertamente lo es —contribuyó José, quien hasta ahora había guardado silencio.

—¿Por qué? —pregunté.

—Tienes ojos para ver, y ves; tienes oídos para oír, y oyes. Bendito sea el vientre que te llevó.

—Gracias —murmuré, pero simplemente no podía permitir que quedara cerrado ese suceso tan importante sólo con unas cuantas palabras amables. Volví a intentarlo.

"Santiago, tú eras el hermano que por la edad estaba más cerca de Jesús; los hermanos siempre confían uno en el otro. ¿Jamás hablaron ustedes dos de ese asunto?

—Con frecuencia lo importunaba por ello, como podría hacerlo cualquier niño, pero todo lo que llegó a discutir conmigo fue el sacrificio de nuestro cordero en el Templo.

—¿Ah, sí? ¿Y en qué forma hablaba de ello?

—Con gran tristeza y disgusto hacia toda la ceremonia. No podía olvidarse de las ropas manchadas de sangre de los sacerdotes cuando presentaron nuestro cordero para obtener la bendición de Dios, después de degollarlo, escurrir su sangre en una copa y derramarla sobre el altar. Y cuando el cadáver del animalito fue devuelto a nuestra familia, Jesús no pudo hacerse el ánimo de ayudar a nuestro padre en la preparación especial del cordero, a fin de asarlo a la hora de la puesta del sol. De lo que hablaba después, y con disgusto, era de la forma prescrita por nuestras leyes para colgar al cordero del sacrificio sobre los carbones ardientes.

—No comprendo.

—Dijo que observó a nuestro padre introducir dos varas de granado que atravesaron las carnes del cordero, una de un lado a otro del pecho y la otra a través de las patas delanteras, a fin de sostenerlo sobre las llamas. Esos dos trozos de madera, engastados para formar una cruz, le recordaban el método de los romanos para ejecutar a aquellos que se oponen al gobierno del César. Jamás había él podido olvidar al rebelde crucificado que vimos unos años antes, cuando visitábamos a nuestros familiares en Cafarnaúm. La vista y el olor de ese cuerpo en descomposición, su carne picoteada por las aves de rapiña, colgando de dos maderos cruzados, nos aterrorizó tanto que muchas noches después de eso nos despertamos sollozando.

Me froté las palmas sudorosas en la túnica. Nuevamente habían empezado a sonar esas campanitas internas de alarma. Todos mis instintos me advertían que estaba a punto de descubrir algo que tenía cierto significado: una señal en el camino un indicio con extraños significados, un fósil raro que nunca antes había salido a la superficie durante todas mis excavaciones en las toneladas de literatura dedicada a Jesús. No podía permitir que las cosas quedaran allí.

—Santiago, ¿hay algo más en esta historia?

Su voz sonó casi agradecida por mi persistencia. Con la cabeza baja, parecía dirigirse a la losa de mármol pulido que se encontraba debajo de nuestros pies.

—Isaías fue uno de nuestros grandes profetas, el favorito de mi hermano. A menudo, en los meses que siguieron a su visita al Templo, Jesús comparaba lo que había visto aquí con las palabras de ese profeta, palabras que en aquel entonces yo no podía comprender por ser demasiado joven.

—¿Puedes recordarlas?

Santiago se puso de pie y oprimió las manos contra su pecho; su voz se quebró cuando respondió:

—Han quedado como grabadas con fuego en mi corazón para siempre. Isaías dijo, al describir al Mesías que llegaría para salvar a los judíos: "Estaba sometido a la opresión y sufría, y aun así, no abrió la boca: es llevado como un cordero al matadero, y como un cordero quedó mudo ante su trasquilador, así que no abrió los labios..."

Sentí que el cabello se me erizaba en la parte posterior del cuello.

—Santiago, ¿acaso estaba comparando al cordero del sacrificio ofrecido por tu familia... con una crucifixión romana, y también con la descripción del Mesías judío, hecha por Isaías?

No hubo respuesta, y con muy buenas razones. ¡Santiago, el hombre austero, osado, respetado y temido por toda clase de hombres, había sepultado su rostro entre las manos y sollozaba!

José se puso de pie de un salto y rodeó con sus brazos a su acongojado amigo, mientras Shem contemplaba la escena mirándome nuevamente con una expresión amenazadora.

No habían transcurrido sino unos cuantos minutos cuando Santiago y José volvieron a la banca. Estaba a punto de disculparme, pero la mirada orgullosa y desafiante que apareció en el rostro de Santiago me advirtió que sería más prudente ignorar lo que había sucedido y seguir adelante.

—¿Jesús nunca llegó a tomar esposa?

Su voz se volvía cada vez más áspera.

—No, y cuando los mayores de la aldea le hacían bromas por su soltería, recordándole las palabras del profeta de que el Señor Dios había dicho que no era bueno para el hombre estar solo, Jesús reía respondiendo que puesto que estaba casado con todo un hogar, con seguridad sería condenado a muerte y lapidado por adulterio si se decidiera a formar otro.

—Y no obstante, llegó el día en que se divorció de toda su familia, ¿no es verdad?

Santiago asintió.

—¿Qué fue lo que hizo que tuviera lugar ese cambio tan importante en la vida de tu hermano?

—Eso sucedió cuando tenía treinta y cuatro años; para entonces, mis otros hermanos y yo ya estábamos casados y vivíamos con nuestras familias en la aldea, mientras que Jesús había permanecido al lado de nuestra madre y hermanas. Una noche se llegó hasta mi puerta, invitándome a hablar con él, una petición muy extraña, ya que normalmente acostumbraba pasar muchas horas a solas en las colinas cercanas, cuando no estaba en su taller, y esa actitud lo había convertido en objeto de muchas bromas entre la gente. A medida que Jesús y yo caminábamos, él llevaba su mano sobre mi hombro, y me pidió que cuidara de nuestra madre y hermanas a fin de que pudiera ir en busca de Juan el Bautista, que se encontraba predicando en Betabara, a no más de una jornada de Nazaret.

—¿Se trataba de aquel que más adelante murió bajo el cuchillo de Herodes Antipas?

—El mismo. Hace más de novecientos años, uno de nuestros más grandes profetas, Elías, obró grandes maravillas contra las fuerzas malignas de la reina Jezabel y de Ajab, antes de verse elevado a los cielos en un torbellino. Nuestro pueblo siempre ha conservado firme la crencia de que algún día, él volverá para restaurar nuestra tierra y prepararla para la venida del Señor. En aquel entonces, algunos pretendían que Juan era Elías, en tanto que otros creían que era solamente un precursor de Elías, a quien aún esperaban. Jesús deseaba escuchar lo que Juan decía en predicación a las multitudes en las márgenes del río.

Éste era un momento tan bueno como cualquier otro para aclarar una definición que siempre me había desconcertado por sus grandes variaciones.

—Santiago —le pregunté—, ayúdame a comprender. ¿Qué es un profeta?

—Un profeta es un mensajero de Dios, y la palabra en hebreo significa "aquel que habla por otro". Puede ser rico o indigente, culto o ignorante, de noble abolengo o campesino. Elías fue un pobre pastor, Isaías un maestro y Jeremías procedía de una familia de sacerdotes. Los profetas siempre hablan sin preocuparse por su propio bienestar o seguridad, advirtiendo a hombres y naciones, a reyes y mendigos, que solamente la ruina y la miseria aguardan a todos aquellos que se apartan de las leyes de Dios y caen en el vicio del mal y el pecado. Desde hacía casi doscientos años no aparecía ningún nuevo profeta en Israel, de manera que la presencia de Juan ocasionó una gran alegría entre la gente, al mismo tiempo que creaba cierta aprensión en Herodes, los sacerdotes y todos los que tenían las riendas de la autoridad.

—¿Y Jesús fue a escuchar a ese profeta?

—Lo hizo, pero no volvió después de transcurrido el tiempo que dijo que dedicaría a su viaje, y muy pronto mi madre empezó a angustiarse. Finalmente me dirigí en busca de Juan, quien me dijo que había visto a Jesús cuando había llegado hasta él para pedirle que lo bautizara, pero que no había vuelto a verlo.

—Describe ese servicio que Jesús pidió a Juan.

—¿El bautismo? Juan proclamaba que todos deberían arrepentirse, cambiar su forma de vida y purificar su mente, cuerpo y alma a fin de prepararse para el Reino de los Cielos que estaba muy próximo. Con objeto de prepararse para ese día en que el ungido vendría para juzgar a toda la humanidad, cada uno de los fieles que iba en busca de Juan a las orillas del Jordán se sumergía en sus aguas como un símbolo de su disposición para recibir al... al...

—¿Al Mesías judío? ¿A aquel que traería consigo la paz universal y bajo cuyo reinado todas las naciones le servirían en un dominio que se extendería de un mar a otro?

Santiago pareció sobresaltarse al escuchar mis palabras.

—¿Cómo es que un romano está tan familiarizado con las palabras de un antiguo salmo judío?

Detrás de Santiago, pude observar la mirada preocupada de José.

—Escribir la historia de tu pueblo —respondí— sin estudiar sus salmos y sus significados, sería un insulto para todos los judíos.

Santiago pareció satisfecho.

—Entonces, Matías, debes saber que las palabras que acabas de repetir fueron cantadas como un tributo a nuestro gran rey Salomón, quien gobernó esta tierra hace casi mil años.

—Y esas palabras de ese antiguo salmo, ¿no tenían ningún significado especial para la muchedumbre que se congregaba para escuchar a Juan, quien día tras día anunciaba que el Reino de los Cielos estaba muy cercano, un reino que ciertamente tendría necesidad de un rey?

Sabía cómo controlarse; en vez de ofenderse por mi sarcasmo tan obvio, simplemente alzó sus anchos hombros y replicó:

—¿Quién puede llegar a saber jamás lo que hay en el corazón y en la mente de un pueblo oprimido?

—Y, por fin, ¿volvió Jesús a su hogar después de su peregrinación?

—Sí, después de que habían transcurrido más de cuarenta días. Su aspecto era tan aterrador que ninguno de nosotros tuvo corazón para reprenderlo por haber permanecido fuera tanto tiempo, sin siquiera decir una palabra. Sus ropas estaban cubiertas de cardos y completamente desgarradas, su cabello estaba enmarañado, su rostro y sus manos estaban casi negros por las quemaduras del sol, sus ojos eran dos ascuas y su cuerpo estaba tan delgado que apenas pudimos reconocerlo.

—¿Llegó a ofrecer una explicación de las causas de su estado y de su prolongada ausencia?

—Nos dijo que durante dos días había escuchado a Juan mientras predicaba en las márgenes del Jordán, antes de decidirse a ser bautizado. Después, casi como si hubiese perdido los sentidos, se encontró vagando por el desierto y las tierras yermas que se encuentran al otro lado del río. Ahí permaneció durante varias semanas, sin ningún alimento y con muy poca agua, ebrio no de vino, sino de las palabras de Juan, que resonaban en sus oídos tan fuerte como el trueno, una y otra vez: "¡Arrepentíos, porque el Reino de los Cielos está muy cerca... os bautizo con agua para que os arrepintáis: pero después de mí vendrá aquel que es más poderoso que yo, y a quien ni siquiera soy digno de desatar las correas de sus sandalias, y Él os bautizará con el Espíritu Santo, y con fuego!

—¿Jesús volvió directamente a su hogar en Nazaret después de haber pasado ese tiempo en el desierto?

—No; un día, después de estar a solas tanto tiempo, se encontró caminando otra vez a lo largo de las márgenes del Jordán, hasta que se tropezó de nuevo con Juan. Avergonzado por su aspecto, permaneció en las orillas de la muchedumbre y se dedicó a escuchar, pero aun a esa gran distancia, Juan lo vio y señalando en su dirección gritó: "Mirad, ¡he ahí el cordero de Dios! ¡Ved, Él es quien ha venido a quitar los pecados del mundo! Al escuchar esas palabras, Jesús dijo que se había dado vuelta, corriendo hasta caer exhausto, y lo siguiente que pudo recordar era su llegada a la puerta de la casa de nuestra madre, en Nazaret.

Me puse de pie y mirando hacia donde se encontraba sentado Santiago, traté de escoger mis palabras de manera en extremo cuidadosa.

—Santiago, ¿sabes si tu hermano concedió algún significado especial a la pretensión de Juan, al aclamarlo como el cordero de Dios, recordando la profecía de Isaías y lo que había sentido respecto al cordero sacrificado y atravesado por una cruz de madera durante su primera Pascua?

Respondió de inmediato, como si esa misma idea le hubiera venido a la mente con frecuencia.

—No lo sé; mirando hacia atrás, es más sencillo ver y comprender cosas que, cuando suceden, no ofrecen ningún indicio de su significado oculto.

—Cuando recuperó la salud, ¿volvió Jesús a su oficio?

—Sólo durante poco tiempo, hasta que llegaron noticias de que Juan había sido aprendido por Herodes y estaba prisionero en el castillo de Maqueronte. Poco tiempo después, mi madre, bañada en lágrimas, fue a mi casa y me suplicó que la acompañase para tratar de razonar con Jesús, quien no había comido ni levantado el martillo desde que se había enterado de la captura de Juan. Lo encontré sentado sobre su catre, con la cabeza baja. Lo llamé varias veces, pero no obtuve respuesta; entonces lo tomé de los hombros y lo sacudí suavemente, y cuando se irguió para mirarme, pude ver que estaba llorando. Se inclinó y me abrazó por la cintura, y pude sentir su cuerpo temblando contra el mío. Después se puso de pie, me besó en ambas mejillas y dijo: "Santiago, vela por nuestra madre y hermanas. Debo partir; debo continuar lo que Juan ha iniciado".

—¿Volvió a usar nuevamente la palabra "debo"?

—Lo hizo. Después besó a mi madre y a mis hermanas y nos abandonó antes de que pudiéramos convencerlo de que se quedara. No se llevó nada consigo, excepto las ropas que llevaba puestas.

—¿Sabes a dónde se dirigió?

—Muy pronto llegó a nuestros oídos la noticia de que andaba de aldea en aldea, predicando la palabra de Juan y aconsejando a todos el arrepentimiento, a fin de prepararse para la llegada del Reino de los Cielos. La mayoría de los aldeanos, así como mis hermanos, murmuraban que el tiempo que había pasado bajo el sol del desierto, después de que Juan lo había bautizado, debió afectar su mente. Durante más de dos meses no llegó un solo mensaje suyo, y cada día aumentaba nuestra preocupación por su seguridad, ya que los espías de Herodes estaban por doquiera. Después, una tarde, volvió a la aldea, y al día siguiente, nuestro sabat, nos acompañó a la sinagoga. Jamás olvidaré esa mañana.

Ese famoso día de la confrontación, cuando Jesús conmovió a la congregación, a la aldea y a su familia.

—Por favor, háblame de ello —lo insté.

—El servicio del culto procedió como de costumbre durante la primera parte. El ministro guiaba las plegarias, recitamos el shemá y se pronunciaron las bendiciones. Después de elevar las manos y cantar ciertas oraciones de alabanza, el ministro se acercó al arca y sacó el rollo de pergamino de la Ley. Ese era el momento para que alguno de nosotros, escogido entre el pueblo, leyera las palabras de nuestros profetas. El ministro miró a su alrededor durante breves momentos, bajó hacia donde nos encontrábamos y entregó el rollo a Jesús. Se escucharon algunas protestas y hasta varios gritos proferidos por aquellos que miraban con desagrado a Jesús por verse así honrado después de haber abandonado a su madre y a su familia. Yo me encontraba sentado a su lado, y recuerdo que experimenté un repentino sentimiento de peligro. Aparentemente mi madre también lo experimentó, ya que la sorprendí, en la sección de mujeres, sacudiendo la cabeza en mi dirección, como si quisiera indicarme algo, pero yo no supe qué hacer.

Santiago respiró profundamente antes de continuar su relato.

—Jesús tomó el rollo en sus manos, lo estrechó contra su pecho y cerró los ojos. Después, caminó deliberadamente hasta encontrarse frente al arca. Cuidadosamente desenvolvió el pergamino y leyó las palabras de su profeta favorito, Isaías: "El espíritu de mi Señor Dios está conmigo; porque el Señor me ungió para predicar las buenas nuevas a los humildes; me envió para consolar a los afligidos, para proclamar la libertad a los cautivos. . . para proclamar el año del Señor y el día de la venganza de nuestro Dios".

¡Esas palabras tan especiales! Los eruditos de la Biblia han estado arguyendo y discutiendo durante siglos la posibilidad de que realmente se hubieran empleado ese sabat por la mañana. Tenía que enterarme.

—Permíteme interrumpir durante un momento, Santiago. ¿Había un gran número de pergaminos entre los cuales tu ministro pudo haber escogido el que debía leerse?

—Hay muchos pergaminos; sin embargo, el ministro no es el que elige. Nuestros textos sagrados se dividen en más de ciento setenta fragmentos, uno de los cuales debe leerse cada sabat, siempre siguiendo una misma secuencia hasta que se han leído todos, después de lo cual se repiten. Se necesitan tres años y a veces más para completar un solo ciclo.

—Así que ese texto particular que leyó Jesús, ¿no fue escogido por el ministro, ni por Jesús, sino que, ciertamente, era el indicado para ese sabat?

—Así es. Cuando Jesús terminó su lectura, entregó el pergamino abierto al ministro y volvió a mi lado. Todas las miradas estaban dirigidas hacia él, y la sinagoga se había quedado tan silenciosa como una tumba. Jesús irguió la cabeza y con voz poderosa, que podía ser escuchada por todos los presentes, anunció: "¡Este día se ha cumplido la profecía en sus oídos!"

La voz de Santiago había ido bajando, hasta convertirse casi en un susurro, y yo experimentaba cierta dificultad para escucharlo por encima del clamor que dominaba el patio.

—Recuerdo que una mujer vociferó y con su grito reavivó a la multitud que se había quedado paralizada por el anuncio salido de labios de mi hermano. La gente se puso de pie de un salto y desde la parte posterior escuché una voz que preguntaba: "¿Quién es este hombre que pretende ser nuestro salvador?" Otra decía: "¿No es el carpintero, el hijo de María, hermano de Santiago y Josué, y de Judas y Simón? ¿No se encuentran sus hermanas entre nosotros?

No pude menos que observar la intensa concentración con que José de Arimatea estaba pendiente de cada palabra, como si jamás antes hubiera escuchado describir este incidente particular en la vida de Jesús.

—¿Y qué hizo Jesús? —preguntó ansioso; entonces me miró y murmuró—: lo siento.

Santiago sonrió al anciano y continuó.

—Jesús seguía de pie, y aun cuando no me atrevía a mirarlo, pude escuchar su voz profunda, vigorosa y sin temor. "Un profeta no es honrado en su propio país, o entre los suyos, ni en su propia casa.". Sus palabras me sobresaltaron y enojaron a la vez; a todos nos había incluido en su condena. De pronto, la gente se lanzó sobre él, arrojándome al suelo. Cuando se apoderaba de mi hermano, todavía pude escuchar que gritaba algo acerca de nuestros profetas Elías y Eliseo, y sus palabras parecían incitar aún más a la multitud. Mientras todavía me encontraba arrodillado, lo vi liberarse de muchas manos y correr detrás del arca. Después desapareció, cruzando la puerta trasera, con la muchedumbre persiguiéndolo. Me apresuré a ir al lado de mi madre, quien había sufrido un colapso, la levanté en mis brazos y la llevé de vuelta a casa. Después nos enteramos de que la muchedumbre había tratado de arrojar a Jesús desde el despeñadero que se encontraba al borde de nuestra aldea, pero que él había logrado escapar.

Fingí ignorancia.

—¿Qué fue exactamente lo que dijo Jesús para ofenderlos hasta el grado de que trataran de quitarle la vida?

Santiago respiró con fuerza y se oprimió las manos.

—Era uno de nosotros, un hombre común de la tierra, que se ganaba el pan cotidiano con el sudor de su frente y los músculos de su espalda. Había crecido en Nazaret, jugado en nuestras calles y la única educación que había recibido era de los aldeanos mismos, en nuestra pequeña sinagoga que ni siquiera tenía un rabí. ¿Cómo era posible que aceptaran su atroz anuncio de que Dios lo había ungido, entre todos los hombres grandes y sabios de Israel, para ser su mensajero especial de libertad y venganza, el Mesías?

—¿Y tú? —pregunté—. ¿Creíste que él era algo especial? Si no el Mesías, cuando menos, tal vez un profeta, como Juan o Elías o los otros que habían venido antes?

—No; Jesús era mi hermano, a quien yo siempre había amado y respetado, por lo menos hasta esa mañana, cuando nos increpó a todos. Entonces, me alegré de haberme librado de él, a pesar de la angustia de mi madre, cuando huyó.

—Más adelante, ¿tú, o alguien de tu familia, fue alguna vez a oírlo predicar cuando recorría toda Galilea?

—Solamente una vez, después de que recibimos la visita de cuatro representantes de la ley, llamados fariseos, que venían enviados del Templo de aquí. Hicieron muchas preguntas acerca de Jesús, igual que tú lo has hecho hoy, y sentimos temor de que aun si Herodes no hacía nada en su contra, ahora existía un nuevo peligro, el de verse llamado para explicar sus palabras y sus acciones ante el sanedrín, nuestra principal corte de justicia. Aun cuando el sanedrín no tiene ninguna autoridad en Galilea, sólo aquí en la provincia de Judea, mi madre estaba desesperada por advertir a Jesús que se encontraba en graves problemas. Cuando nos enteramos de que se encontraba en la cercana ciudad de Cafarnaúm, su voluntad prevaleció sobre la mía y la de mi hermano, y nos pidió que la acompañásemos a ese lugar, a fin de suplicarle que volviera a casa antes de que fuera demasiado tarde.

Otra escena famosa que se había discutido, predicado y torcido para adaptarse a diversos puntos de vista, con tanta frecuencia en el transcurso de los años, que había perdido todo sentido de realidad.

—¿Reaccionó Jesús ante su advertencia? —pregunté.

—¡Ni siquiera aceptó vernos! Se encontraba predicando en una casa que estaba tan llena de pescadores y de pobres de las calles y del puerto que la muchedumbre se apiñaba en el patio, de manera que no pudimos entrar. Cuando le envié a decir que su madre y hermanos estaban afuera, replicó en una voz que todos pudimos escuchar: "¿Quiénes son mi madre y mis hermanos? ¡He aquí!, aquí están mi madre y mis hermanos, ya que todo aquel que cumple la voluntad de Dios es mi hermano y mi hermana y mi madre". Esa vez, mi madre ya no lloró; me tomó del brazo y dijo: "Volvamos a casa".

—¿Alguna vez regresó Jesús a Nazaret?

—Solamente una vez más. Pasó por la aldea para saludar a mi madre, varios meses después. Para entonces, ya había reunido un pequeño grupo de discípulos, que iban con él.

—¿Cómo fue recibido por tu familia?

—Como siempre, mi madre y mis hermanas lo trataron con un cuidado, amor y atención especiales, en tanto que mis hermanos y yo, cuando las mujeres no estaban presentes, no le mostrábamos sino una gran falta de respeto. Lo ridiculizábamos, diciéndole que habíamos escuchado numerosas historias de la forma en que hacía milagros, sanando a los paralíticos, devolviendo la vista a los ciegos y aun arrojando a los espíritus malignos. Le decíamos que no creíamos en esas historias y aun llegamos a desafiarlo, diciendo que si en verdad podía hacer esas cosas tan maravillosas, no debería mantenerlas en secreto y actuar en las aldeas más pequeñas, sino que debía ir a Jerusalén para que las grandes muchedumbres, así como los sacerdotes del Templo, pudiesen presenciar sus obras tan extraordinarias y saber que hablaba como un verdadero profeta de Dios.

—Y ¿qué les respondía Jesús?

—Su única respuesta era que su tiempo aún no había llegado. Nos reímos y lo escarnecimos, dejándolo solo.

Ahora nos acercábamos a la pregunta más importante que Santiago escucharía de mis labios. Di unos pasos para volver a mi asiento, pero en vez de hacerlo, por alguna razón inexplicable flexioné una pierna y quedé arrodillado frente a él, colocando audazmente ambas manos sobre sus rodillas.

—Santiago, creo que dijiste que estabas casado en esa época. De no haber tenido responsabilidades familiares, ¿hubieras considerado la posibilidad de unirte al grupo de tu hermano?

—¡No! —bramó, y su voz se escuchó como cuando se encontraba en lo alto de la plataforma—. Mientras que yo me esforzaba, lo más que podía, en llevar una vida dentro de las leyes y de nuestra tora y en practicar los preceptos de nuestros profetas, Jesús, según aquellos que lo habían visto y escuchado, transgredía abiertamente algunas de nuestras leyes más sagradas. Comía y bebía en compañía de publicanos y mujeres públicas, violaba desdeñosamente nuestro sabat, se mofaba de nuestros grandes escribas y de la sabiduría de los fariseos, no se lavaba las manos antes de partir el pan y, lo peor de todo, ¡se atrevía a *perdonar* a los pecadores! Ni siquiera Moisés, Abraham o Elías tenían ese poder. Solamente nuestro Padre que está en el cielo tiene el poder de quitar la maldición del pecado. Yo estaba convencido de que Jesús seguía una senda que lo conduciría a su vergüenza y destrucción, y no quería tener parte en ello.

Las gotas de sudor caían de la frente de Santiago sobre mis manos. Su labio inferior temblaba y su frente se veía plegada por profundos surcos de angustia. Casi sentí odio por mí mismo por haberlo sometido a la tortura de sus recuerdos, que soportaba de buen grado como si fuera una especie de penitencia.

—¿Jamás viste a tu hermano resucitar a alguien de entre los muertos, o aliviar de la ceguera, o hacer que un paralítico volviera a caminar o sanar a un leproso, como otros pretenden que lo hizo?

—Jamás.

—¿Nunca lo viste ejecutar algo que pudiera considerarse un milagro, algo contrario a las leyes normales de la naturaleza?

—No.

—¿Alguna vez lo oíste asegurar que era el Mesías, ese salvador y rey de los judíos por quien esperan todos ustedes?

—No.

—¿Lo escuchaste alguna vez decir que era el Hijo de Dios?

—No.

—¿No estabas a su lado durante esa última semana en Jerusalén, antes de su ejecución?

—No, me encontraba en Nazaret con nuestra familia.

—Entonces, ¿no estabas con él en el huerto, la noche en que fue hecho prisionero?

—No.

—¿No estabas presente cuando fue juzgado y condenado a muerte por el respetable jurado de eminentes ciudadanos, por el sanedrín?

—No.

—¿No te encontrabas en medio de la muchedumbre, allí, en el patio de la Fortaleza Antonia, la mañana en que Pilato lo juzgó, lo mandó azotar y lo condenó a morir en la cruz?

—No.

—¿No fuiste testigo de su crucifixión?

—No —sollozó.

—¿No ayudaste a este hombre, a José, a darle sepultura?

—No.

Tomé sus dos manos y lo miré directamente a los ojos.

—Y, sin embargo, aún ahora, en este patio, los seguidores de tu hermano se reúnen y cada día hay un mayor número, multiplicándose con mayor rapidez que las moscas. ¿Y a quién aclaman y honran como a uno de los dirigentes de esta chusma, seis años después de la muerte de Jesús? ¡A ti, Santiago! ¡A ti!

Bajó la mirada.

—Cuando tu hermano levantaba al pueblo y quebrantaba las leyes, tú te sentías tan avergonzado de Él que no querías tener nada que ver con lo que hacía, pero, desde su crucifixión, te has arriesgado al mismo castigo que Él recibió, predicando su filosofía en las calles y aun aquí, ¡en tu Templo, en las mismas narices de quienes lo juzgaron y lo condenaron! Te rehusaste a unirte a Él mientras vivió y predicó, según dijiste, porque estabas convencido de que seguía una senda que lo conduciría a la vergüenza y destrucción. ¿Por qué ahora *tú* estás siguiendo esa misma senda, Santiago?

No obtuve respuesta.

—¿Por qué, Santiago?

Mi pregunta volvió a quedar sin respuesta. Cerré los ojos sintiéndome frustrado; Santiago ya había soportado demasiado en los años que llevaba en Jerusalén como para sentirse intimidado por un simple escritor, cuando la omnipresente amenaza de las espadas romanas y de los preceptos de los sacerdotes no lo habían afectado.

De pronto sentí sus dos manos sobre mi cabeza, con sus poderosos pulgares acariciando mi cuello como si fuera un niño. Cuando abrí los ojos, los suyos estaban sólo a unos cuantos centímetros de distancia. No había el más ligero rastro de enojo o de odio en su rostro de líneas fatigadas por el largo interrogatorio padecido, solamente había compasión.

—Matías, en verdad no has hecho todas esas preguntas por un simple libro de historia, ¿o sí? ¿Podría ser que tu propia tranquilidad espiritual y mental dependan de mi respuesta?

Podía sentir la sangre latiendo en mis mejillas; traté de responder, pero no pude hacerlo.

—Matías, ¿tienes intención de interrogar a otros acerca de Jesús?

Asentí.

—Muy bien. Volveremos a vernos, tú y yo, después de que hayas acabado de hablar con todos ellos. Para entonces, estoy seguro de que podrás comprender muchas más cosas que ahora, y también estarás más preparado para mi respuesta a tu última pregunta.

Me besó en la frente, me soltó y se volvió para abrazar a José. Después se alejó, pero no antes de volverse y gritar, por encima del tumulto que lo rodeaba, una sola palabra.

—*¡Mizpah!...*

El Señor vigile entre tú y yo cuando estamos separados ***uno*** *del otro.*

Emocionalmente exhausto, me volví hacia el anciano de Arimatea y le dije:

—José, por favor, llévame a casa.

6

Jerusalén contaba con el servicio de despertador común perfecto. Cada mañana, tan pronto como el primer rayo de luz del sol aparecía en el lejano horizonte levantino, más allá de las cordilleras lavanda y gris de Moab y Galaad, oleadas de trompetazos sacerdotales del Templo anunciaban el nacimiento de un nuevo día. Ni siquiera la persona con el sueño más profundo, en el rincón más remoto de la ciudad amurallada, podía ignorar el mensaje estruendoso y persistente de que se iniciaba la primera hora. Esas trompetas eran todo el toque de alborada que necesitaba a la mañana siguiente de mi visita al Templo. Mateo, el siguiente en mi lista de "testigos", demostró ser tan fácil de localizar como Santiago. Sus hábitos eran bien conocidos de José, y poco después de la salida del sol, lo encontramos exactamente en donde el anciano dijo que estaría, orando en el huerto de Getsemaní.

Fuera de la muralla oriental de la ciudad, los ásperos riscos de piedra caliza descendían varios centenares de metros hacia el valle del Cedrón; más allá del valle se extendía una colina verde y desigual, el Monte de los Olivos. El huerto yacía al pie del monte, a corta distancia de las puertas de la ciudad, después de cruzar un puente de piedra, pero aun así estaba oculto de las miradas curiosas de los paseantes y de quienes miraban hacia abajo desde el Templo por tupidos grupos de cipreses, higueras, almendros, granados y, sobre todo, olivos, de donde se había derivado su nombre, Getsemaní, que significa "lugar de olivos".

Dejando a Shem al cuidado del carruaje, José y yo nos adentramos en el huerto, esquivando varias ramas de olivo de hojas plateadas que colgaban muy bajo, conforme nos abríamos paso a lo largo de un estrecho sendero que serpenteaba entre matorrales y pedruscos parcialmente enterrados. Los macizos de flores, descuidados, habían rebasado sus otrora pulcros bordes, y ahora luchaban por sobrevivir contra un exuberante césped cubierto de rocío que casi nos llegaba hasta las rodillas; mientras las muertas ramas bajas de los abetos se aferraban tenazmente a los verdes troncos con vida. Por encima de nuestras cabezas, cada árbol parecía albergar su propia familia de golondrinas que con sus agudos y enojados gritos nos hacían saber que no apreciaban esta intrusión a una hora tan temprana.

—Jesús venía aquí a menudo, ¿no es verdad, José?

—Sí, era su lugar favorito, exceptuando las colinas de Nazaret. Acostumbraba pasar aquí muchas horas a solas y con su grey, orando, enseñando o simplemente refrescándose un poco después del calor de la ciudad.

—Pues creo que se excedió, viniendo aquí una vez de más.

El anciano se rehusó a tragar el anzuelo.

—¿Quieres decir esa noche, cuando fue aprehendido? Matías, jamás debes olvidar que esa noche se encontraba aquí por su propia voluntad. Sabía el grave peligro que lo amenazaba y fácilmente pudo huir al Norte, en dirección de Galilea, para escapar de las garras de sus enemigos; pero esas son cosas que debes aprender por ti mismo, hijo mío.

Shem se reunió con nosotros y caminaba varios pasos atrás mientras avanzábamos por el jardín, que era más bien un huerto que otra cosa. De pronto, el anciano se detuvo y colocó su mano en mi pecho:

—¡Mira! —susurró.

Un poco más adelante, a nuestra derecha, había un pequeño claro; en el centro había una figura arrodillada, con la cabeza levantada hacia el cielo y las manos, fuertemente entrelazadas, descansando sobre un gran pedrusco de greda.

—Quédate aquí —me indicó José—. Me acercaré a él yo solo, a fin de no sobresaltarlo, y le informaré el propósito de tu misión; si accede a hablar contigo, te haré una señal.

José se aproximó al apóstol en oración con pasos cautelosos, hasta que Mateo se volvió y reconoció a su viejo amigo. De inmediato su rostro se iluminó e inclinó una vez más la cabeza antes de ponerse de pie de un salto. Al observar desde mi escondrijo a los dos amigos saludarse, tuve que hacer hasta lo imposible para no dar la vuelta y salir huyendo. Pero, ¿adónde? ¿Cómo podía volver desde *aquí* hasta Phoenix?

Por fin pude ver a José señalar hacia donde me encontraba. Mateo asentía con la cabeza, deteniéndose ocasionalmente para interrumpir al anciano. Después alzó las manos, con las palmas hacia arriba, y escuché la voz de José llamándome por mi nombre. Tropecé en dos ocasiones antes de llegar al claro.

La cabeza de Mateo estaba coronada por cabello corto color castaño, que apenas llegaba hasta sus frágiles hombros. Su barba se veía cuidadosamente recortada y cubría una mandíbula angular bajo pómulos demasiado elevados y prominentes, y sus ojos grises, muy separados, resultaban anormalmente grandes sobre una piel tan clara que parecía jamás haber estado expuesta a los despiadados vientos y sol de Judea. Un manto de lana color azul claro envolvía holgadamente su cuerpo de elevada estatura, cubriendo en parte una túnica blanca de lino que sólo se abría a la altura del tobillo, dejando ver unas sandalias de madera atadas con un grueso cordel. Se adelantó a saludarme, con ambas manos extendidas en ademán cordial.

—Llevas un buen nombre, Matías.

—Tú también, Mateo —dije sonriendo débilmente.

—José me dice que estás escribiendo una historia sobre los judíos, y que deseas incluir en ella el papel que Jesús desempeñó en nuestras vidas.

—Sí —repliqué— y también estoy buscando la verdad en lo que se refiere a su muerte.

Mateo sonrió con indulgencia.

—Pero Jesús no está muerto, y eso es un hecho que puedes verificar sin mi ayuda. A sólo unos cuantos codos* de aquí, más allá del muro que se encuentra al occidente de la ciudad, está el sitio en donde fue sepultado. Pide a José que te con-

* Unidad de medida que se usaba en esa época *(N. T.)*.

duzca hasta allí, para que puedas contemplar la tumba vacía con tus propios ojos.

Si no actuaba con precaución, podía condenar esta entrevista antes de haberse iniciado.

—Perdóname, Mateo, pero aun cuando vea la tumba, eso no bastará para que quede satisfecho. Al igual que tu amigo Tomás, necesito más hechos, más verificación. Para mí, una tumba vacía simplemente es un agujero en el suelo, y no prueba nada. José dijo que tú podrías ayudarme en mi búsqueda de la verdad, dondequiera que ésta pueda conducirme.

Mateo vaciló y después hizo un gesto en dirección a José.

—En el hombre de Arimatea tienes a un abogado poderoso. Sin embargo —y sus ojos parpadearon momentáneamente— con él debes estar siempre en guardia, te lo advierto. Muchos incrédulos como tú han sucumbido a su hechizo y ahora se cuentan entre nuestros más leales partidarios. Me dará mucho gusto responder a tus preguntas; no obstante, todos aquellos de nosotros que vivimos para Jesús nos vemos en la necesidad de sostenernos, y también de contribuir a los fondos comunes, así que debo encontrarme en el mercado alrededor de la tercera hora, para ayudar a Abdías, el orfebre, cuando abra su tienda al público. El pobre hombre es un excelente artesano pero un mal contable, y necesitaba desesperadamente un tenedor de libros antes de encontrarnos.

—Agradezco muchísimo tu ayuda; vamos a sentarnos aquí para estar cómodos mientras hablamos —dije haciendo un gesto hacia la gran roca plana junto a la cual había visto a Mateo orando. Me di vuelta para tomar asiento...

—¡No! —gritaron ambos, y sus gritos angustiados hicieron eco por todo el huerto.

Me quedé helado, en una posición incómoda, sentado a medias. Sintiéndome ridículo, volví a erguirme y miré a José en busca de guía. En vez de ello, Mateo se adelantó y me tomó de la mano.

—Perdónanos, Matías. ¿Cómo ibas a saber que esta losa de piedra, de aspecto tan común, es sagrada para nosotros? Fue aquí, en esta roca, en donde Jesús oró durante su última noche antes de ser aprehendido.

Extendí la mano y la froté contra la superficie áspera de greda, recordando las pinturas idealizadas de Jesús orando en el huerto, que había visto. El polvo blanco quedó pegado a mi palma húmeda, mientras seguíamos a Mateo hasta un tramo de césped suave, bajo un viejo olivo, en donde nos sentamos cómodamente. Shem se aproximó, acuclillándose cerca del sendero por donde llegamos, haciendo girar lentamente su cuerpo moreno en círculos completos, mientras estudiaba, sin cesar, las sombras cambiantes del huerto. Empecé por el principio, y aun cuando nos acababan de presentar, pregunté con nerviosismo:

—¿Cuál es tu nombre?

Mateo sonrió.

—Eso depende de quien se dirija a mí, amigo o enemigo. Soy Mateo, algunas veces llamado Leví, hijo de Alfeo, de Cafarnaúm.

—Y ¿qué edad tienes?

—Estoy en mi año cuarenta y siete.

—¿Fuiste amigo íntimo de Jesús?

—Fui el quinto en ser llamado a su lado, después de que empezó a impartir sus enseñanzas en Cafarnaúm, en donde yo vivía y trabajaba.

Deliberadamente formulé mi siguiente pregunta para ver cuál era su reacción.

—Por lo que me han dicho, entiendo que abandonaste tu próspero puesto de recaudador de impuestos, para el cual te había nombrado Herodes Antipas, el tetrarca de Galilea, para seguir a Jesús. ¿Por qué razón abandona un hombre a su familia, amigos y profesión, para huir con una banda de gitanos indigentes?

El apóstol se me quedó mirando con más incredulidad que enojo. Por último, empezó a reír entre dientes, más para sí mismo.

—Matías, ciertamente la fuente que te ha proporcionado los demás hechos relacionados con mi vida, también debe haberte informado que eso, a lo que tú magnánimamente te refieres como mi profesión, está considerado por nuestro pueblo como una vida más pecadora que la de una cortesana. No solamente era recaudador de impuestos, sino que era el más bajo de los recaudadores de impuestos, un pequeño *mokhes,* que es el nombre que dan a quien cobra en la misma puerta de peaje en vez de contratar a otros para que desempeñen ese trabajo tan vil. Al sufrir, personalmente, las burlas y maldiciones de todos los que pasaban, podía conservar un mayor porcentaje de los impuestos antes de entregar el resto a Herodes, quien, a su vez, enviaba una parte a tu emperador en Roma. No tenía amigos, excepto mi propia familia y otros recaudadores de impuestos de las cercanías.

—Pero tú eras uno de los hombres más acaudalados de Cafarnaúm.

—Muchos de nosotros pagamos demasiado caro nuestro oro. Como publicano, tenía prohibido llevar mi dinero al Templo para algún fin. No se me permitía servir como juez, o ni siquiera como testigo, en ningún juicio, y difícilmente existe un rabí viviente que no predique que, para los publicanos, el arrepentimiento es una pérdida de tiempo ante los ojos de Dios.

—Entonces, ¿por qué te convertiste en recolector de impuestos?

Se encogió de hombros.

—¿Quién de nosotros puede decir por qué nos convertimos en lo que somos? ¿Por qué eres tú escritor? Para mí, que no era competente en las artes o el comercio, la recolección de impuestos era una forma de ganarme la vida.

—¿Cómo llegaste a conocer a Jesús?

—Había venido a Cafarnaúm solo, trayendo consigo un mensaje de esperanza para nuestro pueblo, como jamás habíamos escuchado otro igual. En ocasiones hablaba en nuestra pequeña sinagoga, pero casi siempre se encontraba en los terrenos ribereños, desde la salida hasta la puesta del sol, enseñando y consolando a los pobres y a los enfermos del puerto, cuya ignorancia de las leyes de Moisés los hacía sentirse indignos de entrar a la casa de Dios en nuestra aldea. Una mañana, cuando él se encontraba cerca, dejé mi puesto desatendido y fui a escucharlo. Las palabras que pronunció ese día cambiaron mi vida para siempre.

—¿Tenían tal poder sus palabras?

—Sí. Yo había abandonado toda esperanza de llegar a borrar mi pecado de ser publicano, el cual estaba inscrito en el libro de Dios. Pero aquí estaba un hombre que decía que aún había esperanza para mí y para todos los demás miserables pecadores. A todos los que nos encontrábamos junto a él, nos dijo que el Reino de Dios estaba cerca y que todos nosotros, ¡todos nosotros!, podíamos prepararnos para ese día. Enseñaba que la salvación estaba al alcance de todos, y que aun el mayor pecador podía volver a nacer a los ojos de Dios, siempre y cuando adquiriera la fe y la humildad de un niño. También nos enseñó lo que debíamos decir en nuestra plegaria, para alcanzar la salvación; y nos advirtió que debíamos orar en secreto, no como los hipócritas que se paran en las sinagogas, en donde pueden ser vistos y oídos por los hombres. Su recompensa, prometió, les llegaría únicamente de manos de los hombres, en tanto que la nuestra vendría del Padre, quien, al enterarse de nuestras necesidades en secreto, nos recompensaría abiertamente.

—¿Cuándo te convertiste en uno de sus seguidores?

—Poco tiempo después. Iba a escucharlo siempre que podía, esperando reunir el valor para acercarme a él, para tocarlo, para ver si lograba que me dirigiera algunas palabras, pero siempre me lo impedía la vergüenza. Entonces, una mañana, después de que Jesús había predicado a una gran muchedumbre desde el puente de una pequeña embarcación, pasó cerca de mi puesto con cuatro de sus seguidores. Llegó cerca, tan cerca que hubiera podido estirar la mano para tocar su manto. Luché para tratar de decirle todo lo que había dentro de mi corazón, pero las palabras se ahogaron en mi garganta. Cuando se alejaba empecé a llorar, seguro de que nunca más volvería a presentarse tal oportunidad. De pronto se detuvo y se volvió hasta quedar frente a mí. Jamás olvidaré esa mirada de amor y simpatía y tristeza de sus dulces ojos color café, como si comprendiera todo lo que yo estaba pensando. Me hizo una seña y solamente dijo: "¡Sígueme!"

—¿Y qué hiciste? —me escuchó preguntar, innecesariamente.

—Lo dejé todo atrás, mis registros, el dinero que había reunido ese día, mi hogar, a mis padres y hermanos, y permanecí a su lado por el resto de su vida terrenal, hasta esa noche horrible en que aprehendido aquí, en este huerto.

—¿Sientes algún arrepentimiento?

—¿Arrepentimiento? Sí, me he arrepentido de muchas cosas. De haberme acobardado cuando fue capturado, huyendo con los demás, tal y como Jesús dijo que lo haríamos. De no haber comprendido plenamente el significado de todas sus parábolas y profecías, cuando las pronunció por vez primera. De no haber luchado, con todas mis fuerzas, contra aquellos que casi desde el principio trataron de desacreditarlo. De no haberlo consolado más y de no haberlo servido mejor. Pero, sobre todo, de haber sido demasiado ciego e ignorante para no reconocerlo como el Hijo de Dios después de que fue crucificado. Pero, aun así, tendré una nueva oportunidad.

—¿También tú esperas que vuelva?

—Matías, él jamás se ha ido; está siempre conmigo. Me guía siempre, aun en este momento, mientras estoy hablando contigo. Prometió que cuando fuésemos llevados delante de los gentiles, por causa suya, no debíamos pensar en las palabras que hablábamos, ya que en esa misma hora nos serían concedidas por el espíritu de nuestro Padre, quien hablaría a través de nosotros.

De alguna manera, el significado, viniendo directamente de Mateo, parecía diferente de lo que yo había leído en cualquiera de las muchas traducciones bíblicas que poseía.

—¿Está hablando a través de ti en este momento?

—Sí; ¡así lo creo!

—Por lo que he podido llegar a saber, Jesús sin lugar a dudas era un hombre sabio. Si eso es verdad, ¿por qué se atrajo al más despreciado entre los judíos, a un recolector de impuestos, para ayudarlo en su misión? ¿Acaso no eras tú como una piedra de molino alrededor de su cuello?

—La misma noche del día en que fui llamado, antes de que hubiera tenido tiempo de hacerme esas preguntas, escuché de sus propios labios los planes que tenía para mí.

—¿Podrás compartirlos conmigo?

—Después de que el sol se había puesto, ese día en que me convertí en su seguidor, ofrecí un festín en mi hogar, a fin de celebrar el suceso más feliz de toda mi vida. Jesús y sus pocos discípulos fueron mis invitados de honor. Después de terminada la cena, cuando la hora ya era avanzada, tres fariseos, hombres de ley muy respetados, cruzaron por entre la multitud aproximándose a los discípulos Pedro, Andrés, Santiago y Juan. Preguntaron a los cuatro por qué su maestro se había vuelto impuro comiendo en mi hogar contaminado, entre publicanos y pecadores. Jesús, que estaba sentado a mi lado, escuchó su pregunta y levantó ambas manos hasta que la habitación quedó en silencio. Repitió la pregunta de los fariseos, en voz suficientemente alta para ser escuchado por todos, y después respondió diciendo: "Aquellos que están sanos no tienen necesidad de un médico, pero quienes están enfermos, sí. Vayan y entérense de lo que quiso decir el profeta con estas palabras: «Tendré misericordia y no pediré sacrificios, porque no he venido a llamar a los justos, sino a los pecadores, para que se arrepientan»".

—¿Quedaron satisfechos los fariseos con esta respuesta que les dio?

Mateo suspiró.

—Jamás están satisfechos; murmuraron entre sí, y el más osado preguntó a Jesús directamente: "¿Por qué los discípulos de Juan el Bautista ayunan con frecuencia y hacen oración, igual que lo hacemos nosotros y nuestros discípulos, mientras que tú y los tuyos no ayunan?" Recuerdo que Jesús replicó pacientemente: "¿Puedes hacer que ayunen los hijos de la alcoba, mientras el esposo se encuentra con ellos? En tanto que tengan al esposo a su lado, no podrán ayunar; pero vendrán los días en que el esposo será llevado lejos de ellos, y entonces ayunarán durante esos días". Al escuchar eso, los fariseos salieron rápidamente de mi hogar.

—¿Estás seguro de que dijo que el esposo algún día sería llevado lejos de ellos? ¿Lo escuchaste?

—Estoy seguro de ello.

—Cuándo te habló de los planes que tenía para ti?

—Después, cuando solamente quedaban Jesús y sus discípulos, me pidió que saliera con él, a solas, al patio. Nos sentamos sobre una gran roca, debajo del único árbol en mi propiedad. Con su brazo sobre mis hombros, empezó recordándome a nuestro gran profeta Isaías, quien hace más de setecientos años predicó la palabra de Dios, a pesar de las persecuciones de su enemigo, el rey Manasés. Isaías predijo, sabiamente, que algún día Manasés le daría muerte; dicha profecía se convirtió en realidad más adelante, cuando Isaías fue atado bajo la hoja de una sierra y cortado en dos. Y, sin embargo, las palabras poderosas de Isaías se han preservado hasta nuestros días, ya que escogió e instruyó a algunos de sus discípulos a fin de que transmitieran su palabra, anotando los hechos de su maestro en papiro y cuero, de manera que pudiesen vivir para siempre. Isaías pronunció estas palabras: "Encerraré mi testimonio y sellaré mis enseñanzas en el corazón de mis discípulos". Esa, explicó Jesús, era también *su* intención, y la pondría en práctica a través de mí.

—¿Tú deberías registrar sus palabras para las generaciones futuras?

—Sí, y también sus hechos.

—¿Incluyendo... sus milagros?

—No mencionó nada acerca de milagros. Mientras estábamos sentados en medio de la oscuridad, me dijo que muy pronto escogería entre sus seguidores a doce, para que fueran sus apóstoles especiales y lo ayudaran a advertir a la gente que el Reino de Dios estaba cerca. Yo sería uno de los doce; sin embargo, mi obligación sería permanecer siempre a su lado, a fin de anotar todo lo que decía. Dijo: "Así como has sido testigo de lo sucedido esta noche, en tu propia casa, podrás ver que ya han empezado a espiarme y buscan motivos para detenerme, como lo hicieron con Juan el Bautista. Aun ahora, mis días están contados; Herodes, Pilato y los funcionarios del Templo esperan tendiéndome sus trampas y no hay un sitio en donde pueda ocultarme. Las zorras tienen sus agujeros y las aves del aire tienen sus nidos, pero el Hijo del hombre no tiene un lugar en donde reposar su cabeza".

—¿Sí llegó a decir que sus días estaban contados?

Mateo asintió.

—¿Cuándo empezaste a llevar un registro de sus palabras y de sus actos?

—A partir de la mañana siguiente.

—¿Alguna vez anotaste que Jesús, personalmente, empleara la palabra "Mesías" para describirse a sí mismo, ya fuese ante las multitudes o en privado?

—No.

—¿Anotaste alguna ocasión en que Jesús se llamara a sí mismo el "Hijo de Dios"?

—No.

—Acabas de citar a Jesús refiriéndose a sí mismo como el "Hijo del hombre". Ésta es una expresión muy común entre los judíos, que significa simplemente un hombre, o cualquier hombre nacido del hombre, ¿no es así?

Mateo sonrió.

—Eso es verdad. Pero aun así, aquellos que conocen las palabras de nuestro profeta Daniel pueden leer otro significado en esa frase, si así lo desean, un significado muy diferente del de su uso común en las calles.

Traté de parecer molesto, golpeando el césped con un movimiento de exasperación.

—Ustedes los judíos llaman a los romanos un pueblo pagano, por su abundancia de dioses y, no obstante, vuestro número de profetas es ilimitado. Siempre hacen alarde de alguno cuyas palabras son adecuadas para cualquier condición.

"¿Qué fue lo que dijo tu profeta Daniel, podrías repetirlo, por favor?

—Daniel tuvo numerosas visiones en relación con nuestro pueblo. Después de una de esas visiones, dijo: "Tuve algunas visiones en la noche, y he aquí, uno como el Hijo del hombre llegó con las nubes del cielo, y se presentó ante el Anciano de esos Días, y lo llevaron cerca, delante de él. Y allí le fueron concedidos dominio y gloria y un reino, y todos los pueblos, naciones y lenguas deberían servirle: su dominio es un dominio perdurable, que no perecerá, y su reino no será destruido".

—¿Es esa una descripción acertada de lo que los judíos esperan de su Mesías?

—Se esperan muchas y diversas cosas del Mesías.

Era bastante más templado de lo que parecía y, obviamente, ya antes se había visto sometido a esta clase de interrogatorio.

—¿Acaso estás sugiriendo que Jesús se imaginaba ser el "Hijo del hombre" de la profecía de Daniel y que a propósito empleó esa frase como una especie de código secreto, que sabía sería reconocido por todos aquellos que querían unirse a su causa sin ponerse en peligro ante Pilato o Herodes?

Una mirada furtiva se cruzó entre Mateo y José.

—Pero eso no tiene ningún sentido —argumenté—. ¿No era igualmente improbable que las masas incultas reconocieran o comprendieran el significado oculto detrás de esas palabras, si es que lo había, como cualquiera de los espías de Pilato o de Herodes?

—Quizá —concedió Mateo con renuencia.

—Y, sin embargo, fue delante de quienes no estaban instruidos en las palabras de la mayoría de los profetas donde Jesús enseñó y predicó, casi todos los días de su vida pública. ¿Cómo puedes explicar eso?

—Amaba a los pobres y. . .

—Sí, sí —lo interrumpí—, pero si los amaba tanto y quería que llevaran una vida mejor, ¿por qué simplemente no les dijo que era su ansiado Mesías o aun, como muchos pretenden ahora, el Hijo de Dios? ¿Por qué se ocultaba detrás de las declaraciones llenas de misterio de los antiguos profetas, o por qué hablaba en parábolas complejas, con mensajes tan disfrazados que aun ustedes, que se encontraban tan cerca de Él, han admitido que no comprendían muchas de ellas?

Mateo, cuando menos aparentemente, permaneció impávido ante mis observaciones inoportunas, y replicó:

—Jesús nos dijo en una ocasión, cuando le preguntamos por qué hablaba por medio de parábolas: "A ustedes les ha sido dado conocer los misterios del Reino de Dios; pero a los demás les hablo en parábolas; para que al ver no vean, y al escuchar no comprendan.

—Difícilmente es la mejor forma de preparar a las masas para un nuevo reino —dije maliciosamente. Poniéndome de pie para estirar las piernas, pude sentir la mirada enojada de José. Así sea, pensé; si el anciano tiene el poder para traerme hasta aquí, también debería poseer la sabiduría y la inteligencia suficientes para no subestimar a su cautivo del siglo XX.

Cambié mi enfoque:

—Mateo, ¿aún se encuentran en tu poder las notas que tomaste mientras permaneciste al lado de Jesús?

—Sí; están encerradas en un cofre, y un amigo de confianza está encargado de cuidarlas.

—¿Están escritas en papiro o en cuero?

—En ambas cosas.

—¿Para qué las conservas?

—¿Por qué no habría de atesorar las palabras del maestro? —preguntó consternado.

—¿Acaso no te encuentras con frecuencia en el patio del Templo en compañía de Santiago y los demás, que prometen al pueblo que el Reino de Dios está cerca, y que llegará aun antes de que muchos de los que escuchan se encuentren en sus tumbas? Si ese gran acontecimiento va a tener lugar muy pronto, ¿qué necesidad hay de preservar sus palabras, si pronto volverán a escucharse, directamente de sus propios labios?

—Yo sólo he hecho lo que el Hijo de Dios me pidió que hiciera. . .

Estallé:

—¡El Hijo de Dios! ¡Tú me dijiste que *jamás* escribiste que Jesús se llamara a sí mismo Hijo de Dios! ¿Por qué pones una mentira en labios de un hombre que ya ha muerto?

El huerto quedó muy quieto; aun las aves belicosas interrumpieron momentáneamente sus trinos, y sólo las hojas de las ramas más elevadas de los eucaliptos susurraban suavemente, movidas por la ligera brisa.

Esperé hasta darme cuenta de que no habría respuesta. Entonces, en un tono de voz mucho menos beligerante, pregunté:

—Mateo, si Jesús no vuelve en el transcurso de los próximos cinco, o diez, o veinte años, y tú has logrado sobrevivir al peligro que rodea a todos aquellos que se convirtieron en sus seguidores, ¿qué harás con tus notas?

—No lo sé —respondió el discípulo, encogiéndose de hombros—. Solamente vivo un día a la vez. Jesús nos dijo que no debíamos pensar en el mañana, ya que el mañana se hará cargo de las cosas por sí solo. Basta con el mal que se vive en un día.

Insistí.

—Pero ya han transcurrido seis años, y tu maestro crucificado no ha reaparecido. Vamos a suponer que transcurren otros seis años, y después otros seis, y que todavía no regresa. Tú posees el único registro escrito de sus enseñanzas. ¿Acaso todos aquellos que todavía reverencien su memoria en esa época, no apreciarán grandemente las copias de sus palabras si tú pudieses proporcionárselas?

Su tono de voz fue casi condescendiente cuando respondió:

—Vuelvo a repetirte, una vez más, que no lejos de aquí se encuentra una tumba vacía. Aquél que resucitó de ese lugar, por la voluntad de Dios, volverá. Estoy dispuesto a apostar mi vida sobre esa certeza.

Inconscientemente, levanté mi brazo izquierdo para ver la hora; en verdad un movimiento tonto. José sonrió, desviando la mirada. Aún quedaban tantas cosas que quería escuchar de labios de Mateo: los milagros, las jornadas por toda Galilea, la famosa entrada de Jesús en Jerusalén, al principiar su última semana, la limpieza del Templo. Me di cuenta de que si simplemente estuviera escribiendo todo esto, en vez de vivirlo, podría dejar que mi comisión ficticia se llevara tanto tiempo y tantas páginas como fuese necesario para interrogar a Mateo acerca de ciertos sucesos específicos siguiendo su secuencia adecuada. Pero esto era algo real.

—¿Cuánto tiempo más podemos hablar, Mateo?

El apóstol se volvió para escudriñar hacia el cielo, a través de las ramas.

—Tal vez una hora o poco más, pero entonces tendré que partir. Siempre que me retraso, el orfebre se preocupa; está seguro de que mi vida corre peligro debido a mi pasada asociación con Jesús. Sin embargo, podrás encontrarme aquí todas las mañanas, si Dios lo quiere, en caso de que llegaras a necesitar algún testimonio adicional en tu búsqueda de la verdad.

Su aplomo y sus modales me sorprendían. A pesar de todas mis observaciones impertinentes y de mis pullas, estaba dispuesto a recibir más. ¿Eran todos los demás como Mateo y el hermano de Jesús; estaban tan acostumbrados a la mofa, al vejamen y al ridículo, que la adversidad se había convertido en una forma de vida que solamente podían soportar volviendo la otra mejilla con una sonrisa? ¿Era genuina su ecuanimidad, o era solamente un escudo que llevaban para protegerse de las hondas y las flechas de sus enemigos más encarnizados? ¿O, en realidad, no hacían otra cosa sino practicar lo que predicaban; destruían a sus enemigos amándolos hasta que se convertían en amigos? Necesitaba tiempo para organizar mis pensamientos; disculpándome, di unos cuantos pasos hasta donde podía recibir la luz del sol, y respiré profundamente. Podía percibir el aroma de las flores silvestres que me recordaban a Kitty. ¿Creería ella todo esto si alguna vez tenía la posibilidad de contárselo? ¿Quién podría creerlo?

No albergaba ninguna ilusión en cuanto a mis probabilidades de éxito; era la más remota de todas las probabilidades remotas. A fin de enterarme de la verdad acerca del fraude de la resurrección, tenía que seguir la pista de los movimientos de unos quince individuos, desde el momento en que el cuerpo fue bajado de la cruz hasta el descubrimiento de la tumba vacía, el domingo por la mañana. En alguna parte, entre ese grupo, había una coartada, o quizá más de una, que no podría sostenerse, pero el desafío casi imposible al cual me enfrentaba era verificarlas seis años después de cometido el crimen.

Cuando me di vuelta, tanto José como Mateo me observaban con curiosidad. Sonreí con valentía y caminé para volver a su lado, esperando parecer más confiado de lo que en realidad me sentía.

—Mateo, a una hora temprana, la misma noche en que Jesús fue aprehendido, él y ustedes, sus doce apóstoles, celebraron la cena de Pascua a solas, en un sitio aquí en Jerusalén, no es así?

—Sí.

—¿En dónde tuvo lugar esa celebración?

Mateo vaciló, hasta que José dijo:

—A nadie le hará daño si se lo dices.

—En el salón del piso superior de la casa que pertenece a la viuda María, hermana de Pedro y madre de Juan Marcos.

—De acuerdo con mis informes, también había varias mujeres en esa celebración, entre ellas la madre de Jesús y también María Magdalena. ¿En dónde celebraron ellas la cena pascual?

—En compañía de la viuda María, de su hijo y de algunos vecinos, en la planta baja de la casa.

—Mateo, me doy cuenta de que has tenido seis años para pensar en todos los acontecimientos de esa noche y discutirlos con los demás que también participaron. Para ahora, es probable que tengas una perspectiva mucho más clara de todo lo que se dijo y se hizo. No sé si esto sea posible, pero me agradaría que trataras de responder a mis preguntas basándote sólo en lo que tú personalmente recuerdes haber visto, oído y vivido durante y después de esa cena. Por ejemplo, se me ha dicho que al comenzar la cena, Jesús dio una orden a Judas, quien de inmediato abandonó la habitación. Desde tu puesto en la mesa, ¿pudiste escuchar lo que se dijo?

—No, pero...

—En ese momento, ¿consideraste insólito el hecho de que Judas saliera durante la cena?

—No, Judas siempre se encargaba de hacer mandados, o comprar cosas, o hacía los arreglos para que pernoctáramos todos nosotros. Recuerdo haber pensado que quizá Jesús lo había enviado a la planta baja a ver a la viuda María para algo relacionado con los alimentos, pero en verdad su ausencia no era algo fuera de lo común.

—La cena esa noche fue muy larga, ¿no es así?

—Sí, se prolongó más que cualquier comida que hubiésemos hecho juntos jamás. Además del ritual acostumbrado de la cena de Pascua, Jesús tenía muchas cosas que decirnos acerca del futuro. Parte de lo que dijo alegró nuestros corazones, al mismo tiempo que muchas de sus palabras nos atemorizaron.

Luché contra una poderosa tentación de interrogarlo acerca del mensaje de la Última Cena, pero en vez de ello pregunté:

—¿Adónde se dirigió todo el grupo cuando finalmente terminó la cena y abandonaron la casa?

—Todos creímos que nos dirigíamos de vuelta al hogar de Marta y María en Betania, mientras que las mujeres permanecerían con la viuda hasta nuestro regreso, al día siguiente por la mañana. Con Jesús a la cabeza de nuestra pequeña procesión, cruzamos la parte baja de la ciudad y atravesamos la Puerta de la Fuente, siguiendo la senda norte, fuera del muro de la ciudad, hasta que, finalmente, llegamos aquí, a este huerto.

—¿Dijo Jesús algo que les indicara que pasarían aquí la noche?

—No, el ambiente estaba demasiado fresco para dormir al aire libre, y solamente hay una jornada breve de aquí, cruzando el Monte de los Olivos, hasta el hogar de Betania en donde habíamos dormido las cinco noches anteriores. Supusimos que sólo esperaríamos hasta que Judas se reuniera con nosotros, después de llevar a cabo lo que Jesús le había pedido, y entonces todos podríamos volver juntos a Betania.

—Mateo, estoy enterado de que aquí, el tiempo se calcula tanto por la salida como por la puesta del sol. ¿Más o menos a qué hora dirías que llegaron aquí, a Getsemaní?

Miró hacia arriba y frunció el entrecejo.

—Alrededor de la cuarta hora después de la puesta del sol.

—Y la cena, ¿se había iniciado poco tiempo después de la puesta del sol?

—Sí, como es nuestra costumbre pascual, tan pronto como son visibles las tres primeras estrellas y escuchamos las tres fanfarrias de las trompetas del Templo.

—Entonces, para el momento en que llegaron aquí, ¿Judas ya había estado ausente del grupo durante cuatro horas?

—Poco más o menos.

—¿A nadie le preocupó que tardara tanto en reunirse con el grupo?

Mateo sacudió la cabeza.

—Había sido una larga velada, y nuestra única preocupación era volver al calor de nuestros lechos en Betania. Hubo algunos refunfuños contra Judas, por su tardanza, aun cuando todos comprendíamos que nunca disponía de su tiempo como custodio de nuestro caudal.

—¿Qué sucedió cuando llegaron aquí, al huerto?

Mateo nos condujo, a José y a mí, de vuelta a la roca sobre la cual descansaba sus manos cuando lo encontramos.

—Jesús nos dijo que debíamos esperar mientras él oraba; se arrodilló aquí, apoyándose contra esta roca, y allí —dijo señalando a unos cuantos pasos de distancia— permanecieron

Pedro, Santiago y Juan, cerca de él, como se lo pidió. El resto de nosotros caminamos a lo largo de ese sendero, hasta llegar a una cueva que conocíamos y que nos protegería de la humedad hasta el regreso de Judas. ¡Allí! ¿La ves?

Apenas pude distinguirla; casi oculta a las miradas, detrás de un grupo de olivos, había un afloramiento plano de piedra caliza, con uno de sus lados ahuecado por los elementos hasta formar una cavidad profunda y redondeada. Mateo se detuvo en lo que se convirtió en un ascenso pronunciado colina arriba, y dijo:

—Los ocho restantes nos sentamos allí dentro, acurrucados uno contra otro, y esperamos. Pronto, debido a lo avanzado de la hora y a nuestros estómagos satisfechos, para no mencionar el vino que había corrido libremente durante la cena, todos nos quedamos profundamente dormidos sobre el húmedo suelo de la cueva.

—¿Y durante cuánto tiempo durmieron?

—No lo sé. Lo siguiente que recuerdo es el momento en que la mano poderosa de Santiago, el hermano de Juan, me sacudía mientras murmuraba a mi oído que los agentes del Templo se llevaban prisionero a nuestro maestro. Al principio pensé que todo era una pesadilla y necesité algún tiempo para comprender el significado de sus palabras. Para entonces, los demás, incluyendo a Santiago, habían salido huyendo a toda prisa de la cueva colina arriba y desaparecieron en medio de la oscuridad.

Una reacción normal bajo tales condiciones. Correr en la dirección opuesta al peligro, colina arriba, para después descender del otro lado, en dirección al hogar de Betania.

—¿Y tú? —pregunté.

—Desde el momento en que me llamó a su lado, cuando me encontraba en mi puesto de recaudador, había permanecido muy cerca de Jesús, casi como su sombra. Esa costumbre ya era parte de mi ser y en vez de huir caí de rodillas y empecé a arrastrarme a través del césped crecido, hasta que pude ver numerosas antorchas y escuché los gritos airados de una multitud tan grande que ni siquiera pude identificar a Jesús, ni a Pedro o a Juan entre ella, a pesar de la luz tan brillante. Entonces, una de las antorchas se apartó de las demás y empezó a avanzar por el huerto en dirección al sitio en donde me encontraba.

—¿Qué hiciste?

—Me convertí en un cobarde, igual que los demás, y huí monte arriba en medio de la oscuridad. Recuerdo haberme detenido cerca de la cima para tomar aliento, y cuando miré hacia abajo, en dirección al huerto iluminado por la luz de la luna, caí de rodillas avergonzado, lamentándome por mi falta de valor. Ninguna antorcha me había seguido a través de los árboles; estaba solo y podía ver las luces del grupo que efectuó la aprehensión dirigirse al Sur, fuera del muro de la ciudad. Entonces, escuché a alguien que susurraba mi nombre, y vi a Bartolomé. Juntos, seguimos la senda monte arriba y ladera abajo, hasta llegar al hogar de Marta y María en Betania.

—¿Y qué fue de los demás?

—Antes del amanecer, los nueve (Santiago y los ocho que dormíamos mientras arrestaban a nuestro maestro) regresamos solos o en parejas a ese hogar en donde pasamos tantas horas felices en compañía de Jesús.

—Después, cuando todos estuvieron reunidos, ¿qué hicieron?

El apóstol se encogió de hombros con un ademán de impotencia.

—No sabíamos qué hacer; estábamos aturdidos tanto por el dolor como por el terror. Marta y María y algunos de los hombres sollozaban, mientras el resto de nosotros permanecía sentado a su alrededor, en medio de un silencio aturdidor. Recuerda, la mayoría de nosotros ni siquiera era de la ciudad, de manera que aun en las mejores condiciones, Jerusalén nos intimidaba. El hecho de que nuestro rabí, y por lo que sabíamos también Pedro y Juan, hubiese sido aprehendido por las autoridades, era el fin de todo. Tomás no dejaba de decir que estaba seguro de haber visto a algunos soldados romanos entre el grupo de los que habían efectuado la aprehensión y esa posibilidad se sumaba a nuestro terror. Alguien, no recuerdo quién, quería salir de inmediato hacia Galilea, antes de que todos fuéramos arrestados, pero, ¿cómo podíamos hacerlo? ¿Cómo podíamos abandonar a Jesús, a Pedro y a Juan, y a las mujeres, que todavía se encontraban en la ciudad? Y, sin embargo, ¿cómo podríamos ocultarnos por mucho tiempo en la casa de Marta y María, cuando era de todos sabido que nos habían albergado durante la última semana?

—¿Así que para ese momento, todos estaban seguros de que eran fugitivos de la ley? ¿Qué fue lo que decidieron hacer finalmente?

—Tal y como estaban las cosas, mi sugerencia fue aceptada. Tomamos algunas mantas y nos ocultamos en el bosque que está detrás de la casa, mientras las dos mujeres vigilaban el camino desde las ventanas de enfrente. Si veían acercarse algunas antorchas procedentes de la ciudad, deberían colgar una lámpara de aceite en una de las ventanas posteriores, como señal para que huyésemos. Sin embargo, la noche transcurrió tranquilamente.

—¿Y cuando llegó la mañana?

—Para entonces, estábamos exhaustos por la falta de sueño. Se habló de intentar volver a la ciudad para advertir a las mujeres que estaban en la casa de la viuda, pero nadie tenía el valor ni las fuerzas para emprender una aventura tal, arriesgándose a ser capturado por las patrullas. Ni siquiera los tres cuyas madres se encontraban allí. Recuerdo que poco después de que apuntó el día, Marta nos llevó un poco de pan y queso, y convinimos que nos harían una señal con una sábana blanca colgada de la ventana en caso de que ella o María vieran aproximarse a algunos soldados.

¡Eso era! Ahora lo sabría.

—¿Durante cuánto tiempo permanecieron todos ustedes ocultos en el bosque?

—Por más de dos días, más o menos hasta la sexta hora del día siguiente a nuestro sabat.

—¿Los *nueve?* ¿Nadie abandonó el bosque, por cualquier motivo, ni siquiera durante corto tiempo?

Si estaba mintiendo, lo hacía en forma excelente. Me miró directamente a los ojos y movió las manos en un ademán de impotencia.

—¿Adónde podíamos ir? ¿Qué podíamos hacer? ¿Rescatar a Jesús y a los demás de manos del sumo sacerdote y sus guardias? ¿O de manos de Pilato y sus mil legionarios armados?

¿Nosotros? ¿Nueve cobardes que apenas teníamos una daga entre todos? ¿Nueve ovejas que habían sido despojadas de su fe y que huyeron en medio de la noche, tal como Jesús dijo que lo haríamos, cuando el pastor fuera abatido?

—Entonces, ¿ninguno de ustedes estaba enterado de que Jesús había sido juzgado y encontrado culpable de sedición, y después crucificado y sepultado en la tumba de José, ni que Pedro y Juan aún estaban en libertad? Betania se encuentra a corta distancia de Jerusalén, ¿cómo es posible que esas terribles noticias no hubieran llegado a sus oídos?

—Jesús murió en la cruz mientras la mayoría de los habitantes de la ciudad se preparaba para el sabat, que se iniciaría a la hora de la puesta del sol. Durante el sabat hay muy poco o ningún tráfico por los caminos. La voz de lo que había sucedido no empezó a correr por toda esta tierra sino hasta el primer día después de nuestro día sagrado dedicado al culto.

¡El domingo de Pascua!

—¿Cómo se enteraron, finalmente, tú y los demás de la ejecución?

—De labios de Juan, quien, esperando encontrarnos en compañía de Marta y María, había venido directamente de la tumba de José de Arimatea, después de haberla visto vacía y con la piedra a un lado, tal y como se lo había informado María Magdalena. Juan nos dijo todo lo que sabía, desde los juicios de Jesús ante el sumo sacerdote y Pilato, hasta la horrible crucifixión y la sepultura, efectuada por José. Pero a medida que Juan hablaba, en su manera de hacerlo había algo que nos sorprendió: en lugar de lágrimas y recriminaciones, parecía gozoso, y aun en medio de nuestra lamentable condición de autocompasión y angustia, nos mirábamos unos a otros llenos de asombro. Entonces, Juan nos dijo que Jesús había resucitado de su tumba, pero ninguno de nosotros le creyó, y nos mofamos de su advertencia de que no debíamos hablar de eso a nadie, porque de cualquier manera, ¿quién prestaría atención a tal locura? Recuerdo que Juan trató de recordarnos lo que Jesús había dicho acerca de su muerte a manos de las autoridades y de cómo resucitaría al tercer día, pero seguimos burlándonos hasta que por fin se fue.

—¿Y qué hicieron todos ustedes?

—Continuamos allí hasta el anochecer y entonces volvimos a la ciudad, dirigiéndonos a la casa en donde celebramos la cena de Pascua, para expresar nuestras condolencias a la valerosa madre de Jesús, quien, según el relato de Juan, presenció la crucifixión de su hijo y permaneció a su lado. Pero su madre no quiso recibir nuestras condolencias, diciendo que al estar Jesús vivo no tenía necesidad de lágrimas. Pedro se encontraba en la casa y él también estaba invadido por la alegría, exhortándonos a todos a que fuésemos a la tumba a cerciorarnos de que nuestro Señor había resucitado de entre los muertos, tal y como dijo que lo haría.

—¡Mateo! ¡José! —nos interrumpió una voz áspera y retumbante.

Me di vuelta y pude ver a un hombre de poderosa musculatura que solamente llevaba un ceñidor de piel y sandalias, y corría senda arriba hacia donde nos encontrábamos. Al pasar, dio una palmada en el trasero a Shem que sonreía, y tirando su bastón de madera, levantó a José del suelo, en un abrazo que casi lo aplastó. Después se volvió a Mateo y se disculpó por no haber llegado a la hora de la salida del sol.

—Matías —jadeó el anciano, una vez que hubo recuperado el aliento—, éste es Santiago.

Este robusto hijo de Salomé y Zebedeo, quien pescaba en las aguas galileas con su hermano y su padre desde su infancia, había sido el cuarto en ser llamado al lado de Jesús. Impetuoso y de mal genio, él, más que Juan, había ganado para ambos el título de "hijos del trueno". En una ocasión, cuando una aldea de samaritanos no mostró lo que él consideró el debido respeto hacia Jesús, suplicó a su maestro que invocara los fuegos celestiales a fin de consumirlos, sólo para que Jesús le recordara que: "el Hijo del hombre no ha venido a destruir las vidas de los hombres, sino a salvarlas". Jesús debió ver mucho que era admirable en este personaje extravertido y de aspecto imponente, ya que fue uno de sus favoritos, casi tanto como su hermano Juan, a quien llamaban "el discípulo amado".

José de Arimatea, bendito sea, me facilitó las cosas. Después de presentarnos, le habló a Santiago de mi misión, y le explicó que Mateo ya había sido de gran ayuda en mi búsqueda de la verdad acerca de Jesús. Entonces, fue directo a la pregunta que creyó que seguramente yo haría primero.

—Santiago —dijo el anciano—, recordando esa terrible noche pasada aquí, cuando Jesús fue arrestado, ¿adónde te dirigiste al huir en medio de la oscuridad, después de advertir a los demás que Jesús había sido hecho prisionero?

Santiago miró ceñudamente a José, abriendo y cerrando los puños con fuerza.

El anciano levantó la mano, y dijo con acento tranquilizador:

—No hay ningún peligro en que se lo cuentes a Matías; es mi amigo. Olvídate de su franja púrpura y, en vez de ello, considéralo únicamente como un posible adepto a nuestra causa. ¿Acaso no hemos escuchado al hermano del Señor, en el patio del Templo, decir a la gente en repetidas ocasiones que aquel que convierte al pecador, sacándolo del error, salva un alma de la muerte?

Las palabras de José no me emocionaron gran cosa, pero tuvieron el efecto deseado en Santiago. El hombretón, nerviosamente pasó sus gruesos y cortos dedos por su largo cabello negro, y dijo:

—¿Quieres saber hacia dónde huí yo, el cobarde, esa noche en que abandonamos al Señor?

—Sí —dijo el anciano con suavidad.

—Yo... yo crucé el bosque corriendo y después seguí montaña arriba, hasta llegar a la casa de Marta y María, huyendo como si el mismo Satanás me persiguiera.

Por fin había recuperado la voz, y pregunté:

—¿Fuiste el primero en llegar?

—No —respondió, todavía mirándome con desconfianza—. Andrés y Simón me habían precedido; pero mucho antes de que amaneciera, todos los demás habían golpeado tímidamente con sus nudillos a la puerta de las hermanas.

—¿Los *nueve* se encontraban allí? ¿Estás seguro de ello?

Santiago rehuyó mi mirada.

—¿Cómo podría olvidarlo jamás?

—¿Y qué hicieron una vez que estuvieron todos reunidos?

—Nos dirigimos al bosque, detrás de la casa, y ahí permanecimos acostados entre la maleza, como los gusanos que éramos.

—¿Y durante cuánto tiempo continuaron en ese lugar?

—Por más de dos días. Hasta que Juan nos trajo las nuevas de que Jesús había sido crucificado y sepultado, pero que la tumba en donde habían sepultado su cuerpo estaba ahora vacía. Trataba de convencernos de que nuestro Señor había resucitado de entre los muertos.

Me acerqué más a Santiago, hasta que le fue imposible evitar mi mirada.

—¿Nadie se alejó del grupo, ni durante poco tiempo, en esos dos días con sus noches que pasaron en el bosque?

—¡Nadie!

El "hijo del trueno" ni siquiera parpadeó una sola vez.

7

La inclemente luz del sol nos cegó momentáneamente al salir de la bóveda verde y fresca de hojas y enredaderas del huerto de Getsemaní. Shem ya nos esperaba con el carruaje cerca de la entrada del huerto, pero antes de abordarlo, José se acercó y me dijo quedo:

—Trata de no llamar la atención, pero mira directamente al otro lado del camino y dime lo que ves.

Volví la cabeza con lentitud y pretendí inspeccionar los rayos polvosos de las ruedas traseras del carruaje.

—Veo a un hombre calvo, de escasa estatura sentado sobre una roca. Tiene un largo cuchillo con el cual parece estar cortando tiras delgadas de madera del tronco de un arbusto pequeño, que sostiene entre las rodillas.

—No está haciendo estaquillas de madera, Matías, ni está tallando un bastón; ese hombre es un agente al servicio de Pilato o de Caifás. A pesar de que sólo has estado conmigo dos días, ya vigilan todos tus movimientos.

—¿Estás seguro, José? Ese hombre ni siquiera parece tener la suficiente inteligencia para buscar un lugar sombreado y además, apuesto a que no se ha bañado en varias semanas.

—Me sorprendes, Matías. Como creador de historias de misterio, de seguro debes comprender que un espía que se parece a la imagen que todos tienen de él, es un fracaso.

Todavía no podía creer que un personaje tan andrajoso nos estuviera siguiendo. Después de acomodarnos en el carruaje, seguí observándolo a través de la ventanilla, aún dedicado a tallar su tronco como si esa fuera la función más importante que desempeñaría en todo el día. José no daba muestras de preocupación; aparentemente, incidentes como éste eran comunes en su vida.

Me dijo:

—Sin lugar a dudas, ayer fuiste visto en mi compañía en el Templo. Alguien en el poder probablemente ha empezado a preguntarse por qué un recién llegado a la ciudad, obviamente un ciudadano romano de cierta posición, no se ha tomado el tiempo para ir a ofrecer sus respetos.

—¿Es ese el protocolo acostumbrado?

—Lo es para cualquiera que planee dedicarse a los negocios aquí.

—¿Y para los escritores e historiadores?

—Puesto que estás en mi compañía, es muy probable que te hayan confundido con un mercader, y se espera que los mercaderes que planean hacer negocios aquí, ofrezcan contribuciones generosas a dos tesorerías, la de Pilato y la del Templo.

—¿Soborno en la ciudad de David?

José sonrió.

—El soborno fue inventado aquí. No obstante, estoy seguro de que una visita de cortesía de nuestra parte, tanto a Pilato como a Caifás, aclarará cualquier malentendido.

—¡Oh, no! Yo quiero hacerles algo más que una visita de cortesía. Tengo algunas preguntas muy especiales para esos dos.

El anciano asintió, con los ojos brillantes.

—Pensé que así sería. Podemos hacer esa visita cuando tú dispongas. Y ahora, puesto que aún es una hora temprana del día, ¿quién es el siguiente en tu lista?

—Marta y María.

—¿Las hermanas de Betania? ¿Todavía necesitas verificar lo que acabas de escuchar de labios de Mateo y de Santiago? —preguntó con incredulidad.

No respondí nada. Si le hubiese dicho cuáles eran mis verdaderos motivos para querer ir a Betania, quizá me hubiese entregado en manos de Shem con instrucciones para que se deshiciera de mí en el desierto.

José se rascó las arrugas de la frente.

—Una visita a Marta y María en este momento, tal vez no te beneficiaría.

—¿Por qué?

Casi imperceptiblemente, señaló hacia el tallador, que se encontraba a la orilla del camino y quien ni siquiera levantó la vista para mirarnos, aun cuando nos encontrábamos a sólo pocos metros de distancia.

—Con toda seguridad, nuestro pequeño amigo tiene un caballo atado en las cercanías —explicó José— en el cual piensa seguirnos. Considera este simple problema de deducción, Matías. Supongamos que ayer nos vieron charlando con Santiago en el patio del Templo. Esta mañana nos encontramos con Mateo y después se reunió con nosotros Santiago, el hermano de Juan. Ahora nos dirigimos a la casa de Marta y María. ¿Qué tienen en común esas cinco personas?

No necesité mucho tiempo para darme cuenta de la situación.

—Su estrecha relación con Jesús —respondí.

—Exactamente. Ahora bien, si tú fueras el sumo sacerdote o el procurador, quienes sirven a Vitelio atendiendo a todos sus caprichos, ¿qué clase de pensamientos sospechosos cruzarían por tu mente si recibieras información de que un ciudadano romano ha llegado a la ciudad y no se reúne con nadie, excepto con aquellos que tuvieron una estrecha relación con Jesús y que, además, para agravar la situación, se hospeda en la casa del hombre que reclamó su cuerpo para darle sepultura?

—Si tuviera algo que ocultar, creo que empezaría a perder el sueño; pero sólo me quedan cinco días más, José, y quiero aprovechar cada minuto de ellos. Esperaba que mañana pudiéramos visitar a Pedro y a Juan, pero, en realidad, me agradaría acabar primero con esta parte de la investigación, y la única forma en que puedo cerrarla a mi entera satisfacción es mediante una visita a Betania.

—Vamos, vamos, no abandones la esperanza; jamás dije que ese viaje fuera imposible.

Salió del carruaje y caminó hasta el frente, en donde él y Shem tuvieron una breve y discreta discusión, mientras pretendían inspeccionar los arneses y las riendas. Después regresó a mi lado, y tan pronto como cerró la puerta del carruaje, nos pusimos en marcha. Apenas habíamos recorrido unos cuantos metros, me dio un suave codazo, señalando con el dedo pulgar hacia la ventanilla trasera. Nuestro tallador ya no se encontraba sentado sobre su roca, ni se le veía por ningún lado. Ciertamente, no tenía ninguna necesidad de complicaciones como ésta, ya que lo que trataba de hacer era bastante difícil, aun sin la interferencia de nadie. José estiró el brazo y bajó la cortina oscura de lino que colgaba por encima de la ventanilla trasera, impidiendo que cualquier persona que nos siguiera pudiera ver hacia el interior del carruaje. Muy pronto me enteré del porqué de su acción.

Nuestros cuatro caballos al galope apenas disminuyeron su trote cuando dieron vuelta a la izquierda, dirigiéndose hacia el Este, dejando atrás la ciudad.

—Siguiendo este camino se llega a la ciudad de Jericó —gritó el anciano por encima de los rechinidos y crujidos del carruaje, a medida que se ladeaba y retorcía sobre los ejes sin muelles que raspaban contra los profundos surcos hechos por las ruedas de los vehículos que transitaban por el sendero de tierra de un solo carril que circundaba la base del Monte de los Olivos.

Yo me encontraba luchando violentamente para sostenerme en el asiento y no pude dedicarme a contemplar el paisaje, pero de cuando en cuando mi cabeza descendía lo suficiente para echar un vistazo a las praderas, de un verde descolorido, que estaban en declive a mi derecha, en las cuales sobresalían losas de piedra caliza pálida con tanta frecuencia que era difícil distinguir las ovejas y cabras que vagaban entre ellas. De tiempo en tiempo, José apartaba la cortinilla trasera y asentía satisfecho. Aparentemente nuestra "escolta" aún no estaba a la vista. Después, el anciano se inclinaba, atravesándose frente a mí, para estudiar con atención el terreno, mientras íbamos dando tumbos y rebotando de un lado a otro. Continuamos el viaje durante varios minutos más, antes de que gritara:

—¡Prepárate!

Ahora, ya no solamente estaba dolorido, sino también confuso.

—¿Prepararme para qué?

—Muy pronto llegaremos a una vuelta muy pronunciada en el camino. Al dar esa vuelta, Shem disminuirá la velocidad momentáneamente; abre la puerta tan pronto como lo haga, y salta. Yo te seguiré.

Polvo o no polvo, me quedé boquiabierto.

—¡Debes estar bromeando!

Sacudió la cabeza, como para indicar que no se trataba de una broma.

—¡Prepárate!

De pronto, la carreta dio un viraje brusco hacia la derecha y se dejó oír un fuerte crujido de la madera contra el metal al aplicar Shem los frenos de mano. José se cruzó por enfrente de mí y abrió la puerta del carruaje.

—¡Salta, Matías!

Hice lo que se me indicaba, rodando sobre el césped suave, mientras arrodillado observaba al anciano, que me había seguido con una agilidad sorprendente. Cayó de pie, corriendo en dirección a mí con la mano extendida.

—Ven... ¡apresúrate!

Me arrastró hacia un lugar en donde había un grupo de olivos todavía demasiado pequeños, que apenas eran algo más que arbustos crecidos. Nos dejamos caer entre ellos, con el estómago en tierra. Después de recobrar el aliento, me incliné hacia adelante, apartando las ramas con todo cuidado, justamente lo necesario para ver a nuestro transporte desaparecer detrás de un recodo en el camino.

Obviamente, José estaba disfrutando, ni siquiera respiraba con dificultad, y mientras yacía junto a mí, entre los arbustos, me explicó su plan de acción.

—Si nuestro amigo viene siguiéndonos, deberá pasar pronto por aquí, de manera que mantén la cabeza baja. Pobre hombre, le espera un día de lo más difícil y frustrante. Shem llevará nuestro carruaje hasta Jericó por este camino tan malo, eso le llevará dos horas; después dará la vuelta y volverá por la misma vía, para recogernos justamente aquí, más o menos dentro de unas cuatro horas. ¿Ese tiempo será suficiente para tu visita a Betania?

—Sí, pero, ¿qué tan lejos queda. . . ?

—Betania se encuentra justamente al otro lado de esa colina, a nuestra derecha; sólo es un recorrido breve.

—Viejo zorro, ¿así que Shem es nuestro señuelo?

—Lo es, y para cualquiera que venga siguiéndonos, todavía nos encontramos en el asiento posterior de ese carruaje. Será. . .

Su voz se apagó conforme algunas manchas de polvo y arena que flotaban con el viento empezaron a avanzar hacia nosotros, procedentes del camino que venía de la ciudad. Al fin, apareció un solo jinete, ataviado con un largo manto negro y la cabeza cubierta; pasó al trote en un garañón color gris, a menos de quince metros de donde nos encontrábamos, ajustando cuidadosamente su paso, para no perder de vista el polvo del carruaje de José.

—Ese no es tan tonto —dijo el anciano entre dientes—. Allá atrás, en las afueras del huerto, vimos una cabeza calva que podría hacernos sospechar si volvíamos a verla, así que ahora se ha cubierto. Pero no importa, Shem lo hará que desquite su salario de este día. Pongámonos de pie y dediquémonos a nuestros asuntos, Matías.

El Monte de los Olivos, u Olivet, es una cordillera ondulante de poco más de kilómetro y medio de largo, formada por colinas que corren de Norte a Sur, en dirección paralela al muro este de Jerusalén. Se eleva a más de novecientos catorce metros de altura hasta una cima llana, antes de descender en declive hacia el Este, en dirección al río Jordán y al mar Muerto, a unos cinco kilómetros de distancia.

Betania, en arameo, significa "casa de la pobreza" y su nombre era apropiado.

Al llegar a la cresta de un altillo salpicado de rocas, en medio de la pradera, José señaló en dirección a un pequeño caserío de chozas de techos planos, tal vez unas cincuenta en total, a ambos lados del camino en descenso.

—Como puedes ver —me dijo—, viajar desde aquí cruzando la cima del Olivet por el sendero es una forma mucho más corta para ir y venir de la ciudad, que rodear el monte, tal y como lo acabamos de hacer.

—Y probablemente más cómodo para el cuerpo —gemí, al tiempo que me frotaba el trasero bastante dolorido.

José sonrió con ironía.

—Respira el aire; es puro, sin humo. No llega la hediondez de los ríos y, desde aquí, no se alcanza a ver la ciudad. Qué paz —suspiró—, no hay ruidos ni distracciones. ¿Ahora te das cuenta por qué Jesús prefería alojarse aquí siempre que venía a Jerusalén?

Con ayuda del terreno en declive, nuestro paso se apresuró a medida que nos aproximábamos a la aldea. A mi derecha podía ver un risco sólido de piedra caliza que se erguía más o menos a unos seis metros de altura, extendiéndose a lo largo de la base de una pequeña colina a lo largo de más de noventa metros.

—Allí se encuentra la tumba de donde Lázaro fue resucitado —dijo José informalmente, señalando en dirección a la cordillera en miniatura color grisáseo, con vetas rojizas de hierro.

Me detuve allí mismo y me quedé mirando. ¿Cuántas veces me había atormentado a causa de esa famosa escena de la resurrección? ¿Cuántas veces había leído y releído cada frase de ese undécimo capítulo de Juan, que habla, en términos vigorosos e inequívocos, de la forma en que Jesús volvió a la vida a un hombre muerto? ¿Cuánto tiempo busqué una pista en esas palabras tan sencillas, algún susurro que solamente yo pudiera escuchar, que me ayudara a relacionar la historia de esa resurrección con la que seguiría unos pocos meses después?

—Matías, ¿vienes, o no?

Me apresuré a alcanzarlo.

—No tiene caso tratar de ver el sitio en donde se encuentra la tumba desde aquí —me aseguró José—. Si disponemos de tiempo, después de que hayas terminado con Marta y María, estoy seguro de que no pondrán ninguna objeción para que la visitemos de cerca.

¿*Si* teníamos tiempo? ¡Tenía que ver esa tumba de cerca, muy de cerca!

—José, ¿qué sucedió con Lázaro? Todo lo que he podido encontrar sobre él son algunas tradiciones antiguas relacionadas con sus visitas al sur de la Galia.

—Lázaro no ha descansado desde que Jesús fue crucificado. Viaja constantemente, y siempre solo, desde Hebrón hasta Antioquía, predicando en las sinagogas y en las calles, y le dice a la gente cómo Jesús lo resucitó de entre los muertos. Por supuesto, él mismo es su mejor testigo —rió José—. Les dice: "Mírenme, pálpenme, toquen mi piel. Una vez estuve muerto y ahora vivo mediante la gracia y el poder de Jesús y de su Padre, que está en los cielos". ¡Ah! —exclamó José— por fin hemos llegado.

El hogar de Marta y María era más grande que los de la mayoría de sus vecinos, aunque estaba construido de igual forma, parecida a una caja, y de la misma piedra áspera que tanto abundaba en las praderas y colinas. Dos pequeñas ventanas, con celosías, se encontraban a cada lado de una sólida puerta de madera, y clavada en el quicial de la puerta había una delgada *mezuzah* de bronce. Antes de llamar, José me dijo:

—Ésta era la casa de Simón, un hombre dueño de considerables riquezas, con quien Marta contrajo matrimonio. Simón enfermó de lepra, de la peor clase, y falleció antes de que ambos se vieran bendecidos con un hijo. Lázaro y María, hermanos de Marta, vinieron a vivir con ella poco tiempo después de la muerte de Simón.

Antes de que pudiera responder, escuché el sonido nítido de un cerrojo al correrse. La puerta, colgada de tres gastados goznes de cuero, se abrió con precaución, primero sólo unos centímetros, después, desde el interior, se dejó oír un grito ahogado de alegría.

—¡Oh, José, José, ha pasado tanto tiempo!

—¡Marta, Marta!

Ambas hermanas encajaban muy bien en los someros perfiles de personalidad que alguna vez les hice, a partir de las escasas descripciones en los evangelios de Lucas y Juan. Marta era severa, obstinada y agresiva, en tanto que su hermana más joven, María, permanecía tímidamente en segundo término; flexionaba con nerviosismo sus largos y delgados dedos, y asentía con frecuencia en una afirmación muda de lo que Marta decía. Ambas tenían la piel de un hermoso color olivo y llevaban el cabello, negro azabache, firmemente atado en la parte baja de la cabeza. Sus vestidos también eran parecidos, hechos de tela azul oscuro, de textura áspera, que les llegaban a los tobillos y también cubrían sus brazos hasta la altura de las muñecas. Calculé que Marta tendría alrededor de cuarenta años de edad, y María unos treinta y cinco.

Seguimos a las hermanas a través de un estrecho vestíbulo, hacia una habitación más amplia, que, obviamente, era el área principal. A pesar de estar escasamente amueblada, sus dimensiones eran bastante grandes para que no me fuera difícil imaginar a todos los apóstoles durmiendo en ella, en caso necesario, cuando su maestro visitaba Betania. Tres aberturas cubiertas por cortinas conducían a lo que con toda probabilidad eran alcobas. La casa era oscura y húmeda, y Marta se disculpó por su condición, mientras que amontonaba carbón de leña sobre las brasas al rojo vivo que había en un hueco en el centro del piso de baldosas.

Después de la típica letanía de preguntas acerca de la salud y de los familiares, que siempre parecen observar los amigos cuando se reúnen, José diestramente llevó la conversación hacia mí y el propósito de nuestra visita. Experimenté una agradable sorpresa cuando Marta, con el asentimiento de su hermana, pareció ansiosa por cooperar, como si creyera que tenía la obligación de decir a todos cuanto sabía de Jesús. Hubiera podido apostar que pasaba muchas horas de su vida en el patio del Templo, buscando posibles conversos.

Consciente de nuestra programada cita con Shem, omití todas las preguntas que había planeado hacer sobre los antecedentes, y fui directo a la resurrección de Lázaro, dirigiendo todas mis preguntas a Marta.

—Cuando tu hermano enfermó, ¿cómo supiste en dónde localizar a Jesús?

Se encontraba sentada a mi lado, en una banca, larga y pulida, frente al fuego, con María a su izquierda y José a mi derecha. Aparentemente, mi pregunta no era la que ella esperaba; sus mandíbulas se apretaron y me miró en la misma forma en que las maestras de primaria tienen reservada para sus alumnos menos aventajados. Por fin, se inclinó hacia adelante, y se quedó mirando más allá de mí, en dirección al anciano, en busca de guía. Sin volver la cabeza, sabía que estaba diciéndole que podía contestar.

Marta comenzó:

—En el invierno, durante nuestra Fiesta de la Dedicación del Templo, llamada Hanukká, habían surgido algunos problemas en el Templo, entre Jesús y los fariseos. Se habían acercado a él, mientras caminaba solo por el Pórtico de Salomón, desafiándolo para que dejara de hablar con enigmas y pidiéndole que fuera franco y les dijera si en verdad era el Mesías. Él se rehusó, diciendo que las obras que hacía en nombre de su Padre debían ser todo el testimonio que necesitaran, pero comprendía que, puesto que ellos no eran sus ovejas, jamás le creerían. Cuando dijo: "Mi Padre y yo somos uno", empezaron a tomar algunas piedras para acabar con él por blasfemo, pero los detuvo preguntándoles: "Les he mostrado muchas obras buenas que vienen de mi Padre; ¿por cuál de ellas pretenden apedrearme?" Encolerizados, trataron de apoderarse de él, pero logró escapar, volviendo directamente aquí. Eso fue todo lo que me dijo antes de partir, añadiendo que llevaría a sus ovejas al otro lado del Jordán, hacia la seguridad, a las tierras de Perea, pero que volvería a nuestro hogar a tiempo de celebrar la Pascua. Yo sentía temor por él, así que le supliqué que no volviera tan pronto, pero dijo que debía hacerlo.

—¿Empleó la palabra "debo"?

—Sí.

—La región de Perea es muy vasta. ¿Cómo pudo encontrar tu mensajero a Jesús cuando tu hermano enfermó?

—El camino de aquí a Jericó sigue a través del Jordán, y también cruza Perea. Jesús le había confiado a Lázaro que él y sus apóstoles jamás se alejarían mucho de ese camino, en caso de que en la ciudad llegase a ocurrir algo que creyésemos que él debería saber. Cuando Joel, mi mensajero, el hijo de un vecino, salió en su busca, llevaba instrucciones mías para indagar el paradero del Maestro a lo largo del camino de Jericó y, al encontrarlo, solamente debería decirle: "Señor, mirad que aquel a quien amas está enfermo".

—¿Cuándo murió Lázaro?

—Apenas unas pocas horas después de haber enviado al mensajero.

—Entonces, ¿es probable que para el momento en que Jesús recibió tu mensaje, Lázaro ya estuviera muerto?

—Sí.

—¿Cuántos días transcurrieron antes de que Jesús, finalmente, apareciera?

Marta bajó la cabeza.

—Ya estábamos en el cuarto día del duelo. María y yo nos encontrábamos sentadas en esta misma habitación, en compañía de nuestros amigos, vecinos y muchos representantes del Templo, que habían venido por respeto a Lázaro y a las generosas contribuciones que habíamos hecho a lo largo de los años. Tomás, uno de los apóstoles, entró a la habitación y murmuró a mi oído que Jesús se encontraba en las afueras de la aldea, esperando. Salí con él de inmediato.

—¿Por qué Jesús no vino tan pronto como se le informó que Lázaro estaba enfermo?

—Cuando Joel le entregó mi mensaje a Jesús, dijo que el Señor le había respondido diciendo que su enfermedad no era para morir, sino para gloria de Dios. Puesto que Lázaro ya había muerto para el momento en que Joel volvió y nos repitió las palabras del Señor, me quedé perpleja y, que Dios me perdone, hasta empecé a dudar de mi maestro por primera vez.

—Pero Jesús finalmente llegó.

—Lo hizo, y yo, mientras acompañaba a Tomás hacia las afueras de la aldea, le pregunté qué había hecho que Jesús cambiara de opinión. Dijo que no lo sabía, pero que después de permanecer dos días más en Perea, Jesús los había sorprendido diciendo: "Volvamos a Judea". Todos los apóstoles tenían miedo de volver, y le recordaron a Jesús el peligro que corrían si se enfrentaban a quienes habían tratado de apedrearlo en el Templo recientemente. Jesús les dijo que su amigo Lázaro dormía y que quería despertarlo de su sueño; ellos le recordaron que el sueño era benéfico para cualquier enfermedad. Entonces, él les anunció que Lázaro estaba muerto y los atemorizó al añadir que se alegraba por ellos por no haber estado a su lado, pues lo que ahora iban a presenciar aumentaría su fe en él.

Tomás me informó que él dijo a Jesús que lo acompañaría, e instó a los demás a venir con ellos, a fin de que si había algún peligro, todos pudieran morir junto con su maestro.

—¿Por qué esperaba Jesús fuera de la aldea, en vez de venir directamente a la casa?

—Debe haber comprendido que había muchos, entre el grupo de dolientes, que pertenecían al Templo, y no quería causar problemas. Cuando lo vi, alejado de los demás, corrí hacia él gritando: "Señor, si hubieras estado aquí, Lázaro no habría muerto, pero sé que aún ahora todo lo que le pidas a Dios te será concedido".

—¿Esperabas que hiciera un milagro?

—No, no; solamente rogaba para que nuestro Señor intercediera ante Dios por nuestro amado hermano. Jesús me tomó de las manos, diciendo: "Tu hermano volverá a levantarse". Yo le respondí que sabía que se levantaría el último día en la resurrección, y el Señor replicó con palabras que jamás olvidaré.

—Por favor, repítemelas.

—Jesús dijo: "Yo soy la resurrección y la vida, y aquel que crea en mí, aunque esté muerto vivirá, y el que vive y cree en mí jamás morirá. ¿Crees tú en esto?" Yo le respondí: "Sí, señor, creo que Tú eres el Cristo, el Hijo de Dios, que vendría al mundo". Luego pidió ver a María, así que volví a la casa y se lo dije en secreto.

Me incliné hacia María.

—¿Y tú, qué hiciste?

La voz de María tembló, como si una vez más reviviera los sucesos de aquella tarde.

—Cuando me levanté para ir hacia él —dijo—, aquellos que me estaban consolando, creyendo tal vez que volvía a la tumba para orar, vinieron conmigo y no lo pude evitar. Corrí hasta Jesús y, cayendo a sus pies, lloré como lo había hecho Marta, diciendo: "Señor, si hubieras estado aquí, mi hermano no habría muerto".

—¿Qué hizo Jesús?

—Se inclinó y me ayudó a ponerme de pie y, al hacerlo, de sus labios se escapó un extraño gemido. Después preguntó en dónde estaba sepultado Lázaro, y lo tomé de la mano para conducirlo a la tumba. Para entonces, todos los dolientes de la casa se habían unido a nosotros. Cuando señalé hacia la piedra que se había rodado hasta quedar frente a la abertura de la tumba, Jesús se llevó ambas manos al rostro, y al apartarlas, pude ver que había llorado. ¡Mi Señor. . . llorando! Me volví de espaldas, incapaz de contemplar su aspecto apesadumbrado. Alguien entre la multitud, no sé quién, dijo en voz alta: "Este hombre, que abrió los ojos del ciego, ¿no hubiera podido impedir que muriera?" Estoy segura de que Jesús escuchó la pregunta, pues nuevamente gimió, como si su agonía fuera muy grande. Entonces dijo: "¡Retiren esa piedra!"

Marta interrumpió de inmediato.

—Como una tonta traté de impedírselo. Le dije a Jesús que con toda seguridad el cadáver ya apestaba, puesto que nuestro hermano había muerto hacía cuatro días. Colocó su mano sobre mi hombro, y nuevamente me dijo que si creía, vería la gloria de Dios. Ante eso, me rendí completamente a su voluntad y pedí a algunos de los hombres que se encontraban cerca que retiraran la piedra de la entrada.

—¿Y qué sucedió después de que retiraron la piedra?

—Jesús se paró frente a la entrada, en tanto que la multitud retrocedía; algunos hasta salieron huyendo. Después levantó los ojos al cielo, diciendo: "Padre, te doy las gracias porque me has escuchado. Y sé que siempre me escuchas, pero te lo digo para que estas gentes que me observan y me escuchan puedan creer que tú me has enviado". Luego gritó en voz alta: "Lázaro, levántate", y sus palabras hicieron eco en la roca y ¡he allí! que nuestro hermano salió por la pequeña entrada, todavía envuelto de pies y manos en el manto de su sepultura y con el rostro y la cabeza cubiertos por un lienzo de lino, tal y como se le había compuesto el día en que se le sepultó. Jesús dijo: "Desátenlo y déjenlo ir", y nuestro amado hermano nos fue devuelto sano y salvo.

—¿Qué hizo la gente?

—Muchos aplaudieron, alabando su nombre, y creyeron. Pero otros se retiraron velozmente, sobre todo los del Templo, y estoy segura de que fueron a informar a las autoridades de todo lo que habían visto.

Tenía que hacer la más obvia de las preguntas, aunque sólo fuera para ver cuál era la reacción de las dos mujeres. Concentrándome en Marta, dije:

—De cuando en cuando, por accidente, se sepulta a alguien que no ha muerto. ¿Pudo suceder esto a tu hermano?

Los ojos y los labios de Marta se fruncieron, esbozando una sonrisa; por lo visto, no había sido yo el primero en sugerir tal posibilidad.

—Señor, aun si Lázaro hubiera estado con vida cuando fue depositado en su tumba, hubiera fallecido como consecuencia de los rituales para sepultarlo y para su entierro. Su cuerpo fue preparado y envuelto apretadamente en lienzos, desde el cuello hasta los pies, por mi hermana y por mí, después fue depositado en la tumba y se colocó un lienzo sobre su rostro; los lienzos se cubrieron con mirto, áloe, hisopo, aceite y agua de rosas, y entonces se selló la entrada de esa cueva húmeda en donde hay muy poco aire. Ningún ser humano podría soportar tales condiciones durante cuatro días, ni sobrevivir sin ningún alimento ni agua.

—¿Qué tan grande es el interior de esa tumba?

—Solamente hay tres huecos, tallados en la roca; uno de ellos es para Lázaro, otro para María y otro para mí.

—¿Qué hizo Jesús después?

—Descansó un día en nuestra casa antes de partir, diciéndonos que volvería para la Pascua. Después se retiró nuevamente a Perea, no antes de enterarse de que el sanedrín se había reunido y de que Caifás, el sumo sacerdote, había anunciado que Jesús debía morir antes de que todos creyeran en sus milagros, forjados mediante lo que Caifás llamó el poder de Satanás. El sanedrín estuvo de acuerdo en que si se le permitía a Jesús continuar, muy pronto toda la gente se le uniría y los romanos se verían obligados a acabar con ese movimiento, destruyendo a toda la nación. Caifás había dicho: "Es conveniente para nosotros que un hombre deba morir por el pueblo, a fin de que no perezca toda la nación".

—Marta, dime, ¿quién se hubiera atrevido a traer a Jesús las noticias de una reunión de esa naturaleza? Ciertamente, debió haber sido algún miembro del mismo sanedrín.

Marta titubeó, y por primera vez vi aparecer el temor en sus ojos grises. Sus labios temblaron.

—Continúa, Marta, díselo —la apremió José.

—Fue él —murmuró Marta, señalando al anciano.

No me atreví a mirarlo.

—¿Cuándo volviste a ver a Jesús? —le pregunté.

—Volvió a nuestro lado, con sus apóstoles, una semana antes de la Pascua, su última Pascua. Lo celebramos con una cena en su honor, y muchos vinieron a honrarlo, y también a maravillarse ante nuestro hermano, que había estado muerto, pero ya no lo estaba.

—¿Sucedió algo fuera de lo común durante esa cena?

Marta se volvió a María, apremiándola con firmeza:

—Díselo tú.

María palideció y se frotó las manos con tanta fuerza que tuve miedo de que se arrancara la piel si seguía haciéndolo. Finalmente, las unió con ternura, como si estuviera orando, y dijo:

—Había estado guardando un frasco de alabastro lleno de ungüento precioso de nardo para mi boda; pero desde que Jesús había llegado a mi vida, no tenía ningún deseo de estar al lado o servir a hombre alguno, con excepción del Señor. Atendí a todas sus necesidades durante la cena, después me dirigí a mi habitación y volví con el frasco. Quebré el vidrio en mi mano y derramé el perfume, primero sobre su cabeza y después sobre sus pies, arrodillándome para enjugarlo con mi cabello, para mostrarle cuánto lo amaba. El ungüento de nardo era mío, y podía hacer con él lo que quisiera, pero Judas, uno de los apóstoles, se adelantó y me avergonzó delante de todos, preguntando por qué no se había vendido el ungüento para dar el dinero a los pobres. Empecé a llorar hasta que sentí la mano del maestro sobre mi cabeza y lo escuché decir: "¿Por qué la molestan? Déjenla en paz. Ha hecho una buena obra conmigo. Ustedes siempre tendrán cerca a los pobres y deben hacerles el bien siempre que puedan; pero a mí no me tendrán siempre. Ella hizo lo que pudo, pues al derramar ese ungüento sobre mi cuerpo, me ha preparado para mi sepultura".

María se recostó en el hombro de su hermana, ocultando el rostro en la curva de su cuello, como lo haría un pequeño en busca de consuelo.

Sintiéndome cada vez menos complacido conmigo mismo, me volví nuevamente hacia Marta.

—¿Nadie preguntó lo que Jesús había querido decir cuando habló de su propia sepultura?

—Nadie; todos sentíamos temor, incluyendo a Pedro y Santiago. Solamente después comprendimos.

Moví la mano en un ademán que abarcaba la espaciosa habitación.

—Todas las noches, durante esa semana de Pascua, ¿dormían aquí Jesús y los doce apóstoles?

—Sí, hasta la noche en que fue arrestado.

—¿Era usual que todos los apóstoles se hospedaran aquí, con ustedes, cuando venían con Jesús a la ciudad?

—Oh, no. Por lo general, se dividían en parejas y se alojaban con diferentes familias de nuestra aldea. Pero durante las fiestas de Pascua, todas las casas siempre están llenas de familiares que vienen de otras partes, así que los doce dormían aquí, en esta habitación, algunos en catres y otros en el suelo, con mantas que los protegían del frío. Lázaro ocupaba una alcoba, María y yo compartíamos la otra, y el Señor dormía en la tercera, esa que está allí —dijo señalándola.

—Esa noche en que Jesús fue aprehendido en el huerto, ¿esperaban ustedes que él y los demás volvieran aquí después de haber celebrado su cena pascual en la ciudad?

—Sí, aun cuando Jesús nos había advertido que se retrasarían, así que no nos preocupamos, sino hasta... hasta quizá la sexta hora después de haberse puesto el sol.

Eso sería alrededor de la medianoche.

—¿Y en dónde se encontraba tu hermano Lázaro?

—En la ciudad, cenando en compañía de nuestros primos.

—¿En dónde está Lázaro ahora?

Marta suspiró.

—No lo sé. En alguna parte de Israel, atestiguando las obras del Señor. Pero adondequiera que lo llevan sus jornadas, siempre vuelve para celebrar la Pascua con nosotras.

—Cuando Jesús fue aprehendido, ¿cómo se enteraron de las nuevas?

Marta cerró los ojos, estremeciéndose. Con el cálido resplandor rojo de los carbones reflejándose en su rostro de fuertes rasgos, me recordó la pintura de Tintoretto que representaba a Marta reprendiendo a María por estar sentada a los pies de Jesús, en vez de ayudar con los preparativos de la cena. Me respondió:

—María y yo descansábamos aquí, con los ojos pesados de sueño, cuando nos sorprendieron unos fuertes golpes en la puerta y escuchamos que alguien afuera nos llamaba por nuestro nombre. Cuando corrí el cerrojo, Andrés entró corriendo, con el rostro congestionado y sin aliento. Al principio hablaba con tal rapidez, que no podíamos comprender sus palabras; finalmente, se tranquilizó lo suficiente para informarnos de las terribles nuevas; que nuestro Señor había sido hecho prisionero por las autoridades del Templo, mientras oraba en Getsemaní. Poco después llegó Tomás, seguido por Mateo y Bartolomé. Antes de la salida del sol, nueve de ellos se encontraban sentados aquí. Solamente estaban ausentes Pedro, Juan y Judas. Nadie sabía nada del paradero de Judas, pero todos estaban seguros de que Pedro y Juan habían sido capturados junto con Jesús.

Recorrí la habitación con la mirada. No era difícil imaginar a nueve campesinos de Galilea, invadidos por el terror, sentados en esta habitación oscura, llenos de pánico y sin su maestro.

—¿Qué hacían y decían mientras permanecían sentados aquí?

Había desdén en la voz de Marta.

—Nada, excepto balbucir y sollozar, y retorcerse las manos con desesperación. Todos parecían pequeños niños asustados. Recuerdo a Mateo que repetía, una y otra vez: "Dijo que esto sucedería, dijo que esto sucedería". Felipe seguía insistiendo en que todos huyeran hacia el Sur, sin demora, a la seguridad de Galilea, hasta que, enojado, Mateo le preguntó si era capaz de abandonar a las madres de tres de ellos, y también a la madre de Jesús, que aún se encontraban en la ciudad, sin ninguna protección. Tomás dijo que estaba seguro de haber visto algunos soldados romanos entre la policía del Templo que capturó a Jesús; Santiago estuvo de acuerdo, y dijo que todos serían hechos prisioneros si permanecían en esta casa, puesto que era bien sabido que los habíamos alojado casi durante toda una semana. Fue Mateo quien, finalmente, sugirió que se llevaran algunas mantas para ocultarse en el bosque, detrás de la casa, mientras María y yo vigilábamos el camino que viene de la ciudad. Si veíamos aproximarse algunas antorchas, deberíamos colgar una linterna en la ventana posterior, frente al bosque, en señal de advertencia para que huyeran.

—¿Puedo ver el bosque?

Marta asintió, y los cuatro nos dirigimos a la puerta delantera, rodeando la casa hasta llegar a la puerta de atrás. A unos noventa metros de distancia, aproximadamente, en medio de una pradera salpicada de rocas, había un grupo de árboles sobre una extensión no mayor de doscientos metros, pero suficientemente denso para ocultar a nueve hombres. Me di vuelta para verificar; había una ventana en la parte posterior de la casa, desde la cual podía ser vista una linterna por alguien que se ocultara en ese bosquecillo. Una vez más había llegado al momento de la verdad suprema en lo que se refería a mi investigación.

—¿Durante cuánto tiempo permanecieron los hombres en el bosque?

—¡Durante dos días! —gritó Marta con voz enojada que mostraba su desaprobación ante el comportamiento de los nueve—. Hasta la quinta o sexta hora del día siguiente a nuestro sabat, cuando Juan llegó con la nueva de que Pilato había crucificado a nuestro Señor y de que su cuerpo ya no se encontraba en la tumba en donde José y Nicodemo lo habían dejado, ya que, tal y como lo había profetizado, había resucitado de entre los muertos.

Pude sentir los ojos de José de Arimatea sobre mí, mientras esperaba para ver cuál era mi reacción ante la historia de Marta.

—¿Nadie abandonó el bosque para regresar después, durante esos dos días?

Ambas hermanas movieron la cabeza al unísono, en un ademán negativo. Entonces María habló:

—Marta y yo nos turnamos para llevarles alimentos y agua a todo lo largo de esos días con sus noches. Siempre estuvieron allí, acurrucados juntos, los nueve, a veces lloraban y en ocasiones dormían.

—¿Y nadie de ustedes se enteró de los acontecimientos que habían tenido lugar en la ciudad, hasta el momento en que llegó Juan?

—Para el momento en que lo supimos, nuestro Señor ya no necesitaba nuestra ayuda —sollozó María.

Todavía no había terminado con Betania. Contando con el permiso de las hermanas para visitar la tumba, José y yo cruzamos apresuradamente la pradera en dirección al risco de piedra caliza. El anciano habló muy poco mientras caminábamos, pero se veía complacido consigo mismo.

—¿Tienes algo que añadir a lo que acabas de escuchar? —le pregunté en un tono de voz lleno de sarcasmo.

Sacudió la cabeza:

—No, no, eres *tú* quien está llevando a cabo la investigación, y eres *tú* quien debe llegar a sus propias conclusiones. Yo solamente soy tu guía, ¿recuerdas?

Lo rodeé con mi brazo y lo abracé.

—Vamos, anciano, sé que te estás muriendo por decir algo más.

Se rió.

—Sin embargo, si los miembros de tu comisión hubieran hablado con los mismos testigos con quienes ya lo has hecho tú, estoy seguro de que estarían de acuerdo en que habían escuchado un testimonio de los mejores, un testimonio que afirma, sin lugar a dudas, que ninguno de los nueve que huyeron del huerto pudo haber retirado el cuerpo de Jesús de la tumba. Mateo te dijo que todos huyeron del huerto y después se ocultaron en el bosque durante dos días. Después Santiago, el hijo del trueno, corroboró el testimonio de Mateo, y las hermanas han confirmado el de ambos hombres. Ahora, ya tienes dos razones de por qué esos nueve apóstoles no pudieron estar implicados en el acto que tú sospechabas habían cometido. En primer lugar, no estaban enterados de que Jesús había muerto y había sido sepultado, y sólo lo supieron hasta después de que se descubrió la tumba vacía; en segundo lugar, estaban demasiado atemorizados y quebrantados de espíritu para hacer cualquier cosa al respecto, aun si lo hubieran sabido.

—Pensé que me habías dicho que *yo* era el único encargado de la investigación.

—Y lo eres, hijo mío, lo eres.

—Pues bien, me gustaría reservar mi juicio hasta después de investigar esa tumba. Puede ofrecerme algún testimonio que podría destruir algunas coartadas y toda tu excelente lógica.

—¿Testimonio? ¿De una tumba?

No quise explicarme en detalle.

Nivelada contra la pared lisa del risco había un gran trozo de roca cincelada, redondeada de tal manera que me recordaba los antiguos molinos de piedra que los indios norteamericanos empleaban para moler el grano. Tenía aproximadamente veintitrés centímetros de espesor y se levantaba como a un metro veinte de altura, con pequeños pedruscos encajados contra la curva de su base, a fin de impedir que se deslizara.

Consternado, pregunté:

—¿Ésta es?

—¿Y qué esperabas? Ésta es una tumba, ni más ni menos. Puedes ver allí cómo la roca todavía muestra las señales de la pintura blanca que se le aplicó después de que Lázaro fue sepultado, a fin de advertir a los intrusos para que no la profanaran.

—¿No hay otras marcas? ¿Ninguna inscripción?

—¿Para qué? ¿Acaso los muertos pueden leer? ¿No saben los propietarios de la tumba quién ha sido sepultado en su interior? Y, ciertamente, Dios no tiene necesidad de señales de identificación.

—¿Por qué no hay otras tumbas a lo largo de este risco? Yo diría que éste es un sitio ideal para dar sepultura a los muertos de Betania.

—Todas estas tierras eran propiedad de Simón, y ahora pertenecen a Marta. La tumba de esta familia se encuentra en propiedad privada.

—¿Y en dónde se encuentra la entrada a la tumba?

—Está cubierta por esa piedra redonda.

Tal y como había sospechado que lo estaría; podía darme cuenta de que cada vez me ponía más tenso.

—Por lo que sabemos, José, esa piedra fue rodada a petición de Jesús, antes de ordenarle a Lázaro que se levantara.

—Es verdad.

—Pero ahora la tumba está vacía, ¿no es así?

—Por supuesto que está vacía, escuchaste a Marta, ¿o no? Es para los tres hermanos y todos están aún con vida, así que la tumba está vacía.

—Entonces, ¿por qué está cerrada? ¿Por qué está colocada esa piedra sobre la entrada, puesto que no hay ningún cadáver en su interior que deba protegerse? ¿Por qué alguien se molestaría en sellar nuevamente la tumba, después de que Lázaro la abandonó?

El anciano permaneció en una inmovilidad absoluta. Me miraba, pero yo sabía que no podía verme.

—N-n-no lo sé, Matías, no lo sé...

La pradera estaba tan quieta que casi podía percibir el silencio, igual que se percibe la humedad pegajosa de una densa niebla. Accidentalmente, mi sandalia izquierda sacó de su sitio una pequeña roca, que rodó a lo largo de la dura corteza de la piedra caliza debajo de nuestros pies, hasta que su sonido retumbó en el muro de piedra. Después de avanzar varios pasos, me encontré justamente frente a la roca redonda cubierta de pintura. ¿Era éste el sitio en donde Jesús, finalmente, puso su vida en la mira? Si fracasaba en resucitar a Lázaro después de haber dicho que lo haría, aun sus apóstoles lo hubieran abandonado. Y si lograba resucitarlo, quienes lo odiaban y temían su creciente popularidad entre las masas, con toda certeza lo señalarían para una ejecución inmediata. Solamente unas semanas antes había logrado escapar de quienes habían tratado de apedrearlo en el Templo. ¿Por qué había vuelto para colocarse él mismo en una situación de la cual no podía haber escapatoria?

¿Cómo se habían escuchado las palabras de Jesús cuando pronunció su famosa orden al hombre muerto? ¿Se amplificó su voz gracias a la acústica natural de este lugar, para ser llevada más allá del borde distante del risco, difundiéndose por toda la aldea de Betania?

Ahuequé las manos alrededor de la boca, respiré profundamente y grité en voz tan alta como pude:

—¡Lázaro, levántate!

Las palabras retumbaron como la descarga de un trueno a todo lo largo del muro de piedra. Una vez más grité:

—¡Lázaro, levántate! —y se oyó otro estruendo, como el de un trueno, persiguiendo en vano al primero.

—¡Lázaro, levántate! —grité una y otra vez, hasta que sentí a José que me sacudía por la espalda.

—¡Detente, Matías! ¡Ya basta! Vayámonos de aquí.

—No —vociferé, soltándome de sus manos y corriendo en dirección al tronco sin ramas de un pequeño árbol muerto que estaba recargado contra el muro del risco. Apoderándome de esa pértiga improvisada, clavé su extremo más grueso bajo la base de la roca a la entrada de la tumba, y empujé con todas mis fuerzas.

—¡Detente, Matías! ¡Por favor! ¡No debes profanar la tumba!

—¿Cómo se puede profanar una tumba dentro de la cual no hay un cadáver? —rugí entre un empujón y otro.

Ignoré sus repetidas súplicas, apoyándome sobre el madero una y otra vez, hasta que la inmensa roca comenzó a balancearse en su cuna de pequeños pedruscos que la sostenían. Retiré con el pie algunas de las piedras y volví a empujar; la piedra apenas cedió. Empujé, apoyándome con todas mis fuerzas. Se movió unos cuantos centímetros y después otros más; dejé caer la pértiga y apoyé mi hombro contra la piedra. Un sudor salado y caliente corría por mis ojos, descendiendo por las mejillas hasta llegar a la boca. Jadeaba tratando de respirar; el pecho me dolía. Empujé, gruñí, y resbalé, cayendo de rodillas, todavía con todo mi peso apoyado contra la obstinada roca, hasta que cedió de mala gana, quince centímetros, después treinta, luego sesenta, hasta que por fin, me las arreglé para rodarla completamente a un lado de la abertura de la tumba. Entonces, agotado, me dejé caer apoyado contra el muro liso del risco.

José se paró cerca de mí, con las manos fuertemente apretadas a ambos lados de su rostro.

—Matías, ¿qué has hecho? Que Dios te perdone. Y que Dios me perdone a *mí* por haberte traído hasta aquí.

Di una palmada en la dura piedra debajo de mí.

—José, siéntate aquí, por favor.

En vez de ello, se postró apoyado en una sola rodilla, con la cabeza vuelta para no ver en dirección a la tumba. Extendí el brazo y rocé suavemente su mejilla.

—Escúchame, te lo suplico. Antes dijiste que yo era el investigador y tú eras mi guía, ¿no fue así?

Asintió con tristeza.

—Y me trajiste aquí después de que expresé ese necio deseo en el programa de Carson, para que pudiera descubrir la verdad, por mí mismo, cualquiera que fuere, ¿no es cierto?

Volvió a asentir.

—No había pretextos ni salvedad en ese trato, ¿o los había? ¿Podía ir a donde quisiera, ver cualquier cosa, hablar con quien fuere en mi búsqueda de la verdad, no es así?

Sin volverse, señaló por encima de su hombro en dirección a la tumba:

—¿Y esperas encontrar la verdad allí?

—No lo sé.

—Matías, todo lo que encontrarás allí son tres huecos vacíos y unos cuantos gusanos.

—Tal vez sí, tal vez no.

—Pero, ¿qué otra cosa podría haber en ese lugar? ¿Qué es lo que buscas, hijo mío?

—Estoy buscando los restos de un cuerpo.

—¿Un cuerpo? ¿El cuerpo de quién?

—El cuerpo de Jesús.

Por un momento pensé que se desvanecería.

—¿De Jesús? —gritó—. ¿Por qué esperas encontrar sus restos aquí? ¿Por qué?

—Porque si el o los culpables que lo retiraron de tu tumba se encontraban entre los apóstoles, éste hubiera sido el sitio más lógico para ocultarlo. Casi desde un principio, mis estudios me han llevado a sospechar que algunos de los apóstoles, u otros, estrechamente relacionados con Jesús, llevaron a cabo lo que creyeron que debían hacer a fin de aparentar que su profecía se había cumplido. Una de las posibilidades que consideré fue que en algún momento después de anochecer, pero antes del amanecer del tercer día, su cuerpo fue retirado de la tumba y traído hasta aquí, ya fuera en una camilla o en alguna especie de carro pequeño, y después colocado en la tumba vacía que en algún tiempo albergó a Lázaro. Posteriormente, la tumba fue sellada de nuevo, con la certeza razonable de que el cadáver estaría a salvo de ser descubierto, puesto que está dentro de las tierras que son propiedad de Marta. Sería muy fácil hacer circular y propagar el rumor de que Jesús había resucitado de entre los muertos, con esa tumba de tu propiedad vacía sirviendo como testigo estrella y, mejor aún, mudo.

—Pero había soldados vigilando mi tumba.

—Cuando sepa quién se llevó el cuerpo, entonces sabré cómo se las arreglaron con los soldados.

—Y qué hay de los nueve que se encontraban ocultos en el bosque, detrás de la casa de las hermanas. Cómo pudo cualquiera de ellos haber hecho algo semejante, cuando por lo que has oído, ninguno estaba enterado siquiera de que Jesús había muerto, y mucho menos podían saber la ubicación de su tumba?

—Muy bien, para esclarecer las cosas, vamos a tachar esos nueve nombres de mi lista de sospechosos. Pero eso todavía nos deja a Pedro y a Juan, que se encontraban en Jerusalén y estaban enterados de la crucifixión y de la sepultura. Y después, aún quedan Caifás, el sumo sacerdote, y Pilato, quienes fácilmente pudieron hacer arreglos para retirar el cuerpo y ocultarlo en otro sitio, a fin de que tu tumba no se convirtiera en un peligroso lugar de reunión de quienes todavía creían en Jesús. Desde luego, si algunos de esos dos tuvo algo que ver con el robo del cuerpo, cometió un error colosal, pues en realidad ayudó a promover el mito de la resurrección, y ahora ya es demasiado tarde para que cualquiera de ellos admita su error. Y los últimos de mi lista, pero no los de menor importancia, son los dos personajes que sepultaron a Jesús.

—¿Quieres decir, Nicodemo... y yo? ¿Aun has llegado a sospechar de mí?

—¿No lo harías tú, si formaras parte del comité de investigación?

Suspiró.

—Bien, por lo menos, hemos logrado reducir considerablemente tu lista de sospechosos.

—Sí, y cuatro de los que todavía están en la lista, muy posiblemente pudieron ocultar el cuerpo, justamente en este lugar, en el interior de esa tumba.

Volviéndole la espalda a José, me arrastré el corto trecho que me separaba de la entrada de la tumba. Gracias a la luz que reflejaba la piedra clara podía mirar hacia el interior; directamente frente a mí, el contorno de un hueco cavado en la roca, suficientemente largo y ancho para dar cabida a un cadáver, estaba vacío. A mi derecha había otro nicho, también estaba vacío. Y a mi izquierda se encontraba otro más, ¡nada! Todavía arrodillado, sobre manos y rodillas, bajé la cabeza y maldije. Un leve olor a agua de rosas perduraba en el suelo de piedra. No había otra pista, de ninguna clase, que indicara tan siquiera que un cadáver hubiera ocupado alguna vez la pequeña cámara.

Retrocedí lentamente para salir de la cueva. El desengaño pronto se había trocado en agotamiento. Empecé a temblar hasta que logré ponerme de pie. José me observaba ansioso, todavía arrodillado exactamente en el mismo sitio en donde lo había dejado.

—¿Qué has descubierto, Matías, dime?

—¡Sólo unos cuantos gusanos, José —grité—, tal como dijiste! Solamente unos cuantos gusanos.

8

Desde los días de mi infancia jamás había vuelto a escuchar el canto de un gallo, pero abrí los ojos, seguro de que acababa de oír uno. Qué simbólico, pensé, que el canto de un gallo me despierte en la mañana del día en que espero reunirme con Pedro para conversar con él.

Ya me había bañado y rasurado cuando el primer golpe tímido en la puerta de mi alcoba me anunció la llegada de mis alimentos matutinos. Nicolás, el asistente sirio que José me había asignado, se encontraba parado afuera, luciendo su acostumbrada sonrisa amable, pero hoy no empujaba su carrito de bronce en donde se apilaban los platos cubiertos con mi almuerzo.

—Mi amo José le pide disculpas por las molestias —me dijo tímidamente— pero le gustaría que esta mañana se reuniera con él en el peristilo, para almorzar en compañía de él y su invitado.

—¿Invitado? Vamos.

La villa de José, construida sobre la ladera de una colina, en realidad estaba formada por dos alas octagonales unidas por un largo pasillo a cuyos lados se alineaban diversas estatuas, y por el cual ahora descendíamos. Todas las habitaciones para dormir y comer se encontraban ubicadas en el ala superior. Nuestro punto de destino, el ala inferior, albergaba lo que José modestamente llamaba su centro cultural. Había dos habitaciones que contenían una colección de esculturas, y en una de ellas el anciano, la noche anterior, me había presentado a Hermógenes, quien, según José, era uno de los escultores de más talento que jamás hubiera producido Grecia. Una pequeña cabeza de un niño cobraba vida en el mármol bajo el suave golpe del cincel y martillo de Hermógenes; yo había preguntado a mi anfitrión cómo era posible que todos esos valiosos tesoros estuviesen en su poder, tolerados por los sacerdotes, a pesar de la ordenanza del segundo mandamiento: "No harás de ti ninguna imagen grabada, ni ninguna reproducción de cualquier cosa que esté arriba en el cielo o que esté abajo en la tierra o en el agua debajo de la tierra". José tan sólo había sonreído, recordándome que *él* no hacía las imágenes y que no había ninguna ley que se opusiera al hecho de ser patrono de las artes.

Otras tres habitaciones del ala inferior estaban llenas de rollos, grandes y pequeños, de pergamino, cuero y papiro. Otras dos albergaban su colección de pinturas; había una octava habitación en el ala inferior, pero el anciano deliberadamente evitó su puerta cerrada al mostrarme todo, y yo, también a propósito, evité hacerle preguntas sobre ella.

Las habitaciones rodeaban un opulento peristilo, descubierto hacia el cielo, que, sin embargo, estaba protegido de los rayos directos del sol por un techo de celosías que permitían la filtración de algunos rayos solares sobre más de doscientas variedades de flores del desierto, que José había reunido a lo largo de muchos años. Nicolás me guió a través de una de las bibliotecas, abrió una puerta que conducía al patio lleno de plantas y señaló hacia el anciano y su invitado, quienes se encontraban sentados ante una mesa circular de cristal, con las cabezas muy juntas, sumidos en una animada conversación. Al vernos, José se puso de pie y extendió los brazos hasta que llegué a la mesa. Entonces, pasó su mano suavemente por mi mejilla, exclamando:

—¡Ya no hay cortadas! Cada día aumenta tu dominio de esa arma traicionera.

Todavía más dormido que despierto, repliqué:

—Gracias; cualquier clase de progreso es bienvenido en este momento.

Sonrió, diciendo en forma informal:

—Matías, éste es Pedro.

¡Eso acabó de despertarme! ¡Pedro! ¡Simón! ¡Cefas! ¡La roca! El amigo más allegado de Jesús; siempre al lado de su maestro desde los primeros días, hasta que perdió el valor al final. O, ¿en verdad lo había perdido? Impulsivo. Leal. El principal vocero de los apóstoles. Osado. Tenaz. La fuerza impulsora detrás del número creciente de conversos. Reconocido, hasta por el brillante Pablo, como el cristiano más poderoso y respetado. El guía.

Al abrazarnos, pude sentir sus bíceps como gruesas cuerdas de acero retorcido. Su sonrisa era cálida y abierta, pero sus negros y profundos ojos me decían lo que ya sabía, gracias a mi estudios: que podía ser un oponente muy poderoso para cualquiera, aun para los sumos sacerdotes, como éstos lo habían comprobado, con gran pesar de su parte. El rostro cuadrado y de tez morena de Pedro no tenía arrugas ni señales, con excepción de dos profundos surcos en su amplia frente; su cabello tupido, de un tono castaño rojizo, casi cubría sus amplios hombros. Su luenga barba estaba salpicada con rayas grises. Su túnica holgada, hecha de lino crudo, le llegaba apenas arriba de las pantorrillas nervudas y musculosas. Alrededor de su grueso puño derecho llevaba una banda de cuero tachonada.

Traté de concentrarme en lo que José decía:

—. . . diciéndole a Pedro que habíamos planeado ir hoy en su busca, y ¡he aquí! que aparece, llamando a mi puerta, para despedirse antes de iniciar su jornada a su antiguo hogar, en Cafarnaúm, a fin de visitar a la familia de su esposa. Matías, ya me he permitido explicarle el propósito de tu misión, y Pedro está dispuesto a contestar tus preguntas, siempre y cuando pueda estar en camino antes de que el sol esté demasiado alto.

Podía sentir la mirada del apóstol sobre mí mientras escuchaba al anciano, y tuve que hacer un gran esfuerzo para conservar la serenidad. Había algunas preguntas demasiado severas que debía hacer a este hombre a quien Jesús, adecuadamente, había llamado "la roca", y empezaba a preguntarme si encontraría el valor suficiente para hacerlo. Si en una ocasión se había atrevido a contradecir a Jesús, a quien había dedicado toda su vida, ¿cómo reaccionaría hacia mí si empezaba a indagar en áreas en las cuales los recuerdos todavía debían causarle dolor, angustia y arrepentimiento?

Había tantas cosas que Pedro podía decirme. ¿Cuántos miles de libros se habían escrito acerca de él; cuántas preguntas habían surgido; a cuántas conclusiones se había llegado; cuántos misterios todavía estaban en el aire, en relación con sus años pasados al lado de Jesús? La noche anterior, antes de quedarme dormido, sabía exactamente cómo llevaría a cabo mi entrevista con él. Después de todo, el propósito de mi estancia aquí no era escribir la verdadera vida de Jesús, sino específicamente descubrir lo que había sucedido con su cuerpo, después de que le dieron sepultura. Mentalmente, había repasado todas aquellas preguntas que, en mi libro, deberían hacerle los tres tribunos a Pedro, y decidido seguir el mismo curso que tenía planeado para ellos en mi manuscrito inconcluso. Pero eso fue la noche anterior; ahora, frente a frente, ante este hombre, me daba cuenta de lo flexible que debería ser ese animoso plan, por no decir otra cosa.

Pedro esperaba pacientemente, descansando ambos codos sobre la superficie reluciente de la mesa, y con sus grandes manos unidas con soltura bajo su barba. Se veía completamente tranquilo, sin preocuparse por nada de lo que pudiera preguntarle. Decidí que antes que nada debía atacar esa ecuanimidad; si podía hacerlo perder su seguridad, quizá me diría cosas que jamás escucharía en condiciones normales.

—¿Cómo se encuentra tu madre política?

—¿Qué? —vociferó. Después, en un tono de voz más suave, pero todavía con incredulidad, continuó—. ¿Cómo decías?

—Te pregunté cómo se encuentra tu madre política. ¿Cuál es su estado de salud, está bien?

Mi pregunta había surtido el efecto deseado. Obviamente desarmado, Pedro replicó:

—Goza de buena salud, señor.

Ahora sonreía, cautelosamente.

—¿Pero qué tiene que ver la salud de una anciana de Cafarnaúm con tu búsqueda de la verdad acerca de Jesús?

—¿Acaso él no le salvó la vida en una ocasión?

Nada quedaba de su ecuanimidad; sólo había sorpresa.

—¿Tu búsqueda de la verdad ha sido muy concienzuda, amigo mío —replicó—. Sí, el Señor le salvó la vida cuando estaba a punto de morir.

—¿Cómo fue eso?

—Sucedió no mucho tiempo después de que mi hermano Andrés y yo abandonamos nuestras redes y embarcaciones para seguirlo. Todavía nos encontrábamos en nuestra aldea y Jesús predicaba en la sinagoga. La madre de mi esposa, unos días antes, se había visto afligida con la fiebre abrasadora, una enfermedad mortal muy común entre la gente que habita en los litorales. Ya habíamos intentado el remedio mágico que recomienda nuestro Talmud y repetido los cuatro versos prescritos del Éxodo, un día tras otro, pero su estado empeoraba y teníamos pocas esperanzas. Compartimos nuestra tristeza con Jesús, quien no sólo nos consoló, sino que nos pidió que lo llevásemos a nuestra casa, y cuando entramos a la habitación en donde dormía la moribunda, se arrodilló al lado de su lecho y le tomó la mano, después se inclinó hacia ella y la ayudó a erguirse, hasta que estuvo sentada y abrió los ojos. Poco después, estaba de pie y la fiebre había desaparecido, así que se dirigió directamente a la cocina, después de besar a Jesús, y preparó la cena para todos nosotros.

—¿Llamarías a eso un milagro?

Pedro ladeó la cabeza en una actitud de desafío.

—¿Cómo lo llamarías tú?

Obviamente, ya había tratado con gente como yo.

—No lo sé —repliqué—. No he tenido tanta experiencia con milagros como me informan que has tenido tú. Ahora bien, permíteme llevarte a otros tiempos y a otro lugar. Casi desde el principio, las palabras y acciones de Jesús disgustaron a las autoridades, a Herodes, al sumo sacerdote, a los fariseos y saduceos, tanto que en muchas ocasiones, a fin de escapar de sus mofas y desafíos, se llevó consigo a todos los que estaban cerca de él, lejos de Judea y de Galilea, a lugares en donde estarían fuera de peligro. ¿Estoy en lo cierto?

—Así es. Todos esos hipócritas que están en el poder, sintiendo a diario el aguijón de las palabras del Señor, constantemente tramaban atrapar a Jesús en sus redes para destruirlo. Él los llamaba "una generación de víboras", diciendo que, al ser malvados, jamás podrían decir o hacer nada bueno.

—Pero, ¿acaso su hostilidad constante a la larga no empezó a lograr su fin? ¿No es verdad que muchos de los que habían sido seguidores leales de Jesús comenzaron a alejarse, después de algún tiempo, porque temían a las autoridades?

Pedro se frotó el dorso de su velluda mano contra los ojos.

—Hubo una vez —dijo apesadumbrado— en que Jesús nos preguntó a mí y a los otros once si también planeábamos abandonarlo.

—¡En Cesarea de Filipo!

El cuerpo del apóstol se puso rígido.

—¿Qué dices?

—¡Cesarea de Filipo! —repetí.

—¿Y qué hay con ello?

—¿Qué fue lo que sucedió allí?

—¿Cómo estás enterado de Cesarea de Filipo? —preguntó, mirando ceñudamente a hurtadillas a José.

—Me dieron a entender que algo muy importante tuvo lugar cerca de Cesarea de Filipo, algo que ninguno de los apóstoles ha podido olvidar jamás, hasta este día.

—Especialmente este apóstol —suspiró Pedro.

—Dime, Pedro, ¿es cierto que la situación con las autoridades se estaba volviendo tan intolerable que Jesús se vio obligado a llevarlos lejos, hacia el Norte, a una ciudad extraña y pagana, en donde el pueblo sentía muy poco aprecio por los judíos y en donde nadie sabía quiénes eran ustedes?

Contuve el aliento al ver que hundía la cabeza. Después de todo, no estaba obligado conmigo; bien podía ponerse de pie, despedirse de nosotros y partir. Pero de lo que yo había leído, este rudo apóstol jamás había evitado una confrontación de cualquier clase después de la crucifixión, y casi podía apostar que no lo haría ahora, huyendo de mí. Y no lo hizo. Señaló hacia la franja púrpura de mi túnica, y dijo:

—Te lo diré, Matías, pero estoy seguro de que no podrás comprender las consecuencias que hay detrás de toda esa historia.

—Ponme a prueba.

—Jesús hablaba ante una multitud en Magdala, en las playas de Galilea, cuando lo interrumpieron los fariseos y los saduceos, como lo habían hecho tantas veces, exigiéndole que les diera una señal directa del cielo, que atestiguara sus palabras y sus obras. Lo acusaron de muchas cosas: de predicar que vendría un reino muy diferente del que nuestros profetas nos habían enseñado a esperar, de que se burlaba de nuestras costumbres y tradiciones, de que violaba la ley desvergonzadamente y de que hablaba con una autoridad que no le pertenecía. "Una señal del cielo", exigían, "dannos una señal para así saber que no eres un falso profeta".

—¿Qué hizo Jesús?

—Permaneció tranquilo y esperó hasta que se cansaron de escuchar sus propias voces. Entonces, respondió a sus atormentadores diciendo: "Cuando es de noche, ustedes dicen habrá buen tiempo, ya que el cielo está rojo. Y por la mañana dicen será un mal día, ya que el cielo está rojo y amenazador. Oh, ustedes, los hipócritas, pueden leer la faz del cielo, pero no pueden leer las señales de los tiempos. Esta generación perversa y adúltera quiere una señal, y no se le dará otra señal sino la señal del profeta Jonás".

—¿La señal de Jonás?

—Hace más de seiscientos años, Jonás advirtió al pueblo de Nínive de que debía arrepentirse pronto de sus pecados, ya que se enfrentaría al juicio. Sus palabras fueron ignoradas y poco tiempo después la ciudad fue destruida.

—¿Qué sucedió después de que Jesús reprendió a los fariseos y a los saduceos?

—Los dejó parados en medio de la multitud, y nos llevó frente al muelle, en donde abordamos una pequeña embarcación, navegando hacia el Norte, hasta Betsaida. En esa jornada, nos advirtió que deberíamos estar en guardia, y no permitir jamás que las doctrinas de los fariseos y los saduceos se infiltraran en nuestras creencias. Cuando desembarcamos en Betsaida, seguimos viajando por tierra mucho más al Norte, todo un día, hasta llegar a las colinas que se encuentran cerca de Cesarea de Filipo. Allí, lejos de las multitudes y de sus atormentadores, Jesús pudo dedicarse a enseñarnos durante muchos días, rodeados de paz y tranquilidad.

—¿Y fue entonces cuando algo sucedió?

Pedro asintió apesadumbrado.

—Abrí la boca cuando no debía hacerlo.

—Háblame de ello.

—Una mañana, estábamos sentados en la ladera, mirando el lento pasar de las nubes, más allá de la cima del Monte Hermón, hacia el Norte, cuando Jesús interrumpió nuestros pensamientos y preguntó quién creía la gente que era él. Andrés respondió diciendo que algunos creían que era Juan el Bautista, y Tomás dijo que otros pensaban que era Elías, o Jeremías, o alguno de los otros profetas. Entonces, Jesús dijo: "¿Y qué hay de todos ustedes? ¿Quién creen ustedes que soy?" Recuerdo las miradas de extrañeza que se cruzaron entre todos, pero nadie se atrevió a responder al Maestro, así que, finalmente, me puse de pie y le dije: "¡Tú eres el Cristo!"

—El Cristo, ¿significando con eso el Mesías que llegaría a liberar a los judíos de sus enemigos y a restaurar la nación? ¿El ungido?

—Sí.

—¿Alguna vez habías escuchado a Jesús asegurar, en público o en privado, que él era el Mesías?

—No.

—En otras palabras, ¿*tú* le dijiste, a *él* algo que él mismo jamás había admitido ante ninguno de ustedes?

—Sí.

—¿Y cómo tomó tu declaración?

—Pareció tanto sorprendido como complacido por mis palabras, diciéndome que ni la carne ni la sangre me lo habían revelado, sino su Padre que está en los cielos. Después, encargó a todos los apóstoles que no dijeran a hombre alguno lo que acababan de escuchar, y nos dijo que debía ir a Jerusalén y padecer muchos sufrimientos de parte de los ancianos, los sumos sacerdotes y escribas; que le darían muerte, pero que resucitaría al tercer día. Fue entonces cuando abrí la boca, lo cual me atrajo su cólera. Había escuchado, con el corazón agobiado, todas sus profecías de agonía, ignominia y muerte. ¿Cómo era posible que un destino tan terrible aguardara al Mesías? Por lo que exclamé: "¡Dios no lo quiera, Señor! ¡Ninguna de esas cosas te sucederá jamás!"

—¿Jesús había dicho que *debía* ir a Jerusalén?

—Sí.

—¿Y se disgustó cuando tú te rehusaste a aceptar sus palabras?

—Más que eso. Me puso las manos encima y me sacudió, gritando: "¡Aléjate de mí, Satanás! ¡Eres un obstáculo y una ofensa para mí, pues tus pensamientos no son de Dios, sino del hombre!"

—¿Como si supiera lo que le esperaba, y tu negación de su profecía sólo hiciera que las cosas le resultaran más difíciles de soportar?

—Sí, pero no me di cuenta de ello en ese momento. Luego, como todos los demás se habían llenado de temor ante su raro despliegue de enojo, el maestro me abrazó como si quisiera disculparse, y dijo: "Si cualquier hombre quiere seguirme, que se niegue a sí mismo, tome su cruz y me siga. Ya que todo aquel que salve su vida la perderá: y aquel que pierda su vida por mi causa, la encontrará. Porque, ¿qué bien le hace a un hombre si gana todo el mundo y pierde su propia alma?"

Casualmente miré a José. El anciano observaba y esperaba, esperaba con ansiedad obvia, que yo abandonara el papel de reportero para asumir el de un tribuno romano dedicado a descubrir la verdad para su investigación de Cristo. La espera de José había llegado a su fin.

—Pedro, sin lugar a dudas, tú fuiste el apóstol que siempre estuvo más cerca de Jesús, ¿no es así? —asintió.

—Pero, ¿Jesús jamás te dijo, con palabras, que él era el Mesías, ni siquiera a ti, antes de que hablaras en Cesarea de Filipo, no es verdad?

—Es verdad —admitió, recargándose en su silla, como si de pronto experimentara la necesidad de alejarse de mí, aumentando el espacio que nos separaba. Al retirarse, yo me incliné y coloqué *mis* codos sobre la cubierta de la mesa.

—Pedro, creo que puedo comprender por qué Jesús no quería que le dijeran a la gente que él era el Mesías. Su vida ya estaba en peligro, y un anuncio de esa naturaleza, de parte de cualquiera de ustedes, ciertamente hubiera apresurado su fin. Pero, ¿por qué no te dijo a ti, su mejor amigo y en el que más confiaba, quién era en verdad? ¿Por qué finalmente, te correspondió a ti decírselo?

No respondió. Lo intenté nuevamente.

—Y lo que es igualmente importante, ¿cómo supiste que era el Cristo, ya que él jamás te lo dijo? Obviamente, ninguno de los otros apóstoles pensaba que lo era, de lo contrario, lo hubiera dicho cuando él les preguntó. ¿Cómo lo supiste, Pedro? O, ¿acaso sólo pronunciaste algunas palabras halagadoras que pensaste lo complacerían y le levantarían el ánimo?

—¡Simplemente lo sabía!

—¿Cómo?

—Si lo hubieras oído hablar o si hubieras presenciado sus milagros, Matías, tú también habrías creído. Si hubieras sido testigo cuando curó al leproso y al servidor del centurión, quien sufría una parálisis, y a la mujer que durante doce años padeció un flujo de sangre, y a la hija de Jairo, y al hombre con la mano seca y a tantos otros cuyos nombres llenarían tu libro, ¡entonces, tú también habrías sabido que era el Mesías!

—Y los demás que lo acompañaban y que presenciaron los mismos hechos y obras junto contigo: ¿Por qué no sabían lo que tú profesaste saber?

—Con el tiempo, sus ojos se abrieron a la verdad —dijo.

—¿Incluyendo a Judas?

Sus hombros se hundieron, y no hubo respuesta, pero seguía resistiendo con firmeza, y no pude menos que admirar su paciencia. Cuidado, pensé; recuerda el motivo por el cual te encuentras aquí. Le dije:

—A todo lo largo de la historia del pueblo judío han tenido lugar muchos trucos de magia, poco comunes, que fueron clasificados por el pueblo como milagros. Dime, ¿cómo describirías tú un milagro?

Pedro reflexionó sobre mi pregunta durante varios minutos antes de responder:

—Un verdadero milagro no es un truco de magia que cualquiera puede aprender. Es una demostración del poder ilimitado de Dios, y normalmente va en contra de las leyes de la naturaleza, tal y como nosotros las conocemos. Un milagro es una expresión de la voluntad y los propósitos de Dios y, cuando somos testigos de uno, nos ofrece una fe renovada de que siempre está con nosotros.

—De acuerdo con esa definición, ¿Jesús sí hizo milagros?

—Los milagros fueron forjados por Jesús —me corrigió Pedro—, pero el poder para hacerlos procedía de Dios.

—¿De tu Dios o del mío?

—Romanos o judíos, Matías, ¡hay un solo Dios!

—Dime, Pedro, ¿fueron milagros los que hizo Moisés cuando transformó una vara en una serpiente por mandato del faraón y, después, cuando apartó las aguas del mar de las cañas para que su pueblo pudiera huir de los ejércitos egipcios que lo acosaban?

—Sí.

—¿Hizo Elías milagros cuando resucitó de entre los muertos al hijo de la viuda y cuando logró que las tropas de Ocozías fueran consumidas por el fuego?

—Sí.

José me miraba airado, y estaba seguro de que el viejo zorro creía saber adónde quería llegar con mis preguntas.

—Pedro —continué—, cuando Eliseo le proporcionó agua al rey Josafat en el desierto de Edom y curó a un leproso e hizo que la cabeza de un hacha flotara sobre las aguas, ¿fueron todas esas cosas trucos de magia, o milagros?

—Milagros.

—Cuando Daniel fue encerrado en el foso de los leones por el rey Darío y al día siguiente salió ileso, ¿había hecho un milagro?

—Sí.

Deslicé mi dedo, lentamente, por encima de la cubierta de cristal de la mesa.

—¿Hubo alguna vez, entre todos esos judíos grandes hacedores de milagros quien pretendiera ser un dios (o el Hijo de Dios) o el Mesías?

Al fin, Pedro comprendió adónde quería llevarlo.

—No —suspiró.

—Entonces, los milagros, por sí mismos, jamás fueron considerados por tu pueblo como señal de que quien los hiciera era algo más que un profeta; ¿estoy en lo cierto?

—Sí.

—¿Acaso se esperaba que el Mesías judío, aquel que vendría a liberar a su pueblo de los lazos de la esclavitud, a rescatarlo de manos de sus enemigos y a establecer el Reino de Dios aquí en la tierra, demostrara su autoridad haciendo milagros para el pueblo?

—No.

—Entonces, ¿cómo es que tú llamaste a Jesús el Cristo, el Mesías, basándote en los milagros que dices que hizo, cuando que no se esperaba que el Cristo tan ansiado hiciera ningún milagro?

El imponente hombre abrió y cerró los puños con nerviosismo.

—Matías —casi susurró—, hubiera creído que Jesús era el Cristo sin un solo milagro. Tan sólo sus palabras lo colocaban muy por encima de cualquier profeta que jamás haya vivido.

Ahora habíamos vuelto al punto de partida.

—Y no obstante, los más sabios de los sabios, los fariseos y los saduceos, siempre estaban desafiando a Jesús para que les mostrara una señal que atestiguara sus palabras. ¿Por qué era eso?

—A su estilo perverso, trataban de desacreditar cada una de sus palabras y de sus acciones. Cuando se tiene poca fe, son necesarias las señales para sobrevivir de un día a otro. Como dijo Jesús: "Bendito sea aquel que no tiene que ver lo rojo del cielo nocturno para saber que mañana hará buen día".

—Hablando de fe, entiendo que un día, cuando Jesús entró en Cafarnaúm, un centurión le suplicó que sanara a uno de sus servidores, enfermo de parálisis. ¿Recuerdas qué fue lo que sucedió?

Pedro asintió.

—Como si fuera ayer. Jesús dijo: "Iré a sanarlo", pero entonces el centurión respondió: "No soy digno de que entres a mi morada, pero di una sola palabra y mi servidor quedará sano". Cuando Jesús escuchó esto, dijo: "En verdad os digo que no he encontrado una fe tan grande en Israel".

—¿Empleó Jesús la palabra "fe"?

—Lo hizo.

—¿Y el servidor quedó curado?

—Jesús le dijo al centurión: "Sigue tu camino, y sea como tú has creído". Y el servidor quedó curado en ese mismo momento. Hasta este día vive en Cafarnaúm, en caso de que quieras verificar mi historia.

—Hubo una vez, en el lago, en que tú y los demás apóstoles se atemorizaron por una tempestad que enviaba las olas sobre la embarcación. Algunos de ustedes fueron en busca de Jesús, que dormía, y le dijeron: "Señor, sálvanos, que perecemos". ¿Qué les respondió Jesús?

Pedro se sonrojó:

—¿Cómo es que estás enterado de tales cosas?

—¿Qué fue lo que dijo Jesús cuando lo despertaron? —insistí.

—Se enojó con nosotros y preguntó: "¿Por qué temen, hombres de poca fe?"

—¿Nuevamente volvió a emplear la palabra "fe"?

—Sí, y entonces se puso de pie en la embarcación que se balanceaba e increpó a los vientos y al mar y después de eso vino una calma que nos aterrorizó aún más que la tempestad, ya que nos preguntábamos qué clase de hombre era éste, que hasta los vientos y el mar le obedecían.

—Pedro, como tú bien sabes, ese mar es famoso por sus turbonadas repentinas ocasionadas por los vientos del desierto que barren por encima de las montañas cercanas a sus playas, y descienden en medio de las aguas, empujando las olas en todas direcciones. ¿No es verdad que esas tempestades del mar de Galilea por lo general desaparecen tan rápidamente como se inician?

Pedro sonrió con tolerancia.

—Toda mi vida he sido pescador. Ninguna turbonada de verano, tal como la que acabas de describir, me hubiera causado alguna preocupación, puesto que he sobrevivido a cientos de ellas. Pero esa tormenta me había convencido de que esa noche todos dormiríamos en el fondo del mar, hasta que Jesús nos salvó.

—Hubo otra ocasión, que tú ya mencionaste, cuando una mujer que había padecido un flujo de sangre durante doce años se acercó a Jesús y tocó la orla de su vestido. Entiendo que se volvió hacia ella y le dijo: "Hija, consuélate, tu fe te ha sanado". ¿Volvió a emplear la palabra "fe"?

—Tus fuentes de información son muy buenas, Matías. Yo me encontraba a su lado cuando la mujer se acercó, y esas fueron las palabras exactas que pronunció.

—¿Recuerdas a los dos hombres ciegos?

—Por supuesto. Se presentaron delante de Jesús, en Cafarnaúm, gritando: "¡Hijo de David, ten piedad de nosotros!" Cuando le pidieron que los sanara él les dijo: "¿Creen que puedo hacer esto?" Le respondieron que así lo creían, y él tocó sus ojos, diciendo: "De acuerdo con su fe, así sea", y sus ojos se abrieron.

—Aquellos que creyeron, los que tenían fe en que él podía hacer milagros, sanaron de sus males, y quienes no creyeron no fueron curados. ¿Es una conclusión razonable?

Pedro objetó:

—Eso no es razonable. Había más en sus obras de lo que tú les atribuyes. No comprendes...

—Pedro, Pedro, trata de ser lógico. Seguramente, después de todos estos años, puedes separar la verdad de la exaltación de la histeria. Se me ha dicho que Jesús jamás hizo un milagro en su aldea natal de Nazaret. ¿Por qué? Porque la gente de ese lugar lo conocía como un carpintero y los carpinteros, por muy hábiles que sean, no pueden hacer milagros. La gente de su propia aldea no creía en sus poderes; ¡así que no podía hacer milagros para ellos! ¿Recuerdas otro incidente, uno acerca de una higuera en Betania?

Sus ojos se agrandaron:

—¿Cómo es posible que te hayas enterado de eso? Matías, ¿quién eres tú realmente?

—Háblame de la higuera.

—Jesús tenía hambre y se dirigió a una higuera que había en la pradera. No tenía frutos, porque no era la temporada, así que la maldijo y se alejó. Después se volvió hacia todos los que estábamos con él y dijo: "En verdad os digo, si tenéis fe y no dudáis, no solamente haréis esto que le fue hecho a la higuera, sino que también le diréis a esta montaña, apártate y arrójate al mar, y así se hará. Y todo lo que pidáis en la plegaria, creyendo, os será concedido".

Lentamente, repetí sus últimas palabras: "¿Creyendo, todo os será concedido?"

—Eso fue lo que dijo.

—En alguna ocasión, ¿tú y alguno de los demás apóstoles hicieron el intento de curar a un joven lunático, y fracasaron?

—Sí —murmuró—, y cuando no fuimos capaces de hacerlo, el padre del joven acudió a Jesús.

—¿Qué hizo Jesús?

—Dijo: "Oh, generación perversa y sin fe, ¿cuánto tiempo estaré con vosotros? ¿Cuánto tiempo tendré que soportaros? Traed al joven".

—¿Jesús les llamó "de poca fe"?

—Para vergüenza nuestra.

—Y después, ¿qué hizo?

—Curó al joven. Más adelante, nos dirigimos a él y le preguntamos por qué ninguno de nosotros había sido capaz de sanar al enfermo, y respondió: "Por su incredulidad, ya que en verdad os digo que si tenéis fe, aun del tamaño de un grano de mostaza, le diréis a esta montaña, apártate, y se apartará; y nada será imposible para vosotros".

—¿Otra vez la fe?

—Tan poca como un grano de mostaza.

—Pedro, ahora que ya has tenido muchos años para reflexionar en todos esos acontecimientos que tuvieron lugar durante la última semana de su vida, dime, ¿en verdad la fe de Jesús era tan poderosa que creía poder hacer algo más que mover montañas aun después de entrar a Jerusalén, una semana antes de la Pascua?

—No comprendo tu pregunta.

—¿Creía Jesús que solamente con los doce apóstoles podía liberar al pueblo del dominio romano, a pesar de los soldados de Pilato y aun de las legiones poderosas de Vitelio, que se encontraban a solamente dos días de camino, en Antioquía? ¿Esperaba hacer el milagro de milagros contra todas las fuerzas que se habían conjurado en su contra?

Pedro, igual que los demás, no había dado señales de perder el control de sí mismo ni de enojarse durante todo mi interrogatorio. Ahora respondió:

—Matías, creo que aún no has llegado a comprender la naturaleza de los milagros. El poder para hacerlos no proviene de la propia fe, sino de Dios. No obstante, debe existir la fe, a fin de que tu corazón y tu alma estén abiertos para que Dios pueda penetrar en ellos. Solamente así, cuando el Reino de Dios esté dentro de ti, pueden moverse las montañas.

—¡Y derrocar gobiernos! —repliqué mordazmente.

En ese momento, un servidor se acercó silenciosamente a nuestra mesa y colocó una ornada copa de plata delante de cada uno de nosotros. Después el joven las llenó de vino rojo, dejó la garrafa delante de José y se alejó. La interrupción no podía haberse presentado en un mejor momento para mí. Aun cuando Pedro había sido de lo más tolerante, sabía que se me estaba acabando mi tiempo con él y necesitaba esa pausa para planear mis preguntas restantes, de manera que llevaran a Pedro a explicar su paradero después de que Jesús fue aprehendido. Inexplicablemente, ninguno de los cuatro evangelios menciona su nombre, ni siquiera una vez durante las horas saturadas de dramatismo, entre los juicios de Jesús y la visita apresurada de Pedro a la tumba vacía, en compañía de Juan, aproximadamente cincuenta y seis horas después. ¿En dónde había estado y qué hacía mientras juzgaban y crucificaban a su maestro. Vacié mi copa y dije:

—Pedro, sé que esos días que rodearon la muerte y crucifixión de Jesús deben estar llenos de recuerdos dolorosos para ti, pero. . .

Se inclinó sobre la mesa y me dio una palmada en el brazo.

—Ya no están empapados en dolor, Matías. Ahora sé lo que en esa época mi mucha ignorancia y ceguera me impedían comprender.

—Bien. Poco tiempo antes de que Jesús fuera aprehendido, ¿te profetizó algo concerniente al canto de un gallo?

Su rostro se nubló momentáneamente.

—Lo hizo. Después de terminada la cena de Pascua en la casa de María y Marcos, mi hermana y mi sobrino, los doce salimos de allí cantando himnos. El joven Marcos nos acompañó hasta las puertas de la ciudad, antes de que yo lo enviara de regreso a su casa.

—¿Todos ustedes creían dirigirse de vuelta a su lecho, en Betania?

—Sí, pero mientras caminábamos, Jesús nos dijo ciertas cosas que nos hicieron retardar el paso. Dijo que nos separaríamos de él esa misma noche, ya que estaba escrito que el pastor sería aniquilado y las ovejas del rebaño se dispersarían. Nos apretujamos a su alrededor en medio de la oscuridad, suplicándole que nos diera una explicación, pero todo lo que dijo fue que después de levantarse iría delante de nosotros a Galilea. Algunos pensaron que planeaba despertar antes que nosotros, a la mañana siguiente, y viajar al Norte solo, hasta que más tarde nos reuniéramos con él, pero yo no podía aceptar sus palabras, así que nuevamente hablé, una vez más para mi eterno arrepentimiento.

Los ojos de Pedro estaban húmedos, y su voz temblaba; el interrogatorio empezaba a cobrar su precio.

—¿Qué dijiste? —le pregunté suavemente.

—En primer lugar, lo ceñí con mi brazo, como si quisiera protegerlo; después hice alarde de que aun cuando los demás se apartaran de él, yo jamás lo abandonaría. Acercó mi rostro al suyo, hasta que pude sentir las lágrimas que corrían por sus mejillas, y susurró a mi oído: "En verdad te digo que esta noche, antes de que cante el gallo, me negarás tres veces". Yo respondí: "¡Jamás! ¡Aun cuando tenga que morir contigo, no te negaré!" Él me besó en la mejilla y sonrió con tristeza.

—¿Les condujo a ti y a los demás a Getsemaní?

—Sí. Hay una pequeña vereda que cruza el huerto, asciende por el Monte de los Olivos y después baja por el otro lado hacia Betania. La habíamos recorrido con frecuencia, en vez de rodear el monte para seguir una ruta mucho más larga.

—He visto esa vereda, Pedro. ¿Te sorprendió que Jesús dijera que deseaba detenerse a orar en el huerto?

—Sí, sobre todo después de haber profetizado los terribles sucesos que tendrían lugar esa misma noche. Betania me parecía un lugar mucho más seguro que un huerto a oscuras, si es que estaba en peligro. También era muy tarde y hacía frío, y todos estábamos soñolientos debido a la cena y al vino. Aun así, siempre hacíamos su voluntad y, cuando nos pidió a Santiago, a Juan y a mí que permaneciéramos cerca de él, los demás se adelantaron por el huerto, senda arriba, en dirección a la gran cueva que tantas otras veces nos ofreció abrigo. Entonces, Jesús dijo: "Mi alma está llena de tristeza hasta el punto de morir; quedaos aquí y velad conmigo".

—¿Por qué debían velar?

Pedro se encogió de hombros.

—No dijo nada antes de alejarse para ir a arrodillarse, con los brazos apoyados sobre una gran roca plana. Las nubes ya no ocultaban la luna, de manera que podía verlo con toda claridad. Entonces lo oímos decir: "Padre mío, si es posible, aparta de mí este cáliz, pero no sea como yo quiero, sino como quieras tú". Lo siguiente que recuerdo es que sacudía mi cabeza suavemente, al tiempo que decía: "¿Conque no habéis podido velar una hora conmigo? El espíritu está pronto, pero la carne es débil". Antes de que yo estuviera completamente despierto ya se había alejado, y muy pronto lo oí exclamar en voz alta: "¡Padre mío, si esto no puede pasar sin que yo lo beba, hágase tu voluntad!" Pronto me volví a quedar dormido, al lado de Santiago y de Juan, que roncaban por el vino que habían bebido. La siguiente vez que Jesús me despertó, me dijo: "Mirad, ha llegado la hora en que el Hijo del hombre ha sido traicionado, para ser entregado en manos de pecadores. ¡Levantaos! ¡Vamos! Mirad que está cerca el que me entrega".

—Pedro —lo interrumpí—, durante los últimos seis años debes haber revivido esa noche miles de veces en tu mente.

—Tanto despierto como en sueños.

—¿Se te ha ocurrido alguna vez pensar que Jesús en realidad esperaba allí, en ese huerto, para que fueran a aprehenderlo y que si hubiera sido necesario hubiera permanecido en el mismo lugar toda la noche (o hasta que lo capturaran)?

José de Arimatea se quedó boquiabierto, pero el rostro de Pedro se iluminó, como si se sintiera complacido al encontrar a alguien que compartiera lo que debió ser un punto de vista de las minorías.

—Matías, ¡hace largo tiempo llegué a esa conclusión! Todo lo que puedo recordar que Jesús haya hecho durante esa última semana en la ciudad, parecía tener un único fin: desafiar a las autoridades para que lo aprehendieran. Derribó las mesas de los mercaderes en el Templo, pero los guardias tuvieron miedo de capturarlo, puesto que ya circulaban, en Jerusalén, los rumores de que había resucitado, en Betania, a un hombre muerto. Después increpó a los sumos sacerdotes y a los ancianos, insultó a los respetados fariseos delante de las multitudes, provocó a los escribas y a los partidarios de Herodes y, sin embargo, no se atrevieron a ponerle la mano encima mientras caminaba entre la multitud por temor a un levantamiento, que hubiera atraído sobre todos la espada de Roma. Para mí, si no para los demás, estaba muy claro que Jesús se había convertido en un hombre señalado para su ejecución, y la única pregunta que quedaba era cuándo y en dónde tendría lugar dicha ejecución.

—En verdad, Pedro, cometió suicidio, ¿no es así?

—¡No! ¡No lo hizo! ¡Ofreció su vida como un sacrificio para salvar a toda la humanidad; como un rescate para apresurar la venida del Reino de los Cielos!

Esquivé ese comentario; si me mezclaba en ese laberinto teológico, jamás lograría salir de él.

—¿Era un grupo muy numeroso el que llevó a cabo la aprehensión?

Pedro sonrió con amargura:

—Con todas sus antorchas y linternas, el huerto estaba más iluminado que a cualquier hora del día. Entre esa multitud había sumos sacerdotes, fariseos, saduceos, guardias del Templo y hasta un contingente de soldados romanos procedentes de la guarnición de Antonia: en total, unos doscientos o más, entre todos, incluyendo... a Judas.

—¿Sabes por qué traicionó Judas a su maestro?

—No, hasta la fecha sigue siendo un gran misterio para mí, Matías.

—Algo más me tiene perplejo en cuanto a la situación de Judas, Pedro. De acuerdo con los demás, Jesús lo alejó de la cena tan pronto como había comenzado, supuestamente para hacer algún encargo, o cuando menos eso fue lo que pensaron todos. Ahora bien, si fue directamente de la casa de tu hermana ante las autoridades, para informarles en dónde podían encontrar a Jesús, ¿por qué no fueron a buscarlo allí para aprehenderlo de inmediato? En vez de ello, transcurrieron casi seis horas antes de que capturaran a Jesús. ¿Sabes cuál fue la causa de ese retraso?

—No, no lo sé; pero sí sé que el grupo que iba a efectuar la aprehensión se dirigió primero a la casa en donde habíamos celebrado la cena pascual, pero para entonces pasaron muchas horas y nosotros ya habíamos salido de allí.

—¿Por qué arrestaron solamente a Jesús?

—A Juan y a mí también nos capturaron, pero mientras nos conducían a los tres fuera del huerto, uno de los sacerdotes acercó su linterna a nuestros rostros y nos escupió, antes de decir a los guardias que Jesús era el único a quien Caifás quería. Nos desataron las manos y nos arrojaron al suelo, en donde todos nos dieron puntapiés, sobre todo los soldados, antes de llevarse a nuestro Señor. Cuando finalmente logramos ponernos de pie, volvimos al huerto, llamamos a Santiago y a los demás, pero el lugar se encontraba desierto.

—Estoy enterado de que ustedes dos no regresaron a Betania. Dime qué fue lo que hicieron.

—Empezamos a subir por el sendero, entonces recordé el alarde que hice a Jesús de que jamás lo abandonaría aun cuando los demás lo hicieran. Me detuve y dije a Juan que volvería al lado de Jesús; él dio la vuelta y me siguió. A pesar de que la mayor parte de las linternas y antorchas fueron extinguidas para no alarmar a la gente de la ciudad, que todavía se encontraba despierta, no era difícil seguir al grupo que lo había arrestado. Primero se dirigieron a la casa de Anás, que había sido sumo sacerdote durante muchos años y, además, era el padre político de Caifás. Cuando llegaron allí, la cohorte romana partió de regreso a Antonia, como si su trabajo hubiera terminado. Después de permanecer en la casa de Anás sólo durante un periodo muy breve, los guardias del Templo condujeron a Jesús aquí, a la parte alta de la ciudad, a la casa de Caifás.

—¿Qué hicieron Juan y tú?

—¿Hacer? ¿Qué podíamos hacer? Teníamos el rostro y el cuerpo doloridos a causa de los golpes de las romanos, estábamos casi exhaustos por la falta de sueño y nuestros corazones estaban turbados por el dolor. Nuestro amado maestro, a quien queríamos más que a la vida misma, había sido arrastrado por las calles como el más despreciable de los criminales y no podíamos hacer nada para ayudarlo. Nos acurrucamos frente a un pequeño fuego que ardía en el patio de la casa del sumo sacerdote, esperando alguna noticia del interior. Pronto llegaron varios miembros del gran sanedrín, uno o dos a la vez. ¿Qué estaban haciendo con nuestro maestro? Poco después, uno de los servidores del sacerdote salió al patio, acusándome de haber sido visto en compañía de Jesús de Galilea. ¿Y acaso me puse de pie, admitiendo lleno de orgullo que era su amigo y seguidor? ¡No! En vez de ello, negué que lo conocía y me acerqué más al pórtico, en espera de verlo. Antes de que transcurriera mucho tiempo, pasó una sirviente cerca, gritando que yo era amigo de Jesús. Nuevamente negué conocerlo, pero sus palabras atrajeron la atención de algunos de los guardias que entregaron a Jesús en manos de Caifás; se me acercaron y dijeron que, ciertamente, debía ser cómplice del prisionero, puesto que hablaba como galileo. Los maldije afirmando que ni siquiera lo conocía.

Aun cuando sabía lo que estaba a punto de escuchar, quise oírlo de labios de Pedro. Pero tenía que esperar; el hombretón había ocultado la cabeza entre sus manos y los desgarradores sollozos que escapaban de su ancho pecho casi eran más de lo que yo podía soportar. José de Arimatea volvió la cabeza.

Finalmente, Pedro separó sus gruesos dedos, me miró entre ellos y preguntó con un tono de voz dolorido:

—¿Quieres saber lo que sucedió después, Matías? ¡Te lo diré! Después de haber negado a mi Señor por tercera vez, tal y como él dijo que lo haría, te juro que escuché el canto de un gallo, justamente antes de sentir que me derrumbaba, cayendo hasta el suelo y hacia la bendita evasión de un profundo sueño.

¿Un choque? La huida máxima de la mente para escapar al dolor físico o al golpe devastador de un acontecimiento inesperado y abrumador, que se presenta como algo sorpresivo para la psiquis y que, por lo general, se caracteriza por una disminución de la presión sanguínea, un pulso débil y acelerado y, con frecuencia, acompañado por la inconsciencia.

—¿Qué es lo siguiente que recuerdas? —le pregunté suavemente.

—Recuerdo haber escuchado el terrible sonido de mujeres que sollozaban y se lamentaban, como aquel que no es posible evitar durante los días de duelo que siguen a un entierro. Abrí los ojos y vi a Juan inclinado sobre mí, y me sentí aliviado por su presencia, pero cuando traté de preguntarle por qué lloraban las mujeres, ni siquiera pude mover las mandíbulas. Reconocí la habitación en donde yacía como la de mi sobrino, Marcos, y así supe que me encontraba en la casa de mi hermana y, luego, debo haber vuelto a quedarme dormido.

—¿Cómo te las arreglaste para llegar hasta allí desde el patio del sumo sacerdote, después de caer?

Pedro sonrió avergonzado.

—Posteriormente, Juan me dijo que no había podido levantarme del suelo y mucho menos cargarme, así que corrió hasta aquí, con José, en busca de ayuda, y gracias a los brazos fuertes de Shem se las arreglaron para colocarme en su carruaje y llevarme a casa de María, el sitio en donde celebramos nuestra cena en compañía del Señor, no hacía muchas horas.

—¿Qué otra cosa recuerdas?

—Un sueño. Mientras dormía, pude contemplarme pescando, desde mi vieja embarcación, y a Jesús que llegaba hasta mí caminando sobre las aguas; cuando vi que era el Señor, salté al mar para ir a su encuentro y sentí que me hundía bajo las olas antes de que él me tomara de las manos y me sostuviera; entonces desperté, empapado en sudor, llamándolo a gritos por su nombre; Juan me enjugó la frente y me consoló hasta que volví a conciliar el sueño.

—En ese momento, ¿aún no sabías que Jesús había sido juzgado, crucificado y sepultado?

—No supe nada de lo que pasó hasta esa primera mañana después del sabat, cuando desperté y le dije a Juan que tenía hambre; de inmediato mi hermana me llevó un tazón de sopa caliente. No fue sino hasta que el tazón quedó vacío cuando Juan me dijo que nuestro Señor estaba muerto, crucificado a manos de Pilato y del sumo sacerdote. Juntos derramamos muchas lágrimas y volví a desplomarme sobre el lecho, y oré para que se nos concediera la fuerza que todos necesitaríamos para sobrevivir sin nuestro amado maestro. Hubiera recibido la muerte con beneplácito en esos momentos, ya que no tenía ningún deseo de hacer frente a la vida sin Jesús a mi lado.

Ahora me encontraba, nuevamente, de vuelta a esa mañana siguiente al sabat judío, ese día fatídico del descubrimiento: el domingo de Pascua.

—¿Qué sucedió después, Pedro?

Alzó uno de sus poderosos puños, y dijo:

—De pronto escuché fuertes gritos en la habitación y sentí un cuerpo que caía sobre mí. Al abrir los ojos, vi el rostro atemorizado de María Magdalena muy cerca del mío, y me clavaba las uñas en los hombros gritando: "¡Se han llevado al Señor, lo han sacado de la tumba y no sabemos en dónde lo han depositado!" Repetía esas mismas palabras una y otra vez, sin dejar de sacudirme, hasta que Juan la apartó de mí y llegó mi hermana para llevársela. Mis pensamientos aún estaban nublados por el sueño y la fiebre, pero sospeché que la pobre mujer había vuelto a perder la razón. En una ocasión había estado poseída por siete demonios, antes de que el Señor le impusiera las manos, y pensé que los acontecimientos de los días pasados la habían hecho recaer en su antiguo mal.

—¿Y qué fue lo que hiciste?

—De alguna manera, reuní las fuerzas necesarias para arrastrarme fuera del lecho, me puse la túnica y las sandalias y le pregunté a Juan si sabía en dónde habían sepultado a Jesús; él asintió. Le indiqué que deberíamos ir a la tumba para ver con nuestros propios ojos si lo que decía María Magdalena era verdad. Ambos salimos apresurados, pero como Juan era más joven, llegó a la tumba mucho antes que yo. Cuando, finalmente, penetré en el jardín, no muy lejos de la colina del Gólgota en donde Juan me dijo que habían crucificado a Jesús, él ya se encontraba parado a un lado de la entrada de la tumba, esperándome. Apoyada contra el sepulcro estaba una gran piedra redonda que había sido rodada lejos de la entrada. La voz de Juan parecía la de un niño pequeño cuando me dijo: "¡La tumba está vacía!"; inmediatamente penetré en su interior.

—¿Viste a algunos soldados en las cercanías, a los guardias del Templo, o alguien más?

—A nadie. Una vez en el interior de la tumba, casi podía erguirme, y allí, en un hueco cavado en la roca, pude ver la sábana con que fue cubierto el cuerpo, y pude percibir la fragancia intensa de las especias. La sábana era el acostumbrado trozo de lino, largo y estrecho, empleado para dar sepultura, que se enrolla varias veces alrededor del cuerpo, insertando especias y hierbas entre los pliegues, a fin de impedir la corrupción del cuerpo. Esa sábana aún parecía envolver algo, pero cuando me atreví a colocar mi mano sobre la tela, ésta se vino abajo y algunas de las especias cayeron de sus pliegues hasta el suelo de la cueva. En el mismo hueco, y muy cerca de la sábana, estaba el lienzo que siempre se coloca sobre la cabeza del difunto. Cuando salí de la tumba, Juan entró y pronto salió gritando: "¡Ahora creo!", y ambos nos arrodillamos para decir una plegaria de acción de gracias a Dios por haber resucitado a nuestro Señor de su tumba.

—¿Ambos creyeron que había resucitado de entre los muertos?

—¡Lo sabíamos! Le dije a Juan que se apresurara a ir a Betania, al hogar de Marta y María, pues estaba seguro de que los demás se ocultaban allí, y se llenarían de gozo al escuchar las nuevas de que nuestro amadísimo Señor había cumplido su profecía. También dije a Juan que advirtiera a los demás que no debían decir nada de ello a ningún hombre, por temor a que las autoridades fueran a pensar que nosotros habíamos retirado el cuerpo y nos causaran más problemas. Entonces, regresé a la casa de mi hermana.

—Pedro, cuando entraste por primera vez a la tumba, ¿pudiste ver una gran cantidad de especias y hierbas sobre el piso?

—No, solamente su aroma llenaba el lugar.

Me volví a José, quien me miraba con severidad, como si mi última pregunta lo hubiese ofendido.

—Nicodemo y tú prepararon el cadáver para darle sepultura. ¿Emplearon la cantidad prescrita de mirra y áloe?

—Por supuesto que sí, Matías —respondió el anciano con voz irritada—. Y aun más de la cantidad prescrita, todo ello colocado con sumo cuidado entre los pliegues de la larga sábana, a medida que envolvíamos el cuerpo.

—¿No estaban de prisa debido a que se aproximaba el sabat, que se iniciaría a la hora de la puesta del sol?

—Teníamos prisa, pero disponíamos del tiempo suficiente para preparar el cuerpo de acuerdo con la ley. ¿Por qué lo preguntas?

—Me preguntaba por qué, si alguien robó el cuerpo de Jesús, se tomó la molestia de desenrollar los metros de tela de su cuerpo, retiró cuidadosamente todas las especias que se encontraban entre cada capa para evitar que cayeran al suelo, retiró el lienzo de su rostro y se llevó el cuerpo desnudo de la tumba. Después, una vez hecho todo eso, ¿por qué volvería a enrollar cuidadosamente la sábana, dejándola de nuevo en la gaveta después de introducir todas las especias entre sus pliegues, colocó el lienzo en el sitio en donde había descansado su cabeza y se fue *sin volver a poner otra vez la piedra* frente a la entrada para ocultar su crimen? ¿Por qué no simplemente retiró la piedra, se llevó el cuerpo con la sábana, las especias y todo, volvió a rodar la piedra para ocultar el robo y desapareció? Parece mucho más lógico, ¿no es así? Tal y como has descrito la escena en la tumba, es exactamente como alguien la dejaría para engañar al público a fin de que creyese que Jesús había resucitado de entre los muertos.

Pedro volvió a caer sentado en la silla como si yo lo hubiera golpeado. Se me quedó mirando con los ojos vidriosos y parecía más traicionado y decepcionado que enojado.

—No te he dicho sino la verdad ¡y tú me respondes con rumores que aún no han podido desaparecer, porque están alimentados constantemente por las víboras de esta ciudad! ¡Podrás ser un historiador de gran talento e integridad, Matías, pero permaneces ciego ante la verdad en cuanto a Jesús!

Trató de ponerse de pie, pero coloqué mi mano vacilante sobre su hombro y siguió sentado. Con su voz potente resonando contra las paredes del peristilo y sus ojos oscuros centelleando al ritmo de sus palabras, era difícil imaginar a ese hombre negando a su maestro tres veces en una noche.

—Perdóname, Pedro, sólo trato de comprender algo sumamente complejo, y ahora me encuentro más confundido que nunca. He escuchado de muchos, incluyéndote a ti mismo, que Jesús ofreció su vida como sacrificio por toda la humanidad, como un rescate para apresurar la venida del Reino de los Cielos. ¿Debo concluir que Jesús, a través de su propia muerte, esperaba consumar lo que sus enseñanzas no lograron? ¿No había una mejor forma para alcanzar su propósito, que no dejara ninguna duda en la mente de nadie en cuanto a quién era y lo que pretendía hacer por su pueblo?

—¿Cómo?

—Durante el curso de mis investigaciones, no he encontrado un solo informe de algún milagro realizado por Jesús durante su última semana en esta ciudad. Con las grandes multitudes reunidas en Jerusalén y en el Templo para la semana de Pascua, en vez de atacar a los mercaderes, a los sumos sacerdotes, a los fariseos y a las demás autoridades, ¿no hubiera sido mucho más prudente para Jesús hacer un solo milagro para las multitudes, un milagro tan majestuoso y lleno de inspiración que todos los hombres, aun los sumos sacerdotes, hubieran reconocido que verdaderamente era su Mesías, y aun el Hijo de Dios?

Pedro se puso de pie de un salto y se inclinó hacia mí hasta que su rostro, cubierto de sudor, estuvo a unos cuantos centímetros del mío.

—¡Lo hizo!

—¿Hizo qué cosa?

—Hizo un milagro así ¡tal y como el que acabas de describir?

—¿Cómo? ¿Qué milagro?

—Jesús se dejó juzgar, atormentar y flagelar, dejó que lo crucificaran y sepultaran como hombre. Al tercer día salió de su sepulcro como el Hijo de Dios, y las condiciones especiales de su tumba fueron las que *Él* dejó, ¡no para engañar a la gente, sino como una señal de que en verdad resucitó de entre los muertos por voluntad de su **Padre!**

Mucho tiempo después de que Pedro partió, José y yo seguimos sentados a la mesa, sorbiendo vino casi en silencio. El aura y el carisma de Pedro todavía flotaban a nuestro alrededor. Finalmente, el anciano dijo:

—Matías, a pesar del desengaño que quizá experimentas, creo que has hecho grandes progresos.

Como no respondí, continuó:

—Ya has hablado con Santiago, el hermano de Jesús; con Mateo; con Santiago, el hijo del trueno... y ahora con Pedro. Dime, ¿aún crees que esos hombres a quienes has conocido son la clase de hombres que arriesgarían sus vidas todos los días en esta ciudad predicando la resurrección de Jesús a sabiendas de que es una mentira? ¿Y eso para buscar ganancias y poder personales?

Sintiéndome frustrado ante la posibilidad de verme obligado a tachar otros dos nombres de mi lista menguante de sospechosos, repliqué con impaciencia:

—José, la historia de este mundo está llena de hombres y mujeres que han vivido una vida de mentiras a fin de llenar sus bolsillos, para obtener el poder o para conservarlo una vez que lo tienen.

—¿Y qué hay de ti, Matías? ¿Podrías vivir tú una vida basada en mentiras?

—Tal vez —me escuché decir— en ciertas circunstancias.

José se rascó la nariz y me estudió de cerca.

—Dices que podrías vivir una vida basada en mentiras y admitiré que eso es posible para cualquiera de nosotros. Pero, ¿entregarías tu vida por una mentira?

—No, por supuesto que no —respondí bruscamente—. Ni siquiera un tonto haría eso.

¡Jaque! Tan pronto como esas palabras salieron de mi boca, supe que había sido atrapado. Esperé impotente a que José de Arimatea acabara de encerrarme en sus lazos.

—Matías, ¿consideras que alguno de los hombres que has conocido hasta ahora sea un tonto?

—No —admití.

—Y en tus extensas investigaciones, ¿llegaste a enterarte del destino final de Santiago, el hermano de Jesús?

¡Jaque mate!

—Sí —respondí de mala gana—. Será lapidado por órdenes del sumo sacerdote Anás en el año 62 d. C.

—¿Y Mateo?

—La tradición dice que morirá como un mártir en Etiopía.

—¿Y Santiago, el hijo del trueno?

—Será decapitado por Herodes Agripa, en el año 44 d. C.

—¿Y Pedro? ¿Qué destino le aguarda a nuestro amigo Pedro?

—Pedro será crucificado en Roma en el año 68 d. C., con la cabeza hacia abajo, en una cruz de madera. Él pedirá ser crucificado así, puesto que no se cree digno de morir en la misma posición que el Señor.

—Sí —dijo el anciano al tiempo que se ponía de pie—. Yo diría que has hecho grandes progresos, si se considera que apenas es tu tercer día. Ahora, si no se altera mucho tu programa, ¿te gustaría, después de comer, acompañarme a entregar mi diezmo anual para el Templo al sumo sacerdote Caifás, en su casa? Estoy seguro de que podrás añadir uno o dos hechos a tu colección.

—¿Puedo preguntarle todo lo que quiera, sin causarte problemas?

—Sí, siempre y cuando acceda a recibirte en privado.

—¿Aun por qué ha hecho que nos siga un encapuchado? El anciano se rió entre dientes.

—Puedes ahorrarte el aliento en cuanto a eso. Me he enterado de que ha sido Pilato quien nos ha mandado espiar, y no Caifás.

—Y, más adelante, llegaremos a Pilato, ¿no es así?

—Si él no llega primero a nosotros.

9

—¿Jesús?

—Sí.

—Jesús... Jesús —murmuró—. Es un nombre tan común...

—Un joven predicador, de Galilea. Fue crucificado por Pilato hace unos seis años.

Sus ojos, que tenían un tono café rojizo de herrumbre se entrecerraron.

—Ah, sí, sí, lo recuerdo. ¡Un alborotador! Cada año hay muchos falsos profetas que ponen a prueba nuestra paciencia; ese hombre realmente se creía enviado por Dios para redimir personalmente los pecados de todos. Andaba por ahí levantando a las multitudes con promesas de un nuevo reino aquí en la tierra, un acto flagrante de sedición contra Roma. De acuerdo con mi juramento de proteger la seguridad de mi pueblo, no tenía otra alternativa que entregarlo a tu apreciado procurador, Pilato, para un castigo bien merecido.

Me encontraba a solas con el sumo sacerdote de los judíos, José Caifás, en una de las habitaciones del segundo piso del palacio en donde Jesús fue juzgado y condenado a muerte, sentado a sólo unos cuantos centímetros de distancia del hombre que, según Mateo, Marcos, Lucas y Juan, fraguó todo. Al escuchar la docta declaración de Caifás, casi lo compadecí. ¿Cómo iba a imaginar, ni siquiera en sus más extravagantes sueños, que su nombre, junto con el de Herodes y Pilato, perduraría para siempre rodeado de infamia?

José de Arimatea, bendito sea, se las había arreglado de alguna manera para obtener una audiencia privada para mí. Después de entregar su diezmo, un enorme cofre que con gran esfuerzo fue llevado por Shem a las bóvedas subterráneas del palacio, el anciano soportó con amabilidad las efusivas muestras de gratitud de varias decenas de jóvenes sacerdotes, que cumplidamente formaron una línea de recepción para abrazarlo, uno a uno, dándole un beso en cada mejilla. Luego fue conducido al piso superior para reunirse con Caifás, mientras yo esperaba con gran nerviosismo en el activo vestíbulo, pretendiendo ignorar a los transeúntes que pasaban y volvían a pasar, atraídos por la franja púrpura de mi túnica. Por lo visto, pensé, los ciudadanos romanos no son visitantes frecuentes de la casa del sumo sacerdote.

Finalmente, José descendió los gastados peldaños de mármol, después de un tiempo que me pareció sumamente largo, y me dio una palmada en el hombro.

—Tienes suerte, Matías, su excelencia ha aceptado recibirte de inmediato. Te esperaré aquí. Puesto que aún soy miembro del sanedrín, que él preside como siempre, temo que mi presencia pueda detener sus respuestas. Sin embargo, le hablé mucho de ti y parece estar algo más que dispuesto a responder a tus preguntas —dijo guiñándome un ojo, gesto que en sus rasgos llenos de dignidad me pareció casi grotesco—. Ojalá que encuentres la verdad —añadió, empujándome de manera suave.

Mientras subía por la larga escalinata, no dejaba de preguntarme qué pudo decirle el anciano al guía espiritual del pueblo judío que lo impresionara tanto para que interrumpiera sus innumerables actividades, a fin de ser entrevistado por un historiador desconocido. No tardé mucho en averiguarlo.

—¿Y cómo están las cosas en Roma, señor?

¡Cuidado! Recuerda, estamos en el año 36 d. C. ¿Cómo estaban las cosas ese año, en la antigua ciudad a orillas del Tíber? Con una sonrisa forzada, respondí:

—Su excelencia, he estado viajando durante muchos meses, pero, cuando menos en lo que respecta a Roma, todo estaba tranquilo y en paz la última vez que estuve allí.

—¿Y Tiberio? ¿Cómo se encuentra de salud tu emperador?

—Por supuesto, Tiberio aún se encuentra en Capri, así que no sabemos mucho de él, excepto rumores. Me imagino que las cosas no deben ser fáciles para él, ahora que Sejano ya no vive para encargarse de los asuntos de la capital.

Caifás chasqueó la lengua.

—Algo terrible, ese asunto de Sejano. Pensar que llegaría a traicionar a su emperador después de que éste depositó en él toda su confianza.

Experimenté un impulso repentino de preguntarle lo que pensaba de un hombre llamado Judas Iscariote, pero eso vendría después.

—¿Sabías que Pilato era amigo de Sejano? —preguntó.

—Sí, eso he oído decir.

—Me sorprende que no hayan reemplazado al procurador, ahora que su mentor ha sido estrangulado por el senado.

¿Acaso me estaba poniendo a prueba? Me encogí de hombros y dije:

—Pilato ya ha prestado aquí sus servicios durante diez años, de manera que supongo que Vitelio debe tener una gran confianza en él.

Su expresión permanecía inalterable.

—¿Y cómo se encuentra nuestro gobernador? Sin lugar a dudas, estará disfrutando del clima de Antioquía. José me dijo que ustedes dos son viejos amigos, y que fueron vecinos en tu infancia.

¡De manera que fue así como llegué hasta aquí tan fácilmente! Con toda seguridad, el hombre de Arimatea había adornado la descripción que hizo de mí a Caifás con tantas alusiones e indirectas, que logró que este último sospechara justamente lo que José quería que sospechara: que quizá yo andaba husmeando en busca de algo más que material histórico. Y desde luego, cualquier amigo del gobernador podía tener la seguridad de recibir la mejor atención en este palacio. Traté de parecer un tanto evasivo:

—El gobernador, como siempre, goza de buena salud.

No escuché que llamaran a la puerta, pero cuando Caifás se volvió diciendo en voz alta: "¡Adelante!", apareció un joven vestido de negro, que llevaba varios rollos en un cesto de mimbre y se inclinó disculpándose.

—Te suplico me disculpes... Matías, ¿no es así? Debo firmar todo esto para que puedan colocarlo hoy mismo en el Templo.

Me recargué hacia atrás, agradecido por la oportunidad que se me presentaba para estudiar al hombre. No había nada en su manera de ser calmada o en su voz baja y casi benévola, que ofreciera algún indicio del ser tortuoso y de sangre fría que mis investigaciones entre una gran mayoría de escritores e historiadores reconocidamente predispuestos me habían llevado a creer que debía ocultarse bajo esas ropas suaves de lino. Antes que él, los sumos sacerdotes que lo precedieron desaparecían con tanta rapidez que en los últimos sesenta y cinco años, quince de ellos ocuparon el cargo, tres por menos de nueve meses; sin embargo, este hombrecillo, de apariencia inofensiva y humilde, ya había durado siete años bajo las órdenes del procurador Valerio Grato y los últimos diez años bajo su sucesor, Poncio Pilato.

Excepto por unos labios excesivamente delgados y pálidos, su rostro, sin arrugas, no tenía ningún rasgo sobresaliente y su barba recortada en punta, de un tono blanco purísimo, era igual a muchas otras que se veían por el vestíbulo y el Templo. Su pecho estaba cubierto por un chaleco ceñido, tejido con hilo dorado y azul, atado sobre una camisa de lino lustroso teñido de rojo, sobre unos pantalones que hacían juego. En los pies, del tamaño de los de un niño, calzaba unas zapatillas de malla de oro. Un asceta en vestiduras de la realeza.

Cuando el empleado, finalmente, salió de la habitación, Caifás de inmediato reanudó nuestra conversación, como si jamás se hubiera visto interrumpida. Una habilidad que denotaba al buen funcionario.

—¿Cuánto tiempo hace que no ves a Vitelio? —preguntó informalmente.

—Tres meses, quizá cuatro —mentí incómodo, preguntándome cómo podía cambiar de tema, antes de verme atrapado.

—Ha sido un gobernante justo y comprensivo para nuestro pueblo. Debe experimentar un gran placer al saber que las provincias bajo su mando, incluyendo ésta, por fin obtendrán el reconocimiento que merecen en todo el imperio, cuando tu obra empiece a circular.

—Espero no decepcionarlo —respondí.

—Pero Matías, con todos los grandes reyes, guerreros y profetas que llenan el pasado de esta nación, no puedo comprender por qué un hombre como Jesús merece ni siquiera una sola palabra de tu pluma.

Estaba a punto de contestar, pero vacilé. José me había llevado hasta este punto con sus ficciones en cuanto a mi persona; ¿debería recorrer el resto del camino? y, ¿daría resultado? Respiré profundamente y le dije, con el rostro más inexpresivo que pude.

—Fue por sugerencia de Vitelio como inicié mis investigaciones en relación con Jesús.

—¿De Vitelio? —dijo, y su voz se quebró—. Pero, ¿por qué? ¿Por qué motivo? El nombre de Jesús apenas es como la mancha de una mosca al lado de los nombres de los grandes profetas.

—Excelencia, sé que Vitelio aprecia grandemente tus opiniones, pero, aparentemente, ambos difieren en lo que respecta a este asunto. La última vez que lo visité, me explicó que en el pasado, siempre que un movimiento rebelde quedaba fuera de control, la forma más segura de ponerle fin era colgando a su dirigente de una cruz de madera. Me dijo que esto no sucedió cuando Jesús fue ejecutado; por el contrario, seis años después de que Pilato lo crucificó, el movimiento ha crecido tanto que ya sobrepasa las fronteras de este país y aun prospera en Antioquía, bajo las mismas narices del gobernador. Dijo que cualquier hombre capaz de inspirar esa clase de adhesión tanto tiempo después de su muerte, quizá haya sido el más grande de los profetas nacidos aquí, así que sugirió que tal vez podría incluir la historia de Jesús junto con las de otros.

Durante un momento efímero creí ver un relámpago de temor en los ojos de mi anfitrión. Se recargó sobre la pequeña cubierta de ónix de la mesa y preguntó:

—¿Qué has podido averiguar hasta ahora en relación con este... este Jesús?

Sacudí la cabeza con desánimo.

—Mientras más escucho acerca de él, más confundido me siento. Algunos pretenden que es el Mesías del pueblo judío y ahora, cada día esperan su regreso, como seguramente se habrá dado cuenta, en el patio del Templo. Otros niegan que haya sido algo más que un charlatán y un hechicero. Algunos pretenden haber sido testigos de que curó a los enfermos, devolvió la vista a los ciegos y aun resucitó a los muertos, mientras que otros insisten en que sólo era un mago y un agitador de la chusma. Y muchos han llegado a creer que él mismo resucitó de entre los muertos al tercer día de su sepultura, en tanto que otros dicen que su cuerpo fue retirado de la tumba a fin de engañar al pueblo. Es por ello que persuadí a mi amigo José para que tratara de concertar una cita entre nosotros dos, pues sé que de ti, el hombre más santo y respetado de todo Israel, podré escuchar la verdad.

Caifás asintió, aparentando estudiar los diseños tejidos de su túnica. Se estiró el lóbulo de una oreja y después el otro.

—Muy bien —dijo—, haré todo lo que esté en mis manos para ayudarte a conocer la verdad en lo que se refiere a ese hombre. Sin embargo, debes tener presente que estamos hablando de sucesos que tuvieron lugar hace seis años y los recuerdos, sobre todo los desagradables, tienden a desvanecerse. ¿Qué es exactamente lo que quieres saber?

—Empecemos, si así lo permites, desde el momento en que estuviste consciente de Jesús por primera vez y, para simplificar nuestras discusiones, vamos a considerar todos los acontecimientos relacionados con su crucifixión.

El sumo sacerdote se acarició la barba, y empezó a hablar con lentitud, escogiendo sus palabras con sumo cuidado.

—Por lo que puedo recordar, comenzamos a escuchar historias acerca de este Jesús quizá diez meses antes de su ejecución; era la misma clase de rumores de siempre. Como bien sabes, cada judío espera la llegada del Mesías, que pondrá en manos de nuestro pueblo un Reino de Dios perpetuo, aquí en la tierra. Dios prometió en una ocasión a nuestro antepasado Abraham que en él y en sus descendientes sería bendecido todo el mundo, y que algún día llegaría a gozar de los frutos de la paz y la abundancia. Nuestra creencia es que Dios no ha dejado de recordarnos su promesa a través de las palabras de aquellos a quienes llamamos profetas, hombres como Isaías, Jeremías, Samuel, Ezequiel y Moisés. Como es de esperar, resulta inevitable que un país que ha proporcionado tantos verdaderos mensajeros de la palabra de Dios, también genere incontables falsos profetas, motivados por el egoísmo e intereses mezquinos. Una de mis principales obligaciones, como sumo sacerdote, es proteger la pureza e integridad de Israel contra el veneno de esa clase de impostores, por cualesquier medios que tenga a mi disposición.

—¿Consideraste a Jesús otro falso profeta?

—En un principio, ni siquiera lo tomé en cuenta. Hubo varios informes de amigos en Galilea, que decían que este hombre había curado una enfermedad u otra, pero les presté muy poca atención, puesto que implicaban a un carpintero ignorante, que procedía de una aldea muy pobre llamada Nazaret.

—¿Un hombre del que se informaba que tenía el poder de sanar, y ni siquiera experimentaste algo de curiosidad?

—¿Por qué debía sentirla? Tenemos a muchos magos y hechiceros que recorren todas nuestras tierras engañando a la gente; esa clase de informes es muy común. No obstante, algunas semanas después de recibir el primer informe, me llegó otro que despertó mi cólera, así como mi curiosidad.

Asentí en señal de que continuara.

—Parece que una familia cuyo hijo estaba afligido con una parálisis lo llevó en su camilla hasta una casa en Cafarnaúm, en donde Jesús se encontraba predicando, pero la multitud era tan grande que no pudieron entrar, así que subieron al joven al tejado en su camilla, apartaron la paja y lo bajaron por medio de una cuerda hasta la habitación en donde estaba Jesús. Cuando Jesús vio esto se sintió tan conmovido por su fe que dijo: "Hijo, tus pecados te sean perdonados". Varios escribas se encontraban allí, incluyendo al que después me informó de este incidente, y todos se preguntaban cómo era posible que Jesús se atreviera a pronunciar tal blasfemia, ya que sólo Dios puede perdonar los pecados. Aun cuando no pronunciaron una sola palabra de protesta, por temor a la multitud, Jesús se volvió a los escribas y les preguntó por qué pensaban así en sus corazones. Entonces, les interrogó qué era más sencillo: ¿decir al joven que sus pecados le eran perdonados, o bien, decirle que se levantara y caminara? Dijo que para demostrar que el Hijo del hombre tenía el poder de perdonar los pecados en la tierra, hablaría nuevamente al joven, y así lo hizo; dijo: "Levántate, toma tu cama y vuelve a tu casa". Y de acuerdo con mis testigos, el joven se levantó, tomó su camilla y se alejó de la multitud, que se quedó asombrada.

—Caifás —le dije, dirigiéndome de manera deliberada a él por su nombre—, una curación de esa naturaleza, ¿es común entre los magos que dices que se ven por doquiera?

—No, todos los que se encontraban presentes dijeron que jamás antes vieron cosa igual, especialmente que se trataba de una parálisis.

—¿Qué quiso decir Jesús cuando se refirió a sí mismo manifestando que era el "Hijo del hombre"?

El sumo sacerdote se encogió de hombros.

—Es una frase que aparece en muchos de nuestros escritos y salmos, y que significa un hombre sencillo y puro.

No pude evitarlo.

—Pero, ¿acaso tu profeta Daniel no escribió que "alguien como el Hijo del hombre llegó con las nubes del cielo... y se le otorgó un reino... un reino perdurable"?

Caifás se irguió en la silla, observándome con una mirada de sospecha.

—Sí —admitió débilmente pero sin ofrecer ninguna explicación y sin refutarme.

—Entonces, el empleo de esa frase "Hijo del hombre", pronunciada por Jesús, ¿no te causó la menor preocupación?

—No —dijo recobrando su voz normal—, pero sí me preocupó la blasfemia. La pretensión de tener el poder de perdonar los pecados es una ofensa muy grave contra Dios y, según nuestras leyes, es algo que se castiga con la muerte por lapidación. De inmediato envié mensajes a varios miembros y sacerdotes del Templo que viven en la región del Norte, pidiéndoles que me mantuvieran informado con exactitud de todo lo que ese hombre hacía o decía. El sanedrín, nuestra suprema corte en este lugar, no tiene ninguna autoridad fuera de la provincia de

Judea. Sin embargo, quería estar preparado para el momento en que Jesús llegara a Jerusalén, como era seguro que lo haría, para los días festivos.

—En los meses que siguieron, ¿qué fue lo que llegaste a saber referente a sus actividades?

—En verdad, eran una mezcla de cosas buenas y malas. Nos enterábamos de que Jesús había curado a un leproso y a dos ciegos y, al mismo tiempo, no dejaba de comer y beber en compañía de publicanos y pecadores. Hacía hablar a un mudo y curaba a alguien poseído por los demonios, y después se dedicaba a cosechar el maíz durante el sabat y a comer sin antes lavarse. En una ocasión, llegó a curar a un hombre que tenía la mano seca, ¡y fue tanto su descaro que lo hizo delante de una multitud, en un sabat!

—Pero, ¿no fue reprendido en ambas ocasiones por los fariseos, y les respondió con tal lógica que fueron incapaces de hacer frente a sus razonamientos, por lo cual se retiraron y empezaron a planear la forma de acabar con él?

Caifás me miró estupefacto.

—¿Qué estás diciendo?

—¿Acaso no te enteraste, por tus informes, que cuando los fariseos se atrevieron a criticar a Jesús y a sus discípulos por cosechar maíz durante el sabat, él les recordó a David, quien en una ocasión cuando estaba hambriento se dirigió al altar sagrado del Templo y comió el pan ázimo bendito, y lo repartió entre algunos de los que lo acompañaban? Jesús dijo que el sabat había sido hecho para el hombre, y no el hombre para el sabat. Y después, cuando curó en un sabat al hombre que tenía una mano seca, preguntó a quienes lo reprendían si era lícito hacer el bien en sabat, o hacer el mal, salvar una vida o dar muerte, y los fariseos fueron incapaces de responder.

—¿Cómo estás enterado de todas esas cosas? ¿Durante cuánto tiempo has reunido esa clase de información?

Estuve a punto de decir que hacía veinte años. ¡Eso hubiera bajado el telón sobre todo, y muy pronto!

—Durante muchos meses, de tiempo en tiempo. Dime, Caifás, ¿alguna vez llegaste a iniciar una investigación más enérgica de todas sus actividades?

—¿Una investigación más enérgica?

—Quiero decir, ¿alguna vez diste instrucciones a alguno de tus sacerdotes o a algunos expertos en las leyes, para que trataran de atrapar a Jesús, haciendo que contestara a las preguntas con respuestas que lo condenaran como infractor de la ley, o cuando menos que volvieran a la gente en su contra?

—¡Señor! —dijo encolerizado, levantando ambos puños cerrados—. Soy el sumo sacerdote de mi pueblo y mi integridad en todos los asuntos es bien sabida. Pregunta a tu procurador, en caso de que sospeches lo contrario. Encuentro que tu pregunta es insultante y ofensiva. Entre otras cosas, soy saduceo, y ningún miembro de los saduceos, quienes viven estrictamente de acuerdo con los preceptos de nuestra sagrada ley escrita, jamás consideraría recurrir a un subterfugio tan vil.

—Perdóname. ¿Y los fariseos?

—No puedo hablar por ellos. Conozco a muchos de ese grupo que son hombres honorables y otros que no lo son. A diferencia de nosotros, ellos además observan códigos que no están escritos y alteran las leyes de Moisés siempre que condiciones egoístas favorecen un cambio en sus conductas, normalmente para mal.

—Entonces, ¿tú no estabas entre aquellos que le preguntaron a Jesús, en una ocasión en que se encontraba en el Templo, si era legal o no dar tributo al César?

—No estuve presente, aun cuando se me informó que en respuesta pidió que le mostraran una moneda y cuando lo hicieron preguntó de quién era la imagen que aparecía en ella, y al decirle que era del César, respondió que hay que dar al César lo que es del César y a Dios lo que es de Dios.

—Por casualidad, ¿estabas presente cuando le preguntaron si era ilegal que un hombre repudiara a su esposa por cualquier causa?

—No, aunque entiendo que su respuesta fue que lo que Dios ha unido ningún hombre debía separar. Hubo algo más en su respuesta, pero no lo recuerdo.

—Caifás, ¿sabías que hombres sabios trataron de implicarlo con su propio testimonio en muchas otras ocasiones, y que siempre fracasaron?

Asintió y dijo:

—Jesús era un hombre astuto y peligroso, sin lugar a dudas guiado por Satanás en sus palabras y acciones. Su muerte llegó justo a tiempo para nuestra nación.

—¿Qué fue lo que por fin te decidió a actuar en su contra? Parece que condenaba a todas las autoridades cada vez que tenía oportunidad de hacerlo y, sin embargo, durante largo tiempo demostraron gran paciencia y tolerancia.

Cambiar simpatía por información era un papel nuevo para mí.

—Practiqué más paciencia de la que jamás podrás imaginarte —suspiró—. Constantemente tenía la presión de los fariseos, así como de muchos miembros de mi propio partido y aun de amigos sacerdotes y del sanedrín, nuestra suprema corte. Todos querían que detuviera a ese hechicero antes de que incitara al pueblo a cometer actos de violencia y rebelión, que atraerían la cólera de Pilato sobre todos nosotros y convertirían nuestras calles en ríos de sangre.

—Y entonces, ¿sucedió algo que te obligó a actuar?

—Sí, una noche recibí varios informes, todos ellos de fuentes irrecusables, de que Jesús había logrado resucitar a un hombre muerto de su tumba en Betania, después de que había estado sepultado durante tres o cuatro días. A la mañana siguiente, tanto en las calles como en los patios del Templo, no se hablaba de otra cosa. Convoqué a una reunión informal del sanedrín y a los dirigentes de ambos partidos, y les pedí consejo en cuanto a qué hacer con ese hombre que realizaba milagros.

—¿Milagros? ¿No trucos de magia?

—No, no, para entonces ya estábamos convencidos de que, ciertamente, hacía milagros, pero estábamos seguros de que lo lograba con la ayuda de Satanás.

—Pero Caifás, se me ha dicho que en una ocasión una persona ciega y sorda y poseída por un demonio fue llevada ante Jesús y él la sanó; cuando los fariseos dijeron que había sido con ayuda de Belcebú, el príncipe de los demonios, Jesús les preguntó cómo era posible exorcizar al maligno con su propia ayuda, y se quedaron sin habla. En cualquier caso, ¿qué sucedió con tu reunión respecto a su milagro en Betania?

El sumo sacerdote se quedó mirando hacia el oscuro techo como si tratara de enfocar sus pensamientos.

—Recuerdo que casi todos expresaron el mismo temor de que si se permitía que ese hombre siguiera adelante, llegaría a seducir a todo el pueblo para convertirlo en su seguidor, y los romanos intervendrían apoderándose de todo, quitándonos hasta nuestra patria. Al final del debate anuncié mi decisión: era conveniente para nosotros que un hombre muriera, antes que permitir que pereciera toda la nación. Los demás aplaudieron y se despacharon órdenes por toda la región para que si alguien sabía en dónde se encontraba Jesús, pues ya no se hallaba en Betania, lo notificara de inmediato a los miembros del sanedrín. No obstante, estaba seguro de que no tendríamos que esperar mucho su regreso a la ciudad. Se acercaban las fiestas de Pascua, y por mi experiencia con otros agitadores, estaba convencido de que Jesús no podría resistir la tentación de hacer alarde de sus obras ante las grandes multitudes que se reunirían en el Templo durante esos días.

—Y tenías razón.

—Sí —dijo sombríamente—, pero también fui poco precavido. Era la tarde del primer día de la semana, seis días antes de que se iniciaran nuestras festividades de Pascua y ya los patios del Templo se encontraban atestados de peregrinos. El capitán de nuestra guardia se llegó hasta mis habitaciones en el Templo, perturbó mi siesta vespertina y me informó que Jesús acababa de entrar al Templo con un grupo de sus seguidores, derrumbó las mesas de los mercaderes, los ahuyentó y soltó las palomas de sus jaulas, mientras gritaba: "¡Está escrito que mi casa será llamada casa de oración, pero vosotros la habéis convertido en una cueva de bandidos!" Cuando le pregunté al capitán en cuál de las numerosas habitaciones del Templo había encerrado a Jesús por su abominable crimen, medroso respondió que debido a las grandes multitudes que alentaban y alababan a Jesús, ni él ni sus hombres se atrevieron a ponerle las manos encima. Me encolericé tanto ante la cobardía de ese zafio, que lo golpeé en el rostro. Si hubiera estado sirviendo bajo las órdenes de Pilato, lo hubieran ejecutado por el mal desempeño de sus obligaciones.

—Tal y como lo recuerdas, ¿qué fue lo que sucedió después?

—Después de que Jesús cometió esa ofensa contra el Templo, de inmediato se alejó del lugar y de la ciudad, dirigiéndose, en compañía de sus cómplices, a Betania, hacia el hogar de María, Marta y Lázaro, el hombre al que había resucitado de entre los muertos.

—¿Tú *sabías* en dónde se hospedaba Jesús?

—Por supuesto. En su grupo había una docena o más, así que no era difícil seguirles la pista.

—No puedo entender eso. Si sabías en dónde se encontraba, ¿por qué no enviaste a tu policía a Betania esa misma tarde, a fin de arrestarlo por sus acciones criminales en el Templo?

Caifás se frotó sus suaves manos y miró hacia otro lado.

—Porque, siento tener que decirlo, hubo entre nosotros muchos a quienes les faltó el valor. Menos de una hora después de que Jesús abandonó el Templo, convoqué a una reunión de los mismos hombres que habían aplaudido mi decisión de que Jesús debía morir, tomada apenas hacía unas cuantas semanas. Les informé del asalto de Jesús a los mercaderes y también les dije que sabía en dónde podíamos encontrarlo. No tenía necesidad de su autorización para actuar; no obstante, pensé que sería imprudente seguir algún curso de acción, considerando el estado de ánimo del pueblo, sin contar con la aprobación de los dirigentes de todas las facciones.

Caifás ahora empleaba al hablar el mismo galimatías que usa la mayoría de los individuos que llevan las riendas del poder. En otras palabras, trataba de decirme que no quería delante de su puerta la responsabilidad de la muerte de Jesús.

—Los sumos sacerdotes que abusan de su poder —continuó— por lo general acaban perdiéndolo todo. Una vez más pedí su consejo y, con gran consternación, me enteré de que muchos de ellos habían cambiado de opinión en cuanto a que debíamos deshacernos de Jesús. Un hombre, un fariseo, dijo que si Jesús se atrevió a derribar las mesas de los mercaderes, con los guardias del Templo por todas partes en el patio, debió hacerlo a sabiendas de que no tenían ningún poder para ponerle las manos encima. Otro nos advirtió que si era capaz de resucitar a un hombre en su tumba, no vacilaría en hacer que cayéramos muertos todos, si ordenábamos su aprehensión. Yo estaba fuera de mí; esos hombres de autoridad, los más poderosos y respetados de nuestra ciudad, se habían convertido en mujeres atemorizadas, instándome a que pospusiera cualquier clase de acción contra Jesús hasta que con más calma pudieran evaluar la situación. Los reprendí por su debilidad y les dije que si permitíamos que Jesús siguiera adelante ejerciendo su atracción sobre la gente durante la semana de Pascua, todo estaría perdido. Pero prestaron oídos sordos a mis súplicas; ninguno quería comprometerse.

—Entiendo que Jesús volvió al Templo al día siguiente.

—Lo hizo, actuando como si no hubiera hecho nada malo y no tuviera nada que temer. En esa ocasión, aun los niños pequeños se reunieron a su alrededor, gritando el saludo reservado para nuestro Mesías: "¡Hosana al Hijo de David!" Yo estaba observando desde una de las ventanas del piso superior, hasta que ya no pude soportar el espectáculo y sus gritos, así que bajé hasta el patio para enfrentarme a él. Nunca debí haber descendido tan bajo.

—¿Por qué?

—Cuando la multitud vio que me acercaba a él, todos se reunieron a nuestro alrededor. Me paré cerca de Jesús, a fin de ser escuchado por encima del tumulto, y le pregunté si se daba cuenta de lo que cantaban los niños. Simplemente me sonrió, levantó los brazos y dijo: "De las bocas de los niños y de los que aún maman..." Yo estaba furioso, ¡me estaba provocando! Señalé hacia los mercaderes a quienes había atacado y que nuevamente estaban dedicados a sus menesteres, y le interrogué con qué autoridad había hecho una cosa semejante. Dijo que primero me haría una pregunta y que, si le contestaba, él me respondería. Lo autoricé para que hablara, y quiso saber si el bautismo que Juan había impartido venía del cielo o de los hombres. No supe qué contestarle frente a toda esa multitud. Si le decía que venía del cielo, me hubiera preguntado por qué no había creído en Juan; pero si le decía que venía de los hombres, todos aquellos que aún creían en Juan se volverían en contra mía. Finalmente, le dije a Jesús que no podía contestar su pregunta y me respondió: "Tampoco yo te diré con qué autoridad hago estas cosas". Me di vuelta a fin de llamar a los guardias para que lo aprehendieran, pero cuando me di cuenta del estado de ánimo de la multitud callé y me dirigí al interior del Templo. Después, ese mismo día, Judas Iscariote vino a verme, como si Dios me lo hubiera enviado para resolver mi terrible dilema.

—¿Era ese el hombre que custodiaba el caudal de Jesús y de su grupo?

—Sí, y antes fue uno de sus más fervientes seguidores. La confesión que me hizo me proporcionó toda la yesca que necesitaba para encender fuego debajo de todos aquellos que temían a Jesús. Judas, bendito sea, convirtió una tarea, aparentemente imposible, en algo tan fácil como arrestar a cualquier criminal común.

—No... no comprendo —balbucí—. Todo lo que he escuchado en labios de los seguidores de Jesús, acerca de Judas, es que fue quien lo traicionó y lo entregó en tus manos, conduciendo a tu gente a Getsemaní donde lo identificó.

Caifás movió la cabeza.

—Hizo mucho más que eso; él fue la clave de todo.

—¿La clave?

—Cuando Dios me lo envió, tres días antes de que se iniciara nuestra Pascua, Judas era un hombre decepcionado y quebrantado. Me dijo que, en un principio, había seguido a Jesús, porque creía haber visto a un dirigente en ese hombre, un dirigente que daría la libertad a nuestro pueblo del poder de Roma.

—¿Un Mesías con espada, un gran libertador como David?

—Sí, pero dijo que a medida que transcurrían los meses, empezó a darse cuenta de que había cometido un grave error. Jesús seguía hablando de un "Reino por venir", pero "no de este mundo", y en vez de animar al pueblo a que se unieran todos a fin de derrocar al César, predicaba que debíamos amar a nuestros enemigos, lo cual David jamás hubiera dicho. Recuerdo que Judas cayó de rodillas asiendo mi manto con fuerza y entre sollozos me preguntó si podía hacer algo para expiar su terrible error. Le inquirí si alguna vez había oído a Jesús asegurar que él era el Mesías.

—Creo que nadie llegó a informarte jamás que Jesús hubiese dicho tal cosa.

—Es verdad. Fue entonces cuando Judas me confió que en una ocasión, cuando su grupo se encontraba muy al norte, en un sitio llamado Cesarea de Filipo, Jesús preguntó a los apóstoles quién creían que era él y que Pedro le había anunciado que era el Mesías, ante lo cual Jesús les advirtió que no lo dijeran a nadie.

—¿Y consideraste que, viniendo de Jesús, eso era una admisión de que era el Mesías?

—Sí, a pesar de que un solo testigo no basta para declarar culpable a alguien ante el sanedrín. Pero Judas demostró ser inapreciable cuando me dijo que Jesús, sobre todo durante las últimas semanas, había profetizado en varias ocasiones su propia muerte a manos de las autoridades, y que ahora había empezado a actuar como si no pensara ofrecer resistencia si alguien trataba de aprehenderlo. Aun cuando eso no parecía corresponder a la imagen del hombre a quien me había enfrentado en el Templo, era todo lo que necesitaba escuchar. Convoqué una tercera reunión de los mismos grupos que se habían mostrado renuentes ante la idea de actuar en contra de Jesús e hice que Judas repitiera delante de todos ellos las profecías que Jesús hacía acerca de su propia muerte. Cuando el consejo escuchó sus palabras, muchos recobraron el valor y otra vez hubo una gran mayoría a favor de su captura inmediata, seguido por un juicio, siempre y cuando pudiésemos efectuarlo con tranquilidad y sin alborotar a la gente. A mí se me dejó la decisión en cuanto al momento y al lugar más favorables; recompensé a Judas con algunas monedas de plata y le di instrucciones para que volviera al lado de Jesús, en donde podía servirnos mejor al mantenerme informado de cualquier actividad o movimientos inesperados que tuvieran lugar.

De pronto pensé en Kitty. Poco tiempo después de haber iniciado mis investigaciones para mi "Comisión: Cristo", me regaló una copia del libro *The Quest of the Historical Jesus,* de Albert Schweitzer, y recordé la insistencia de Schweitzer en que la pregunta más importante relacionada con Judas no era *por qué* traicionó a su maestro, sino *qué* fue lo que traicionó.

Aparentemente, Schweitzer estaba en lo cierto. Judas no solamente traicionó la posibilidad de que Jesús creyera que era el Mesías, sino que también, lo cual fue todavía más perjudicial, aseguró a los enemigos de Jesús que no había ningún peligro en aprehenderlo, ya que de cualquier manera, estaba dispuesto a sacrificar su vida. Me escuché preguntar:

—¿Qué sucedió después?

—Judas llegó delante de mí sumamente perturbado, a una hora temprana de la noche de la cena pascual, y me dijo que Jesús se encontraba comiendo el cordero en compañía de sus apóstoles, en casa de la viuda María, y que nuevamente hablaba como si estuviera resignado a morir a manos de las autoridades. Y más aún, balbució Judas, Jesús ahora decía que eso tendría lugar muy pronto. Con toda la ciudad celebrando la cena sagrada y nadie por las calles que pudiese interferir, sabía que jamás se me presentaría una mejor oportunidad. Decidí aprenderlo esa misma noche.

—Poncio Pilato colaboró contigo en la aprehensión y en el juicio, ¿no es así?

—Sí. Yo tenía necesidad de contar con la autoridad y el respaldo de Pilato, a fin de que la multitud no acusara al sanedrín o a mí de un prejuicio injusto contra su nuevo favorito. También requería aprobación para llevar a cabo la sentencia de muerte, si ésta resultaba ser la decisión del juicio. Dejé a Judas esperándome aquí y me dirigí rápidamente a la Fortaleza Antonia, en donde el procurador se alojaba durante nuestra Pascua. Le pedí a Pilato su ayuda inmediata para arrestar al peligroso impostor, quien podría causarnos a ambos momentos de ansiedad durante los días festivos si se le permitía seguir en libertad para incitar al pueblo. Al principio se rehusó, diciendo que los falsos profetas eran de mi incumbencia, y que yo mismo debía encargarme de Jesús. Sin embargo, Pilato y yo, a pesar de nuestras numerosas diferencias, habíamos logrado trabajar juntos en favor del bienestar de Judea durante diez años, así que, finalmente, accedió a enviar algunas de sus tropas a este palacio, desde donde acompañarían a mis guardias del Templo, a algunos sacerdotes, a Judas y a mí hasta la casa de la viuda María, para llevar a cabo la aprehensión.

—¿A la casa de la viuda María?

—Sí, donde Judas dijo que Jesús se encontraba cenando.

—¿Qué sucedió después?

—Volví aquí y esperé en compañía de todos los demás la llegada de los soldados de Pilato. Recuerdo que el aire era frío y concedí a mis hombres permiso para encender algunas fogatas. ¡Esperamos durante más de tres horas! Creí que Pilato me había jugado una de sus bromas acostumbradas, pero cuando por fin llegaron sus hombres me enfurecí; no era una pequeña broma del procurador, sino una muy grande, ya que en vez de enviarme más o menos una docena de soldados, suficientes para contar con la sanción de Roma en nuestros procedimientos, envió tres centurias, más de doscientos legionarios armados, al mando de un centurión a quien yo conocía. Cuando le pregunté a Fabio por qué tantos soldados, al no estar enterado de las circunstancias me respondió que el procurador lo había enviado con instrucciones de ayudar en la captura de un peligroso rebelde que estaba a la cabeza de una banda armada, cuyas fuerzas se desconocían y que amenazaba con apoderarse de la nación y proclamarse "Rey de los Judíos". ¡Ese Pilato! Ya para entonces estaba fuera de mí, puesto que sostenía una carrera contra el tiempo y sabía que la iba perdiendo.

—¿Por qué te preocupaba tanto el tiempo, si sabías, o creías saber en dónde se encontraba Jesús?

—Matías, al día siguiente, a la hora de la puesta del sol, se iniciaría nuestra Pascua, así como el sabat, y todos los juicios y castigos están expresamente prohibidos por nuestras leyes durante los siete días de las festividades. Para que mi misión tuviera éxito, tenía que arrestar a Jesús, juzgarlo delante del sanedrín y ejecutar el veredicto del tribunal antes de la puesta del sol, todo eso en casi diecisiete horas. De otra manera sería un desastre: tendríamos que mantenerlo bajo custodia durante toda la semana de Pascua, y una vez que se esparciera la noticia de su captura estábamos seguros de que tendríamos muchos problemas con el pueblo, sobre todo con esos rufianes de Galilea que infestaban la ciudad. Así que, seguidos por un ejército innecesariamente numeroso, suficiente para apoderarnos de Perea, Judas y yo nos dirigimos a casa de María para detener a un solo hombre desarmado quien, según afirmaba Judas, esperaba ser detenido.

—Y cuando llegaron, ya no había nadie allí.

—Solamente algunas mujeres y un joven. El retraso malévolo de Pilato, estaba seguro, me había costado muy caro, y la gente se reiría de mí y del sanedrín en cuanto supiera que Jesús había escapado en nuestras mismas narices. Por supuesto, atribuiría su salvación a sus poderes milagrosos.

—¿Qué hiciste, entonces?

—Estaba frenético; desesperado, agarré a Judas y lo sacudí hasta que gritó: "¡Getsemaní, debe haber ido a Getsemaní! Si no se encuentra allí, esperándome, como lo ha hecho otras veces, debe haber regresado a su lecho en Betania, en compañía de los demás". Yo sabía que mis piernas jamás soportarían la caminata hasta Getsemaní o más allá, de manera que llamé a Fabio y a dos de mis ayudantes y les dije que llevaran a Judas y a los soldados al huerto, y que si Jesús no se encontraba allí, debían continuar de inmediato hasta la casa de Betania. Les recordé que solamente debían aprehender a Jesús y que Judas lo identificaría a fin de que no cometieran un error.

—¿Por qué solamente a Jesús?

—Razoné que los demás no tenían ninguna importancia, y que huirían a sus aldeas en el Norte tan pronto como su maestro estuviera muerto y sepultado.

—Eso fue un error.

—Sí, debimos deshacernos de todos cuando sólo eran unos doce, ¡ahora se cuentan por miles! De cualquier manera, el grupo debería entregarme al prisionero aquí, en el palacio, pero Fabio objetó. Dijo que las órdenes de Pilato eran ayudar únicamente en la detención y la captura; una vez que lo hubiésemos hecho prisionero, los soldados debían volver a la fortaleza de inmediato. Por fin, llegamos a un acuerdo cuando Fabio, de mala gana, accedió a entregar a Jesús en la casa de Anás, mi padre político, que vive cerca del cuartel general de los romanos. A partir de ese momento, mi guardia del Templo sería responsable de traer a Jesús a través de la ciudad hasta este lugar.

"El grupo que efectuaría la captura salió por la puerta sur de la ciudad, con las antorchas encendidas, y yo volví aquí a fin de enviar mensajes a quienes previamente habían accedido a prestar testimonio en contra de Jesús cuando finalmente lográramos llevarlo a juicio. También notifiqué a los miembros del sanedrín que debían presentarse aquí de inmediato, instruyendo a mis mensajeros para que solamente dijeran que estábamos a punto de quitar una espina del costado de Israel. En menos de una hora, uno de mis oficiales me notificó que el prisionero ya se encontraba bajo mi techo y que lo mantenían en el amplio vestíbulo, a sólo unos cuantos pasos de esta habitación, y que los miembros del sanedrín ya habían ocupado sus lugares allí, en espera de que yo iniciara el proceso del juicio.

—Señor —le dije—, ¿estarías dispuesto a concederme un pequeño capricho?

—Si está en mis manos hacerlo...

—Los historiadores tenemos esa necesidad constante de contemplar los sitios reales en donde tuvieron lugar los sucesos que tratamos de describir. Ya he visitado tu magnífico Templo, el huerto de Getsemaní y la tumba de donde salió Lázaro. ¿Podría ver la habitación en donde fue juzgado Jesús?

Dudó brevemente, se encogió de hombros y dijo:

—Acompáñame.

La habitación en donde entramos, a un lado del oscuro corredor, obviamente no había sido escenario de ninguna función formal durante algún tiempo. Había barriles de mimbre, grandes cestos para empaque, armarios y muebles rotos apilados, sin orden ni concierto, contra uno de los amarillentos muros de mármol, y en el lado opuesto de la habitación había tres hileras de bancas de madera sin barnizar, dispuestas en semicírculos irregulares. No había otro mobiliario en el salón de reuniones con penetrante olor a humedad, y el piso de piedra estaba cubierto con una capa tan densa de polvo que mis sandalias dejaban huellas oscuras a cada paso.

Señalé en dirección a las bancas.

—Los miembros del sanedrín ¿se encontraban sentados allí esa noche?

—Sí.

—Y tu prisionero, ¿en dónde se encontraba durante el juicio?

Las zapatillas de Caifás levantaron pequeñas nubes de polvo al pisar ruidosamente el suelo. Podía darme cuenta de que empezaba a impacientarse con mis preguntas.

—Jesús se encontraba allí, a fin de quedar frente a la corte y los testigos. Detrás de él había un guardia. Los testigos fueron traídos por el corredor y se les hizo permanecer cerca de Jesús, también frente a la corte. Yo ocupaba esa banca al centro, en la primera fila, con mis ayudantes y los escribas, doctos en la ley, a ambos lados.

Caminé hasta el sitio en donde Jesús había estado de pie, mientras Caifás, quizá por costumbre, avanzó hasta la banca del centro en la primera fila, sacudió el polvo con sus manos y se sentó frente a mí, con los ojos entrecerrados. De pie en el sitio a donde Jesús fue llevado delante de sus enemigos, traté de imaginar esa escena a primera hora de la madrugada. Las malolientes lámparas de aceite y velas que proyectaban su escasa luz sobre los acontecimientos; oscuras y alargadas sombras deslizándose como fantasmas sobre el piso y los muros; hombres opulentos y poderosos, que ante el llamado habían abandonado sus abrigados lechos después de una velada de festejar y beber, con un estado de ánimo más parecido al de una multitud de linchamiento que a un tribunal supremo sobre todo en ese escenario helado. Y el prisionero, cuyo aspecto distaba mucho de semejar al de un Mesías, con las manos estrechamente atadas y el rostro reflejando tanto la fatiga agobiante de un día y una noche larguísimos como el maltrato de quienes lo habían capturado.

Luché conmigo mismo, tratando de permanecer tranquilo e imparcial mientras me encontraba parado sobre las invisibles huellas de Jesús. No era fácil; Caifás no me quitaba la vista de encima, cruzando y descruzando piernas y brazos con ademán nervioso. Señalé hacia las bancas.

—El sanedrín cuenta con setenta miembros, ¿no es así?

—Sí, y yo presido como funcionario del tribunal, sin poder votar en ningún veredicto.

—¿Se encontraban todos aquí esa noche?

—Oh, no. La distancia y lo tardío de la hora impidieron a muchos asistir; no obstante, solamente son necesarios veintitrés para que haya quórum, y cuando menos había treinta antes de iniciar el interrogatorio de los testigos.

—¿Les habías notificado a todos?

—No recuerdo, pero, ciertamente, se convocó a todos los que habitaban en las cercanías.

—El hogar de José de Arimatea se encuentra a corta distancia de aquí y, sin embargo, él me ha dicho que no fue convocado —dije—. Y tampoco lo fue su amigo Nicodemo. Por casualidad, ¿no omitiste deliberadamente llamar a aquellos miembros que sospechabas sentían cierta simpatía hacia el prisionero?

Aun a la luz de un solo rayo de sol polvoso, pude ver que el rostro del sumo sacerdote se volvía lívido. Su voz tembló:

—Como amigo de Vitelio, deberías estar más enterado y no expresar tales calumnias acerca de mí. Resiento tus insinuaciones, señor. Además, considerando la hora tan tardía, la asistencia fue excelente.

—Perdóname, señor, pero simplemente repetía un rumor que escuché. Por favor, háblame del juicio.

—Hay muy poco que decir —me respondió con altanería—. Fue muy breve. Jesús, finalmente, admitió haber cometido el crimen de blasfemia, y de acuerdo con nuestra ley, el sanedrín lo encontró merecedor de la muerte.

—¿Tus testigos convencieron al jurado?

—Eeste... fueron una pérdida de tiempo. Los primeros siete u ocho que fueron llamados contaron historias que estaban en conflicto unas con otras, de tal manera que no tuvimos otro recurso que desechar su testimonio por carente de valor, y el sacerdote, a quien yo había confiado su elección, fue depuesto de su cargo esa misma noche, por incompetencia.

—Caifás, he oído decir que sobornaste a esos testigos para que se presentaran y que la razón por la que sus relatos no concordaron, como se requería para la condena, fue que no los aleccionaste de manera adecuada.

Sus labios delgados se plegaron despectivamente.

—El solo considerar tal falsedad indica que debes haber confundido la elevada integridad de este tribunal con la que, según entiendo, es práctica legal común en Roma.

Me incliné ligeramente y sonreí. El sumo sacerdote conocía la forma de contraatacar.

—¿Qué sucedió después de que rechazaste a todos esos testigos?

—Fue llamado un anciano, un vendedor de chucherías en las afueras del Templo, a quien todos conocíamos bien. Atestiguó que en una ocasión Jesús dijo a la multitud, que se encontraba cerca del muro oeste del Templo: "Destruiré este Templo que fue hecho con las manos y sin ayuda de éstas lo reconstruiré en tres días".

—Esa era la clase de testimonio que necesitabas para una condena, ¿no es así?

—Así es; obviamente, esas palabras eran una blasfemia contra la casa de Dios, y nuestra ley exige que todo aquel que vilipendie o profane el Templo debe ser castigado con la muerte. Aun así, no basta con el testimonio de un solo testigo para condenar; se requieren dos. Llamamos a otro para que atestiguara sobre el mismo asunto, pero repitió las palabras de Jesús como si hubiera dicho: "Puedo destruir el Templo de Dios y reconstruirlo en tres días". De inmediato se dejaron oír algunos gritos enojados de desengaño entre los miembros del tribunal, pues las dos declaraciones no concordaban. De acuerdo con el primer testigo, Jesús había dicho "destruiré", mientras que de acuerdo con el segundo, dijo *puedo,* y en esa declaración no había ninguna blasfemia, solamente una vana presunción.

—¿Estás enterado de que sus apóstoles ahora aseguran que cuando Jesús hizo esa observación, fuera del Templo, no se refería al edificio, sino a su propio cuerpo, y que los tres días se referían al tiempo que pasaría en la tumba antes de resucitar?

Caifás asintió.

—Ha llegado a mis oídos esa tergiversación de sus palabras. Los apóstoles ya son bastante expertos en distorsionar sus frases para que se adapten a sus ridículas afirmaciones de que resucitó de entre los muertos.

—Entonces, ¿también te viste obligado a rechazar el testimonio de esos dos hombres?

—Sí, y lo hice con gran pesar, ya que era mi último par. Por el aspecto de los miembros del jurado, pude ver que ante sus ojos yo ya había perdido mucho de su respeto, por haberlos hecho salir en una noche tan fría para ser partícipes de la absolución de Jesús y no de su condena. Me levanté de mi asiento y le dije al prisionero: "¿No tienes nada que decir en tu favor? ¿No has escuchado a todos estos testigos que han hablado en tu contra?

—¿Qué fue lo que respondió?

—No dijo nada. Simplemente se quedó allí, mirándome, a sabiendas de que, de acuerdo con nuestras leyes para juzgar, seguía siendo inocente de cualquier ofensa. Cuando me volví para mirar al sanedrín vi que algunos de sus miembros se habían puesto de pie dispuestos a retirarse y varios de ellos murmuraban en voz alta. Sabía lo que estaban diciendo; habían depositado en mis manos la responsabilidad de librar a la nación de ese criminal, y había fallado. Temí que incluso mi posición en el Templo se viera obstaculizada cuando mis enemigos enteraran a Vitelio de las noticias. De pronto recordé nuestro juramento de testimonio, la forma más temida y poderosa de juramento según nuestras leyes. Cualquiera a quien se le aplique, está obligado por nuestra constitución a responder. Corrí hacia el prisionero y le grité: "¡Te conjuro por Dios vivo a que nos digas si tú eres el Cristo, el Hijo de Dios!"

El ánimo de Caifás se exaltaba a medida que narraba su historia, y no hubiera querido interrumpirlo, pero tenía que hacerlo.

—¿Por qué combinaste en tu pregunta el título de "Cristo", que significa Mesías, con el de "Hijo de Dios"? El Mesías, según lo que he podido comprender de las creencias de tu pueblo, se espera que sólo sea un enviado de Dios, no su Hijo.

—Matías, ya existían tantas falsas pretensiones acerca de Jesús, que, en este caso, creí conveniente incluir ambos títulos en mi conjuro. En esa forma, podíamos descubrir qué falsos conceptos albergaba realmente acerca de sí mismo.

—¿Te respondió?

—Estaba muy versado en nuestras leyes; tenía que responder y lo sabía. Le pregunté nuevamente: "¿Eres tú el Cristo, el Hijo de Dios?", y replicó: "Sí, yo soy, ¡y veréis al Hijo del hombre sentado a la diestra del poder venir entre las nubes del cielo!" Sus palabras hicieron que se remontara mi estado de ánimo; finalmente la victoria era mía al triunfar sobre esta plaga que había caído sobre nuestro pueblo. Prontamente llevé a cabo el ritual debido cuando nos enfrentamos a la blasfemia, me desgarré la camisa entre las costuras, a fin de que ya no pudiera repararse. Entonces, me dirigí al consejo, que había vuelto a tomar asiento, diciendo: "Han escuchado la blasfemia; ¿qué deciden, señores?" Y todos respondieron al unísono: "¡Es reo de muerte!". Ordené que llevaran al prisionero a otra habitación en la planta baja y que lo tuvieran bajo custodia hasta la salida del sol, pocas horas después. Entonces llevaríamos a Jesus ante Pilato.

—¿Por qué?

—Durante muchos años, Roma no nos ha permitido imponer la pena capital, por ningún crimen, sin la autoridad del procurador. Cuando visité a Pilato la noche anterior, no sólo logré que me concediera la ayuda de sus legionarios para efectuar la captura, sino también su acuerdo para sancionar muy temprano por la mañana la sentencia de muerte que preveíamos, a fin de poder consumar la ejecución antes de la puesta del sol.

El sumo sacerdote se detuvo casi como si esperara que lo elogiara por un trabajo bien hecho, que, ciertamente, merecería varias páginas en mi libro de historia. Revivir todos esos sucesos conmigo, parecía haberle agotado toda energía y confianza. Estaba desplomado en la banca, manos fuertemente apretadas sobre las rodillas, más un ser digno de piedad que de odio, quien jamás sabría que su manejo del juicio de Jesús, ya fuese motivado por razones egoístas o por un deber hacia su pueblo, daría descrédito, desprecio y muerte a tanta gente de su país durante veinte siglos por venir.

—Caifás —le dije—, el sanedrín y tú encontraron a Jesús culpable de blasfemia y, según tus leyes, el castigo por esa ofensa es la muerte por lapidación.

—Es verdad.

—¿Y el castigo por lo general queda en manos de aquellos que se presentaron a atestiguar contra el culpable?

—Está escrito que ellos deben arrojar las primeras piedras y después, casi siempre, se une la multitud.

—Pero Jesús no fue lapidado; ¡fue crucificado en una cruz! ¡Y no murió en manos de tus testigos y de la multitud, sino de los soldados romanos! ¿Qué sucedió esa mañana, cuando Jesús fue llevado ante Pilato, qué provocó que el procurador te quitara el caso de las manos?

No hubo respuesta.

—Caifás, he escuchado algunos rumores de que tú planeaste que las cosas resultaran así, aun cuando hay diferencias de opiniones en cuanto a si estabas o no confabulado con Pilato.

El único ocupante de las bancas se humedeció los labios con la lengua en ademán nervioso, pero guardó silencio.

—¿Qué fue lo que sucedió en realidad, Caifás?

—Tendrás que discutir eso con el procurador. Mi jurisdicción en ese asunto terminó a las puertas de Antonia.

—¿Por qué no puedes hablarme de ello? Jesús era tu prisionero cuando fue llevado ante Pilato. ¿No esperabas que permaneciera bajo tu custodia hasta el momento en que fuera ejecutado?

—Así fue. Tan pronto como obtuviéramos la aprobación de Pilato, Jesús sería conducido a una colina fuera de los muros de la ciudad y allí sería lapidado hasta morir, y después su cuerpo sería arrojado en la fosa común, donde sepultan a los indigentes.

—Pero Jesús jamás te fue devuelto. ¿Por qué?

—No tengo ningún comentario que hacer sobre lo que sucedió en la fortaleza. Tendrás que pedirle la explicación de eso a Pilato.

Lo intenté nuevamente.

—De acuerdo con lo que me has dicho, Pilato ya había acordado, aun antes de que arrestaras a Jesús, que él *te* concedería el permiso para ejecutar a tu prisionero. ¿Qué fue lo que lo hizo cambiar de opinión y encargarse él mismo del asunto?

Movió la cabeza, pero no dijo nada. Caminé hacia él hasta quedar casi inclinado sobre su banca.

—Caifás, durante mi estancia en la ciudad, me he reunido y hablado con varios hombres de gran sabiduría, versados en las leyes judías. Algunos me han confiado, en secreto, porque temen por su seguridad, que todo el procedimiento contra Jesús fue ilegal y quebrantó muchas leyes de los códigos sagrados que tú, como sumo sacerdote, has jurado observar y aplicar. Otros han llegado hasta acusarlo, a ti y al sanedrín, del asesinato de un hombre inocente y dicen que Pilato simplemente fue el instrumento de su muerte.

—¿Asesinar? ¿Yo? ¿Ilegal? ¿Quién se atrevería a divulgar tan viles falsedades acerca de su sumo sacerdote? —dijo casi sin aliento.

—¿Acaso te encuentras tan alejado de tu pueblo, aquí en tu palacio y en tus aposentos del Templo, que jamás han llegado a tus oídos esas acusaciones? ¿Nadie allegado a ti, responsable de mantenerte al tanto de la manera de pensar de tu pueblo, se ha atrevido a repetir en presencia tuya todas las ilegalidades que se sospecha cometiste esa noche y en las primeras horas de la mañana siguiente a fin de deshacerte de Jesús?

—Nadie de aquí tendría el valor o la audacia para hablarme como lo estás haciendo —balbució, llevándose ambas manos a las mejillas sin gota de sangre—. Dímelo tú, exijo saberlo. ¿Qué es lo que dicen de mí?

La autenticidad, en lo que respecta a la ley, siempre ha sido un sello característico de mis historias de detectives, y pasé largas horas estudiando los antiguos códigos hebreos de la ley criminal, cuando trabajaba en mi libro "Comisión: Cristo", con admiración y respeto crecientes por su justicia y su minuciosidad. De una cosa estaba seguro, a pesar de mis dudas en lo relacionado con Jesús. Si las versiones de ese juicio nocturno, tal y como se narran en el Nuevo Testamento, eran exactas, entonces tuvo lugar un terrible error judicial en esta misma habitación. Puesto que el relato de Caifás no difería gran cosa de los Evangelios, decidí que había llegado el momento de descargar en él todo el peso.

—En primer lugar, la captura de Jesús fue ilegal, de acuerdo con tus propias leyes. Ante el sanedrín jamás se presentó ningún cargo criminal, a fin de que fuera expedida una orden de aprehensión, de manera que la captura se efectuó sin ninguna orden, y cuando Jesús fue detenido, no se le informó de qué crimen lo acusaban; la captura tuvo lugar por la noche e involucró la traición de alguien, todo esto está prohibido por tus códigos.

Caifás abrió la boca como si fuera a responder, pero aparentemente lo pensó mejor y me hizo señas de que continuara.

—Juzgaron a Jesús durante la noche, y en tu mishná está escrito que una ofensa capital puede juzgarse durante el día, pero que debe suspenderse por la noche. También especifica que ningún caso que involucre la vida de un hombre puede juzgarse el día antes del sabat, no obstante Jesús fue juzgado en las primeras horas del día anterior al sabat. Además, hay una ley que prohíbe que un familiar, amigo o enemigo del acusado se siente a juzgarlo, y sin embargo, según tus propias palabras, muchos de los que se encontraban aquí esa noche, incluyéndote a ti, durante semanas habían planeado la destrucción de Jesús.

Caminé de vuelta al sitio en donde Jesús había estado de pie y señalé al suelo, frente a mí.

—¿Testigos? —grité, y mi voz hizo eco en ese cubo de piedra—. De acuerdo con tus leyes, está escrito: "Por la boca de dos o tres testigos, aquel que sea merecedor de la muerte será condenado; pero por la boca de un testigo, no podrá ser condenado a muerte". Según tú mismo has admitido, fuiste incapaz de encontrar a dos testigos que estuvieran de acuerdo, y, ¡puesto que el poder de acusar corresponde exclusivamente a los testigos, ni siquiera tenías un caso!

—Pero el hombre confesó. . .

—Su confesión no era de ninguna utilidad para ustedes ¡y tú lo sabías! Tu ley dice que nadie puede acusarse a sí mismo, pero que si lo hace, aun así esa acusación no puede emplearse en su contra, a menos que esté corroborada por otros dos testigos. Y lo que es más, estabas violando otra ley al interrogar a Jesús, ya que tu código prohíbe, expresamente, hacer al testigo una pregunta que lo pueda condenar si responde a ella. ¿Estoy en lo cierto?

Ni siquiera esperé la respuesta.

—Tú me dijiste que cuando le preguntaste al sanedrín cuál era su veredicto, después de la respuesta de Jesús, todos gritaron: "¡Es reo de muerte!" Se requiere una mayoría de un voto para absolver, de dos para condenar, pero ¡tu mishná sagrada también estipula que un veredicto unánime de culpabilidad tiene el efecto de una absolución, y que está prohibida la sentencia de muerte!

Y aún no había terminado.

—Jesús fue juzgado y condenado en una sola sesión del sanedrín; también eso es ilegal. Tu mishná dice que un caso criminal que termina con la absolución del acusado puede llegar a su fin el día que se inició, pero que si se pronuncia una sentencia de muerte el juicio no puede concluir antes del día siguiente, a fin de estudiar a fondo la evidencia. Y además, de acuerdo con tu propia historia, después de haber encontrado culpable a Jesús se olvidaron de dictar una sentencia formal. Caifás, de principio a fin, todo el procedimiento fue ilegal, la captura, la falta de testigos que estuvieran de acuerdo, el juicio llevado a cabo el día anterior al sabat, los enemigos en la banca, el uso de las propias palabras del prisionero para condenarlo, ¡todo ello fue ilegal! ¡De acuerdo con tus propias leyes, llevaste a un hombre inocente ante Pilato!

El sumo sacerdote ladeó la cabeza y me devolvió la mirada; podía escuchar algunas risas, extrañas en ese escenario, que venían desde el vestíbulo. Caifás giró el cuerpo dándome la espalda y me hizo una pregunta que por poco me causa confusión.

—¿Está enterado Vitelio de todo lo que acabas de decirme?

—Todos lo saben —dije, con tanta seguridad como me fue posible—. ¿Cómo podrían no enterarse, con tantos cristianos alborotadores allí afuera, aun en los patios del Templo, repitiendo su historia una y otra vez?

—Estoy de acuerdo —dijo con desesperación—, pero son demasiado ignorantes para darse cuenta de que lo que hice fue para salvarlos de morir empalados en las espadas de Pilato.

—Caifás, ¿alguna vez llegaste a considerar, siquiera por un momento, después de la crucifixión, que quizá por error asesinaste al Hijo de Dios?

—¡Jamás! Cuando Abraham, el padre de nuestro pueblo, preparó a su amado hijo, Isaac, para sacrificarlo, Dios intervino entregándole un cordero para que lo sacrificara en vez de su hijo. Si Dios no permitió ni siquiera el sacrificio de Isaac, ¿hubiera permitido el asesinato de su Hijo sin destruir al mundo? Y como puedes ver, Matías, el mundo sigue existiendo.

—¿Me dirás ahora lo que sucedió en la audiencia ante Pilato?

—¡No! Pregúntaselo a él.

—¿Presenciaste la crucifixión?

—No —respondió—. Cuando los soldados se llevaron a Jesús, volví al Templo para hacer los preparativos para la Pascua, que ya se acercaba. Algunos de mis asistentes fueron en mi representación y, cuando todo hubo terminado, vinieron a informarme.

—¿No te sorprendió saber que Jesús expiró apenas unas cuantas horas después de haber sido colgado de la cruz?

Se encogió de hombros.

—Algunos soportan tanto tiempo que es necesario romperles las piernas para quitarlos de sufrir, mientras que otros mueren de inmediato, quizá debido al choque. Pero, ¿por qué te estoy diciendo esto? Después de todo, la crucifixión es un castigo romano, no nuestro. Me sorprendí más al escuchar que tu amigo José, un miembro de nuestro sanedrín, fue a ver a Pilato sin consultar a ninguno de nosotros, y reclamó el cuerpo para darle sepultura en una tumba nueva, tallada para su propia sepultura, en un huerto cerca del lugar de la ejecución.

—Ese acto de José debe haber ofendido a muchos de sus compañeros del sanedrín, después de que condenaron a muerte a Jesús. ¿Tomaste alguna medida en su contra o en contra de ese otro miembro, Nicodemo, creo que es su nombre, quien al parecer ayudó a José a sepultar a Jesús?

—Esos hombres son muy independientes, honrados y respetados por el pueblo debido a sus numerosas obras de caridad. Cuando los reprendimos con severidad por su comportamiento ofrecieron renunciar al tribunal antes de causarnos más problemas. Insistieron en que no habían cometido ningún acto ilícito, aduciendo que ningún judío que hablara y viviera como lo había hecho Jesús, merecía que arrojaran su cuerpo a la fosa común, junto con los criminales de la calle.

—¿Alguna vez has contemplado hacia atrás, Caifás, y reflexionado que si José no hubiera reclamado el cuerpo no habría una tumba vacía...?

—Lo hago todos los días —gimió— y muchas noches de insomnio. Si no tuvieran esa tumba vacía en que basar su regocijo, es probable que ya no quedara ningún cristiano hoy en día.

—Entiendo que incluso llegaste a tomar ciertas medidas para custodiar la tumba.

—Tal y como resultaron las cosas, no fueron suficientes, Matías —se lamentó—. Cuando uno de mis sacerdotes me recordó que Jesús no sólo había profetizado su muerte, sino que había prometido resucitar al tercer día, me dirigí a ver a Pilato a una hora temprana la tarde de nuestro sabat, el día siguiente al de la crucifixión, y le informé lo que había dicho Jesús. Le pedí que diera orden de sellar la tumba y vigilarla hasta el fin del tercer día, para impedir que los discípulos de Jesús robaran su cuerpo y luego dijeran a la gente que Jesús había resucitado, tal y como había dicho que lo haría.

—¿Y Pilato accedió?

—Se rió en mi cara diciendo que no quería tener nada más que ver con ese asunto. El procurador me dijo que había muchos guardias en mi Templo y que si deseaba que vigilaran la tumba, debería encargarme de eso yo mismo, puesto que él necesitaba a todos sus soldados para ayudar con las multitudes que inundaban la ciudad durante la Pascua. Volví al Templo y ordené a Shobi, uno de mis oficiales más experimentados, que llevara consigo a tres de sus mejores hombres, se dirigieran al huerto, sellaran la tumba y permanecieran de guardia toda norhe, hasta la hora de la puesta del sol del día siguiente.

—¿Cuándo te enteraste de que la tumba estaba vacía?

—En algún momento antes del amanecer, me despertó mi asistente para informarme que los guardias habían vuelto de la tumba y que insistían en verme de inmediato. Alarmado, me vestí a toda prisa y bajé al vestíbulo, en donde los encontré a todos ellos actuando como si hubieran perdido los sentidos. Shobi, que es un hombre robusto, corrió hacia mí y sollozando cayó de rodillas, se aferró a mi túnica y me suplicó que lo perdonara, gritando que él y los demás se habían cansado de custodiar a un hombre muerto, después de pasar un largo día en el Templo, así que se quedaron dormidos. Mientras dormían, se quejó, alguien debió visitar la tumba, retirando la gran piedra y llevándose el cuerpo.

—¿Qué hiciste?

—¿Qué podía hacer? Ordené a Shobi y a los demás que esperaran en sus habitaciones hasta decidir cuál sería su castigo. Entonces, volví a mi lecho y permanecí en medio de la oscuridad tratando de resolver la forma de hacer frente a Pilato y al sanedrín cuando se enteraran de las noticias.

—Shobi, tu oficial del Templo ¿está aún a tu servicio? ¿Podría hablar con él?

El sumo sacerdote movió la cabeza.

—Shobi desapareció esa misma noche; de acuerdo con lo que dijo su ordenanza, jamás volvió a sus habitaciones. No hemos vuelto a saber de él en estos seis años.

—Y los otros tres guardias, todavía están a tu servicio?

—A todos los encontraron en sus habitaciones, poco después de la salida del sol, muertos por sus propias manos, incapaces de vivir con el estigma de haber sido negligentes en el cumplimiento de su deber.

Qué conveniente para alguien, pensé. De cuatro posibles testigos oculares de lo que realmente había sucedido en la tumba, tres de ellos estaban muertos y el otro había desaparecido.

—¿Y cómo reaccionaron Pilato y el sanedrín cuando se enteraron de la noticia?

—Según me dijeron, Pilato mostró su acostumbrado desprecio por todos nosotros. Dijo que no podía esperarse otra cosa de unos guardias judíos que jugaban a ser soldados manteniendo la paz entre los ancianos y las mujeres en los patios del Templo. Esa misma mañana convoqué al sanedrín para celebrar una reunión de urgencia, y sus miembros deliberaron brevemente antes de votar porque no se hiciera anuncio público de ninguna clase. Razonaron que con toda seguridad los seguidores de Jesús ya habían huido para evitar su detención o algo peor, y que era muy probable que se hubieran llevado con ellos el cuerpo de Jesús, para darle sepultura en su nativa Galilea, por lo que opinaban que el asunto estaba cerrado y mientras menos se hablara de él sería mejor.

—Qué equivocados estaban.

—Sí, la percepción retrospectiva es el mejor profeta de todos, Matías. Durante las siete semanas siguientes, la ciudad permaneció tranquila; suponíamos que ya se habían olvidado de Jesús, como sucedió con los otros falsos profetas que lo precedieron. Pero en la mañana de nuestra fiesta de Pentecostés, que señala el final de nuestra primera cosecha, me llegaron noticias de que más de cien discípulos de Jesús se habían reunido fuera de la casa de la viuda María, y Pedro, un hombre que siempre estuvo muy cerca de Jesús, anunció a la multitud que el Espíritu Santo había aparecido ante ellos mientras oraban, y les dijo que Jesús había sido liberado de los dolores de la muerte y que Dios lo resucitó y lo constituyó en el Señor y Cristo. Antes de que terminara el día, se me informó que dos mil o tres mil personas creyeron en las palabras de Pedro y fueron en su busca para que las bautizara en señal de su nueva lealtad a Jesús, el Mesías, quien pronto volvería entre las nubes del cielo.

—Si la tumba ya estaba vacía la tercera semana, ¿por qué supones que esperaron siete semanas para informar a la gente que Jesús había resucitado?

Caifás se encogió de hombros nuevamente.

—No lo sé. Uno de mis sacerdotes sugirió que después de siete semanas el cuerpo estaría tan descompuesto que, aun si lo encontraban, no podía ser identificado, así que para el día de Pentecostés, tal vez Pedro se sintió a salvo para hacer su falso anuncio.

—¿Qué hiciste al enterarte de la pretensión de Pedro?

—Hice que se publicaran avisos, repartiéndolos por toda la ciudad y en el interior del patio del Templo, que ofrecían una recompensa de diez mil siclos de plata por información conducente a la localización del cuerpo y a la detención de los culpables que lo robaron de la tumba.

Hice algunos cálculos apresurados. Según recordaba, un siclos de plata valía aproximadamente sesenta y cinco centavos de dólar. Seis mil quinientos dólares, en el año 36 después de Cristo, hubieran bastado para tentar al más santo de los ángeles.

—¿Nadie reclamó la recompensa? —pregunté.

—Nadie —suspiró.

—¿Te gustaría saber en dónde está oculto el cuerpo? —me escuché preguntar.

Caifás saltó de la banca; me tomó por ambos brazos y los apretó contra su frágil pecho.

—¿Lo sabes, Matías? ¿Sabes en dónde se encuentra? ¡Dímelo, te lo ruego, y doblaré la recompensa! ¡Veinte mil siclos de plata! ¡Piensa en ello! Suficiente para que pases el resto de tus días rodeado de más lujo del que jamás hayas podido soñar, en la mejor villa de Roma. ¡Dímelo!

Ahora sabía que podía borrar de mi lista al sumo sacerdote; definitivamente, Caifás no había retirado el cuerpo de la tumba de José con el fin de impedir que ese sitio se convirtiera en escenario de demostraciones molestas, en contra suya y del sanedrín.

—Lo siento, pero aún no sé en dónde se encuentra oculto el cuerpo; pero tengo esperanzas de averiguarlo antes de terminar mi misión aquí.

—¡Treinta mil... treinta mil siclos de plata cuando me lo digas!

Le volví la espalda para que no pudiera ver la aversión en mi rostro. Qué ironía, pensé, mientras me acompañaba escaleras abajo hasta el vestíbulo. Hacía seis años, Caifás le pagó a Judas treinta siclos de plata por el cuerpo con vida de Jesús. ¡Ahora estaba dispuesto a pagar mil veces esa suma por su cuerpo sin vida!

José y yo guardamos silencio durante el breve recorrido de regreso a su mansión, hasta que el anciano dijo en voz queda:

—Creo que sería prudente hacer planes para que te entrevistes con Pilato mañana a primera hora. No me será difícil arreglarlo.

—¿Por qué? —pregunté distraídamente, todavía pensando en el relato de Caifás.

Cuando no respondió, me volví a mirarlo. Inclinó la cabeza hacia atrás varias veces antes de que yo pudiera comprender, y entonces miré a través de la ventanilla trasera de nuestro carruaje.

No muy lejos, montado en un garañón gris, cabalgaba el jinete de la capucha negra, al cual pensaba habíamos perdido en el camino hacia Betania.

10

Dos centinelas, sobre los altos muros de losas, nos contemplaban con mirada sospechosa cuando salimos del carruaje para acercarnos a las puertas del cuartel militar de Roma en Jerusalén. Sus escudos, sus armaduras y aun sus largas y flexibles lanzas relucían amenazadores bajo el temprano sol de la mañana.

—Nuestro comité de bienvenida —dijo José despreocupadamente.

—¿Qué se necesitaría para que esas lanzas salieran volando?

El anciano rió entre dientes.

—Matías, solamente son ayudantes sirios y, con toda seguridad, fallarían su blanco por varios codos si tiraran desde esa altura.

—Qué pensamiento tan consolador.

—Para ellos no somos más que una distracción momentánea. Su principal preocupación se encuentra en esa dirección —dijo, señalando hacia el gran Templo al lado, cuya fachada de mármol y oro relucía en vívido contraste con la deslustrada y apedernalada estructura adyacente.

En alguna ocasión leí que durante sus últimos años como rey títere de Israel, Herodes había erigido una gran águila de oro en la parte más sobresaliente del techo del Templo para que pudiera ser vista desde cualquier punto de la ciudad. Antes de su muerte sufrió la extrema humillación de ver cómo una pequeña banda de eruditos judíos derribaba y destruía su tributo vulgar y sacrílego a Roma.

Habían transcurrido treinta años o más desde que el águila fue derribada, pero ahora un símbolo mucho más intimidante y mortal proyectaba su sombra degradante sobre el pueblo y su lugar sagrado de culto. Agazapada sobre una colina de dura piedra caliza en forma de domo, que se elevaba muy por encima del pináculo más alto del Templo, se encontraba la fortaleza llamada Antonia, en la actualidad ocupada por más de mil legionarios y auxiliares romanos.

Ignorando a los curiosos soldados que estaban inmediatamente arriba de nuestras cabezas, José dijo:

—Observa la tersura de la superficie externa de los muros, Matías, construidos así para impedir que cualquier huésped indeseable ascienda por sus empinadas paredes. El antiguo palacio de Herodes, dentro de estos muros, tiene tres pisos de altura y rodea un espacioso terreno enteramente pavimentado de piedra en donde pasan revista las tropas. Como puedes ver, hay una torre sobre cada una de las cuatro esquinas del muro exterior y la base de la más cercana a nosotros en realidad invade el patio del Templo, con pasadizos que conducen directamente al Patio de los Gentiles, a fin de que los soldados dispongan de un acceso fácil en caso de que surja algún problema. Sin lugar a dudas, Antonia se ha convertido en una de las fortalezas romanas de más renombre, capaz de albergar a toda una legión si es necesario. Cuenta con sus propias cisternas para almacenar agua, un inmenso granero, hospital, baños e incontables hileras de barracas en el lado norte del terreno. Pilato y sus funcionarios siempre se alojan en el ala sur cuando vienen a la ciudad y, afortunadamente para nosotros, acaba de llegar para nuestra Fiesta de los Tabernáculos, que empezará la próxima semana. El procurador se impone, como obligación, venir a Jerusalén para cada una de nuestras tres grandes festividades, y por lo general siempre trae consigo una cohorte adicional de soldados procedentes de su sede en Cesarea, para ayudar a controlar a la multitud y a mantener la paz.

El anciano me tomó del brazo mientras cruzábamos debajo del arco de entrada en el grueso muro y me guió a la derecha, a lo largo de un ancho camino de tierra que separaba el muro de la fortaleza, hasta que llegamos ante una pesada puerta de bronce que ya tenía abierta un sonriente legionario de mi edad, poco más o menos.

—Saludos, centurión Cornelio —dijo José.

—Bienvenido, José. Ha pasado mucho tiempo. El procurador los espera en sus habitaciones. Síganme.

Mientras nos guiaba a lo largo de un pasadizo húmedo, iluminado por pequeñas lámparas de aceite colgantes, toqué a José en el hombro y susurré:

—¿Está esperándonos?

—Es lo menos que puedo hacer para ayudarte en tu búsqueda, Matías. Después de todo, éste es tu cuarto día aquí y tú anunciaste al mundo que todo lo que necesitabas para descubrir la verdad acerca de Jesús era una semana. Mi oro puede estar contaminado por el comercio, pero aun así, me abre muchas puertas.

Señalé hacia el centurión que caminaba delante de nosotros.

—¿Cómo es que lo conoces?

—Es una larga historia, Matías; quizá te la cuente más adelante.

Empezamos a subir peldaños, muchos de ellos, hasta que tuvimos que rodear varias estatuas de mármol de tamaño natural, apretadas unas contra otras en un amplio descanso, antes de proseguir por un larguísimo corredor alfombrado, cuyas paredes estaban decoradas con estandartes multicolores, escudos enmohecidos y espadas de diversos largos y formas. Al final del corredor, afuera de una puerta de madera elaboradamente tallada, un guardia con casco inclinó su lanza hacia adelante, en lo que supuse era la posición de saludo. Cornelio llamó cuatro veces a la puerta y después de escuchar un grito ininteligible desde el interior, empujó la aldabilla y nos llevó ante la presencia de Poncio Pilato, quinto procurador de Judea, Samaria e Idumea.

Pilato era un hombre de mediana estatura, con cabello blanco que llevaba muy corto. Sus rasgos eran afilados, especialmente sus orejas, y en la barbilla tenía una partida muy pronunciada. No llevaba barba, como todos los romanos de elevada posición, y su piel morena sugería que quizá los historiadores que, a lo largo de los siglos, habían llegado a la conclusión de que las raíces de Pilato se encontraban en España, estaban en lo cierto. Me sentí complacido al ver que consideraba nuestra reunión como algo informal, ya que no llevaba ninguno de los atavíos de su cargo. Su cuerpo estaba cubierto por una túnica ligera, muy parecida a la mía, y sus pies apenas calzados con unas delgadas sandalias de cuero. Nos sirvió un poco de vino blanco de una garrafa que tenía a su lado y volvió a llenar su propia copa, mientras José y él hablaban de política y de las condiciones que prevalecían en la ciudad, como si yo no estuviera presente.

Por todo lo que pude averiguar durante mis investigaciones acerca de este hombre, Pilato era inculto, rústico, frío y hosco. Josefo, el historiador del siglo primero, lo describió como altanero, obstinado, rudo y carente de tacto, y Agripa, el príncipe judío, en una carta dirigida al emperador Gayo, lo había llamado inflexible, obstinado e implacable. Mientras lo observaba, era difícil adjudicar cualquiera de esos adjetivos a este individuo reposado y cortés que escuchaba las opiniones de José con atención y respeto. Siempre que hablaba movía las manos para acentuar algún tema, y no pude menos que observar el pesado anillo de oro que lucía en el dedo medio de la mano derecha. Supuse que debía tratarse de ese tesoro tan apreciado por todo el imperio romano, el anillo que significaba que Pilato era "amigo del César", un honor concedido únicamente a unos cuantos de elevada posición y que llevaba consigo muchas prerrogativas y privilegios. Shakespeare estaba en lo cierto cuando escribió que el cielo oculta a todas las criaturas el libro del destino. ¿Quién se hubiera atrevido a predecir que de todos los grandes romanos que existieron, este hombre, que jamás fue otra cosa que el procurador de una pequeña provincia que Cicerón llamó "un agujero en el rincón" de un vasto imperio, algún día sería más recordado que cualquiera de sus compatriotas? ¿Y cuántos millones de niños, a lo largo de los siglos, aprenderían a despreciar su nombre al recitar las siguientes palabras de una plegaria: "padeció bajo el poder de Poncio Pilato"? No me había dado cuenta de que alguien me dirigía la palabra hasta que alcé la vista y me encontré con que Pilato y José me miraban a la expectativa.

—Lo siento —dije.

Pilato se encogió de hombros sonriendo.

—José me ha informado que estás preparando una historia de estas provincias del Este. En ocasiones tengo la impresión de que los ciudadanos romanos no están conscientes de que las fronteras de nuestro imperio se extienden más allá de Esparta, en dirección al Este. Te alabo por emprender la tarea de arrojar alguna luz sobre estas tierras, para todos aquellos que no pueden ver más allá de su Coliseo.

—Gracias —murmuré, frotando nerviosamente mis palmas húmedas contra mi túnica.

—José también me ha dicho que quieres incluir en tu historia de los judíos, la de ese rebelde de Galilea.

—Así es.

—Tus esfuerzos consumirán el resto de tu vida y llenarán toda una biblioteca si desperdicias tu tiempo narrando las necias hazañas de todos los agitadores que este pueblo ha adoptado —dijo Pilato, y su voz se endureció—. Y aun así, yo diría que este... este Jesús no merece más de una o dos frases, si acaso.

Volví la mirada a José en busca de ayuda, pero el anciano, impasible, permanecía sentado contemplándose las manos. Ya él había hecho su parte; yo estaba en presencia de Pilato, y el resto dependía de mí.

—Señor, cuando termine mi investigación acerca de este hombre, quizá decida que la evaluación que acabas de hacerme de él es correcta. Hasta entonces, debo seguir en busca de la verdad.

—¿La verdad? ¿Qué cosa es la verdad? Hasta ahora, nadie ha podido responderme a esta pregunta. ¿Y cómo se sabe cuándo se ha encontrado la verdad?

—Yo lo sabré.

—Hasta ahora, ¿adónde te han llevado tus investigaciones en tu búsqueda de... de la verdad acerca de ese agitador ya fallecido?

¡Cuidado! ¡Puede ser una trampa! Recuerda que te ha hecho seguir, y que sabe con exactitud en dónde has estado y con quién te has reunido, con la posible excepción de las hermanas de Betania. Si ahora le mientes, ni siquiera José podrá salvarte.

—Ya he hablado con Santiago, el hermano de Jesús, y con algunos de sus primeros discípulos, como Mateo, Santiago y Pedro...

—¡Agitadores! —rugió con desprecio—. Tarde o temprano, todos ellos seguirán a su dirigente muerto hasta la cruz.

—También me entrevisté con Caifás...

—¿Con Caifás? —me interrumpió nuevamente—. Si buscas la verdad, ¿por qué desperdicias tu tiempo con ése?

—Pero ¡es el sumo sacerdote! Puede...

—¿Sumo sacerdote? Vitelio podría transferirlo mañana mismo y en su lugar colocar una cabra, y probablemente estaríamos mucho mejor. ¡No debes creerle a Caifás nada de lo que se relacione con este asunto de Jesús! ¡Si lo sabré yo!

No me atreví a responder a su estallido de cólera. Todo lo que podía hacer era seguirle el juego durante la entrevista, como un buen pescador, dándole todo el sedal que requiriera. Esperaba no quedarme sin sedal antes de que perdiera la paciencia con mi interrogatorio.

—Matías —me dijo llamándome por mi nombre por primera vez, y con mucho menos rencor en su voz de tenor—: José me ha dicho que eres amigo íntimo de Vitelio; debido a que siento gran respeto por mi honorable delegado en Antioquía, voy a colaborar contigo, hasta donde me lo permita la memoria, a pesar de mi desagrado por todo ese asunto de Jesús. Adelante con tus preguntas.

—Gracias. ¿Cuándo oíste hablar de Jesús por primera vez? ¿Fue esa noche en que Caifás vino a pedirte algunos soldados para que lo ayudaran a él y a su guardia a efectuar la captura?

Pilato volvió a llenar su copa, la vació lentamente, y se acomodó en el bajo diván, con los párpados entrecerrados.

—Amigo mío, ya me las he arreglado para sobrevivir en este infecto agujero durante diez años, vigilando al pueblo más difícil e inconmovible sobre la faz de la Tierra. No podía haberlo logrado sin contar con agentes leales y bien pagados por toda la región, aun en las provincias que no se encuentran bajo mi jurisdicción. Me enteré de Jesús casi tan pronto como empezó a predicar en esa aldea cercana al lago... ¿cómo se llama?... Sí, sí, Cafarnaúm. Estaba constantemente informado de sus supuestos milagros y de sus discursos incendiarios dirigidos al pueblo, y en realidad, esperaba que Herodes Antipas pusiera fin a sus actividades mientras se encontraba en Galilea, tal y como lo hizo con ese otro a quien llamaban "el Bautista". Después se me dijo que Jesús pretendía haber resucitado a un hombre muerto, sacándolo de su tumba en la cercana Betania, y desde entonces supe que antes de que transcurriera mucho tiempo tendríamos que enfrentarnos.

—¿Pretendías arrestarlo a la primera provocación?

—Por supuesto. Cualquiera que se atreve a incitar al pueblo bajo mi jurisdicción con la promesa de un nuevo reino, claramente está cometiendo un acto de sedición en contra de Roma. Desde la época de Augusto, sólo hay un castigo para ese crimen: ¡la muerte!

—Entonces hay algo que no comprendo. Se me ha dicho que cinco días antes de que Jesús fuera crucificado, cabalgó hasta Jerusalén montado en un burro y acompañado por gran número de sus seguidores, quienes crearon grandes disturbios a lo largo del camino colocando sus mantos y hojas de palma a su paso, como si perteneciera a la realeza, mientras que las multitudes que se dirigían a la ciudad lo aclamaban. ¿Por qué no lo arrestaste de inmediato, por incitar al pueblo?

El rostro de Pilato estaba sin expresión.

—Deben haber sido sus propios seguidores quienes te proporcionaron esa información relacionada con una entrada grandiosa a la ciudad, ya que nunca han vacilado en exagerar cualquier suceso de su vida hasta llevarlo fuera de toda proporción. Si hubiera habido algún disturbio, más allá de lo que normalmente se espera de los peregrinos procedentes del Norte, ciertamente me hubiera enterado de ello y hubiera tomado las medidas necesarias para reprimirlo. Sí, recuerdo que me informaron que Jesús entró al Templo, y esperando poder conocer a ese hombre que obraba maravillas, subí a la torre suroeste, desde donde se puede ver el patio del Templo, a fin de observarlo. Debo decir que no me decepcionó. Con unas cuantas docenas de seguidores a sus espaldas, entró al patio y de inmediato empezó a derribar las mesas de los mercaderes; después los azotó con una especie de látigo y volvió para aplastar incontables jaulas de palomas, hasta que el cielo se llenó de esas aves. Causó grandes estragos entre la gente, pero con gran sorpresa de mi parte, ninguno de los guardias hizo un movimiento para detenerlo. Mientras observaba, uno de mis oficiales se llegó a mi lado y dijo que inmediatamente enviaría a sus hombres a detener al transgresor antes de que se iniciara un tumulto, pero yo lo detuve.

—¿Por qué?

—Jesús había cometido un crimen muy serio contra el Templo; era responsabilidad de las autoridades judías detenerlo y castigarlo. Durante mi estancia aquí, he tenido necesidad de resolver problemas derramando sangre judía en más de una ocasión. Siempre que lo he hecho, los sumos sacerdotes no han dejado de quejarse con Vitelio o en Roma, asegurando que he abusado de mi poder. Tiberio, por razones que jamás he podido comprender, insiste en que debemos consentir a este pueblo miserable, aun hasta el punto en que están exentos de obligaciones militares. Sospeché que si daba algún paso en contra de Jesús, en medio de toda esa multitud, compuesta por muchos galileos tan rústicos como él, podría estallar algún disturbio, se derramaría sangre y los sacerdotes nuevamente irían a quejarse con Tiberio. Para mí, no valía la pena capturar a Jesús en tales circunstancias, y como había profanado su precioso Templo, estaba seguro de que los judíos se verían obligados a castigarlo ellos mismos. Así me vería libre de un hombre peligroso, que amenazaba la paz de mi provincia, sin siquiera tener que levantar un solo dedo.

—Una actitud muy inteligente de tu parte —dije—. Pero entiendo que esas personas no tienen derecho a ejecutar a ningún criminal a quien encuentren culpable de una ofensa capital, como la de deshonrar su Templo, sin contar con tu autorización.

El procurador juntó las manos, separando los dedos y golpeando una contra otra.

—En tanto que sus propios tribunales encontraran culpable al hombre y lo condenaran a muerte, la responsabilidad sería enteramente suya. Entonces, yo sancionaría su veredicto, como normalmente lo hago, y podían llevárselo y lapidarlo o hacer con él lo que quisieran.

—Pero, según dice Caifás, finalmente te implicaste. Él dijo que te pidió ayuda para detener a Jesús y que tú le enviaste algunos soldados.

—Caifás vino aquí por la noche, a hora ya muy avanzada, despertándonos de nuestro sueño a mi esposa y a mí. Se sentó allí, en donde tú estás sentado ahora, en un estado de gran agitación. Me suplicó que lo ayudara, como jamás antes lo había hecho; dijo que sabía en dónde podía capturar a Jesús, lejos de las multitudes, pero que sus guardias del Templo tenían miedo de aprehenderlo igual que lo tuvieron en el patio.

—¿Miedo? ¿De Jesús? —sonreí sin ánimo.

—También yo me reí de él —recordó Pilato—, pero Caifás dijo que sus hombres temían que Jesús hiciera un milagro y acabara con ellos, ya que si podía hacer que resucitara un muerto, creían que seguramente podría lograr que quien estuviera vivo cayera muerto. Me suplicó que le prestara algunas de mis tropas, pues estaba seguro de que si mis soldados estaban presentes, sus hombres tendrían el valor para cumplir con su deber. Al principio me rehusé, aduciendo que los falsos profetas eran cosa suya, pero finalmente, accedí ya que aun así la captura, el juicio y la ejecución serían su responsabilidad. Y hasta le prometí concederle mi autorización a la mañana siguiente muy temprano, para lo que me aseguró sería un veredicto de culpa pronunciado por el sanedrín, culpa que se castigaba con la muerte, a fin de deshacerse de Jesús antes de que se iniciaran su Pascua y su sabat, a la hora de la puesta del sol. Después regresé a mi lecho.

—¿De manera que ambos *ya habían acordado* que Jesús moriría?

—Un destino muy merecido para todos los de su clase. Sí.

—Caifás me dijo que sólo te pidió una docena de soldados, pero que tú le enviaste un pequeño ejército. ¿Por qué lo hiciste?

La risa áspera y estridente de Pilato llenó la habitación. Se irguió y juntó las manos, como si él mismo se estuviera aplaudiendo.

—Varios meses antes, recibí un informe de que Jesús había alimentado a muchos miles en el desierto de Galilea; multiplicó cinco hogazas de pan y dos pequeños peces, convirtiéndolos en alimento suficiente para todos. De acuerdo con mi informe, la gente se sintió tan impresionada que quiso convertirlo en su rey. Puesto que algunos judíos consideraban a este hombre suficientemente poderoso para ser su gobernante, pensé que lo menos que podía hacer era enviar un ejército para aprehenderlo, algo que fuera digno de su exaltada posición. Tú sabes, los privilegios del rango —me dijo riéndose; aún disfrutaba, después de todo ese tiempo, con la broma que le jugara a Caifás.

—Señor —proseguí—, según Caifás, el sanedrín encontró a Jesús culpable de blasfemia y unánimemente acordó que debía morir. A la mañana siguiente, a una hora muy temprana, lo trajeron aquí, tal y como habían acordado tú y el sumo sacerdote, a fin de obtener tu autorización para darle muerte lapidándolo. ¿Qué sucedió? ¿Qué fue lo que sucedió después de que llegaron aquí, que te hizo retirar el caso de manos del sanedrín, encontrar a Jesús culpable de sedición y crucificarlo, ya que acabas de decirme que no deseabas implicarte? El sumo sacerdote se negó a discutir eso conmigo; sostiene que su jurisdicción terminó ante las puertas de esta fortaleza y que cualquier información relacionada con lo que sucedió esa mañana dentro de estos muros tendría que venir de ti.

—¡Ese canalla! —rugió—. Si Caifás quiere dar a entender que sus labios están sellados, entonces eso se debe a que él mismo los selló. ¡Jamás ha tenido el valor de admitir que me traicionó delante del pueblo y de mis superiores, obligándome a actuar!

¡Ahora se aclararían los hechos! Los ladrones riñen entre sí. Confía en mí, Pilato, estoy de tu parte. ¿Ves la franja púrpura que corre a lo largo de mi túnica? Nosotros los romanos debemos permanecer unidos.

Pilato continuó:

—Estaba despierto antes de la salida del sol, como es mi costumbre, y ya esperaba abajo, en el Salón de Juicios, cuando el sanedrín llegó con su prisionero. Roma, en su infinita sabiduría, no considera que Judea tenga suficiente importancia para que un cuestor esté presente para juzgar los casos criminales, así que es necesario que yo mismo me encargue de esos asuntos. Puesto que el día anterior había celebrado audiencia, esa mañana no tenía otras obligaciones más que cumplir mi promesa a Caifás. Se encontraban acompañándome tres tribunos de nuestra sede en Antioquía, que vinieron a hacer un recorrido de inspección anual a la fortaleza, y retrasaron su partida a fin de ser testigos del sencillo procedimiento involucrado en sancionar un veredicto del sanedrín por una ofensa capital. Caifás, maldito sea para siempre, esa mañana me hizo aparecer como un tonto ante sus ojos.

—¿Cómo?

Pilato se puso de pie, haciéndome una señal para que lo siguiera. Abrió una puerta y salimos a un balcón con vista a los terrenos en donde pasaba revista a sus tropas. ¡Allí está, allí está! me repetía a mí mismo entre cada latido apresurado de mi corazón. El enlosado, el lugar en donde Jesús fue juzgado y condenado por Pilato, el *Gabbatá* en arameo, el *Lithostrotos* en griego, ¡ese cuadrado de tristeza para todo cristiano que ha revivido la agonía de Jesús a lo largo de dos mil años! Parpadeé varias veces ante el deslumbrante brillo de las piedras pulidas por innumerables botas y cascos de caballos desfilando de un lado a otro a lo largo de poco más de cuarenta metros cuadrados de inmortalidad.

El procurador señaló hacia un lugar en el suelo, casi directamente abajo de nosotros.

—Caifás y los demás trajeron a su prisionero a través del arco en el muro, pasando por el callejón entre los dos edificios a nuestra izquierda, y se encontraban parados allí, afuera del vestíbulo. Al ver que no entraban, envié a uno de mis soldados para invitarlos a pasar, pero respondieron que no podían hacerlo, pues quedarían contaminados a tal grado que no podrían purificarse a tiempo para cumplir con sus obligaciones pascuales a la hora de la puesta del sol. ¡Imagínate nada más! Estaban dispuestos a llevarse a un hombre para lapidarlo hasta dejarlo convertido en una pulpa sanguinolenta y, sin embargo, no se hacían a la idea de penetrar en la morada de un gentil, aun cuando se trataba de su procurador. Estaba furioso; si los tres tribunos inspectores no hubieran estado conmigo, no estoy muy seguro de lo que hubiera hecho para desahogar mi cólera. Tal y como se presentaban las cosas, ordené que trajeran mi plataforma y mi silla cuestorial y que las colocaran sobre el pavimento, prometiéndome que Caifás se arrepentiría de haberse levantado de su lecho ese día.

—¿Cuántos acompañaron al prisionero hasta aquí?

—Desde hace mucho tiempo, he seguido la norma de que este terreno y el Salón de Juicios son áreas públicas los días que celebro audiencia. Todos los juicios que se llevan ante mí están abiertos para cualquiera que desee asistir. Sin embargo, aún era temprano, así que calculo que no había más de cincuenta personas delante de la plataforma, incluyendo a varios despreciables guardias del Templo, cuando me dirigí hacia ellos, acompañado por mi personal y los tres tribunos de Antioquía.

—¿Cuál fue tu primera impresión del prisionero?

Pilato hizo una mueca.

—Pensé que si éste era el Mesías que libertaría a su pueblo de sus supuestos opresores, ni Tiberio ni Vitelio tenían por qué perder el sueño. Tal y como lo recuerdo, tenía las manos atadas a la espalda y su rostro mostraba huellas de sangre seca en una mejilla. Tenía los labios hinchados y los ojos entrecerrados, como si estuviera casi dormido. Alrededor del cuello llevaba una cuerda, y sobre sus hombros caía un viejo manto rojo de lana. Era más alto que la mayoría de los judíos, pero con la barba y en las condiciones en que se encontraba, no pude calcular su edad. En general, su aspecto no era nada agradable cuando Caifás lo condujo hasta el borde de la plataforma. Empecé por preguntar, como es la costumbre: "¿De qué acusan a este hombre?", esperando que, tal y como lo habíamos planeado, Caifás me respondiera que el sanedrín lo había encontrado culpable de blasfemia según sus leyes, y que juzgaban que era reo de muerte. Estaba preparado para concederles el permiso para proceder, firmar el certificado de la ejecución y clausurar la audiencia con prontitud. En vez de ello, en respuesta a mi pregunta, Caifás dijo: "Si no fuera un criminal, no te lo entregaríamos". Me quedé sin habla durante un momento, antes de darme cuenta de lo que ese gusano con vestimentas sacerdotales había tramado a espaldas mías.

—Creo que me ha sucedido lo mismo —respondí—. Te estaba pasando la..., quiero decir, quería que *tú* juzgaras a Jesús, lo encontraras culpable y lo ejecutaras. De esa manera, todo el peso de la responsabilidad de su muerte pasaría del sanedrín a ti, y si el pueblo se amotinaba, toda la culpa sería tuya.

—Exactamente —replicó Pilato—. Caifás me había engañado, y con los tres inspectores observando tuve que luchar conmigo mismo para no saltar de la plataforma y estrangularlo con mis propias manos. En vez de ello, dije: "Entonces, llévenselo para que lo juzguen según sus leyes". Me puse de pie, dispuesto a dar por terminada la audiencia, pero Caifás y dos o tres sacerdotes gritaron en voz muy alta: "¡No nos es lícito dar muerte a nadie!"

—¿No te informaron que ya habían juzgado a Jesús, que lo encontraron culpable de blasfemia, según sus leyes, y que estaban preparados para ejecutarlo con tu autorización?

—No, sino que de inmediato empezaron a acusar a Jesús de otros crímenes, de crímenes contra Roma, no contra sus leyes. Uno gritó que había prohibido el pago de impuestos al César y, por último, recuerdo que Caifás repetía una y otra vez: "¡Dice que es el Cristo, un rey; dice que es el Cristo, un rey!" Al hacer públicas esas acusaciones, no tenía otra elección; Caifás había sido más astuto que yo, y puesto que todos los cargos que presentaban, como testigos legales, eran contra nuestro imperio, me vi obligado a juzgar a Jesús, o de lo contrario el informe que hubiera recibido Vitelio de los tres tribunos visitantes habría acabado con mis días como procurador. Para entonces, aun cuando, según mis informes, estaba seguro de que probablemente Jesús merecía ser castigado por sedición, estaba decidido a ponerlo en libertad, cuando menos por el momento, aunque sólo fuera para humillar al sumo sacerdote. Ordené a mis soldados que trajeran a Jesús aquí, a mis habitaciones, a fin de poder interrogarlo en privado.

Me di vuelta para mirar la habitación elegantemente amueblada, con sus muros de ricos paneles, su piso de ágata, sus estatuas de mármol y oro, y traté de visualizar a Jesús en un escenario así.

—¿Qué le dijiste cuando los dos estuvieron a solas?

Pilato contempló hacia el cielo.

—Simplemente le pregunté si era el rey de los judíos, pero él me devolvió la pregunta.

—¿En qué forma?

—Me miró directamente a los ojos, preguntándome si hablaba de acuerdo con mis propias observaciones, o por lo que los demás decían de él. Tuve que admirar su valor; era obvio que estaba exhausto y sufría; casi todos los prisioneros que se enfrentan a la pena de muerte se vuelven criaturas gimientes, suplican por su vida, besan mi manto y mis sandalias, imploran y gritan; pero no éste. "¿Soy acaso judío?", le pregunté, empezando a impacientarme con todo el asunto. "¿Cómo puedo saber de ti? Tu propio pueblo y los sumos sacerdotes te han entregado a mí. Dime, ¿qué has hecho?"

—¿Y qué te respondió?

—Empezó a decir que su reino no era de este mundo, porque si lo fuera, sus seguidores hubieran impedido que cayera en manos de los judíos. "Entonces, *¿eres* un rey?", le pregunté, y él respondió: "Tú lo has dicho, soy un rey. Para eso nací y para eso he venido a este mundo, para dar testimonio de la verdad". Y proseguí: "¿Qué es la verdad?", pero se rehusó a contestar. Siempre me he preguntado qué sería lo que quiso decir...

—¿Qué hiciste después?

—Ya había escuchado lo suficiente para convencerme de que Jesús no ofrecía ningún peligro para Roma ni para la paz de la ciudad. A lo sumo, era un soñador, quizá ligeramente trastornado por los espíritus malignos y el delirio, pero inofensivo si se le comparaba con los muchos fanáticos y asesinos a quienes había crucificado en el pasado. Ordené que el prisionero fuera llevado abajo, y le hice que se parara a mi lado sobre la plataforma. Entonces, anuncié que no lo había encontrado culpable de nada.

—¿Lo encontraste inocente de todos los cargos?

—Sí.

—Pero no lo pusiste en libertad.

—Antes de poder hacerlo, un gran grito se elevó entre la multitud. Las acusaciones de toda clase contra el prisionero aturdían mis oídos, y muchos de los sacerdotes y miembros del sanedrín gritaban que amotinaba al pueblo por todo el país, empezando por Galilea y aun aquí. Al escuchar que se mencionaba a Galilea, fue como si Júpiter me hubiera enviado un mensaje especial.

—No comprendo.

—Puesto que Jesús era de Galilea, era súbdito de Herodes Antipas, quien se encontraba en la ciudad para celebrar la Pascua y se alojaba, como siempre, en el cercano palacio de los hasmoneos. Contra las fuertes protestas de los sumos sacerdotes, le dije a la multitud que debía permitirse que fuera Herodes quien juzgara a alguien de su propio pueblo. Entonces, mis soldados se llevaron a Jesús, y Caifás y sus ayudantes los siguieron, mientras que la mayor parte de la multitud se sentó sobre las piedras calientes. Yo volví a mis habitaciones a esperar la decisión de Herodes.

—¿No se retiró la multitud?

—Por el contrario, se volvía más grande y más ruidosa a medida que subía el sol en el cielo, ya que ese era el día de la indulgencia, una antigua costumbre pascual establecida por un procurador que me precedió y quien no debió hacer tal cosa; ese día debía entregar a los judíos a un prisionero convicto, con el perdón absoluto, como un gesto de buena voluntad de los romanos. Por el aspecto de la multitud de rufianes que se estaba reuniendo en el lugar sabía qué prisionero me pedirían, y no podía evitar el momento en que me vería obligado a preguntarles cuál era su elegido. A principios de la semana habíamos arrestado y condenado a otro Jesús, llamado Barrabás, quien dirigía a un grupo de bandoleros que se enfrentaron a una de mis patrullas, fuera de la ciudad, dando muerte a tres de mis ayudantes antes de ser capturado. Barrabás hubiera sido crucificado de inmediato, pero esperábamos obtener de él alguna información acerca del sitio en donde se ocultaba su banda de asesinos.

—¿Cómo, torturándolo?

Pilato sonrió con afectación.

—Una mejor manera de expresarlo sería decir que alentando al prisionero a cooperar por cualquier medio a nuestra disposición. En cualquier caso, poco antes de la sexta hora me informaron que Herodes me había enviado nuevamente a Jesús; cuando bajé al patio, vi que llevaba una capa de seda brillante, como la que usa la realeza. Aparentemente, Herodes se había mofado de Jesús por sus pretensiones de ser rey, pero se negó a aceptar el caso. Mi centurión, a cargo de la guardia, me informó que a pesar de que Herodes sometió a Jesús a un largo interrogatorio, el prisionero había guardado silencio y aun cuando lo maldijeron, ridiculizaron y golpearon, no pronunció una sola palabra.

—Estaba oprimido y estaba afligido y aun así no abrió la boca.

Pilato frunció el entrecejo.

—¿Qué fue lo que dijiste?

—Simplemente recordaba una antigua cita. Y ahora que tenías a Jesús de vuelta aquí, ¿qué fue lo que hiciste?

—Llamé a Caifás y a los demás cerca de la plataforma y volví a decirles que, aun cuando me habían traído a un hombre acusado de pervertir al pueblo, ya lo había interrogado y no lo encontraba culpable. Les recordé que hasta el mismo Herodes había confirmado mi veredicto, puesto que no había encontrado en ese hombre ninguna ofensa merecedora de la muerte, o de lo contrario no me lo habría devuelto. Entonces, les dije que lo haría azotar y después lo pondría en libertad.

—¿Por qué querías azotar a un hombre a quien ya habías proclamado inocente de cualquier fechoría, no una sino dos veces?

Pilato tuvo un momento de vacilación.

—Como una... una advertencia para que el hombre tuviera mayor cuidado en lo que decía de allí en adelante.

—¿Es ese un procedimiento normal para todos aquellos a quienes tu tribunal encuentra inocentes?

—Por supuesto que no —respondió Pilato alzando la voz— pero este no era un juicio común.

—Obviamente, tu decisión no agradó a los sacerdotes.

—Por supuesto que no —dijo el procurador con pesar—, y Caifás, ese Caifás taimado como una víbora, de inmediato se dedicó a poner de su lado a la multitud para que sirviera a sus propósitos. Él y los demás sacerdotes empezaron a gritar al unísono: "¡Fuera ése y entréganos a Barrabás!" Pronto la multitud hizo eco a ese grito, y el ruido era ensordecedor: "¡Barrabás, Barrabás, Barrabás!" Levanté la mano hasta que el clamor se apagó y entonces pregunté: "¿Y qué debo hacer con Jesús?", y Caifás convenció a todos para que gritaran: "¡Crucifícalo, crucifícalo!"

—Por lo que me has contado —repliqué— esa era exactamente la reacción que debía esperarse de esa multitud. Sin duda consideraban al preso Barrabás un patriota valeroso y pintoresco, dispuesto a arriesgar su vida contra las fuerzas romanas, en tanto que Jesús predicaba el amor y la humildad y ofrecía la otra mejilla, y aun decía que debía darse al César lo que era del César. Para esa multitud, Barrabás probablemente se acercaba más al concepto que tenían de un Mesías que el mismo Jesús.

Pilato estuvo de acuerdo.

—Tu evaluación de la situación es correcta. Si los tres tribunos de Antioquía no hubieran estado presentes, hubiera lanzado a mis soldados contra la multitud, acabando rápidamente con toda esa locura. No me agradaba la idea de poner en libertad a Barrabás, pero aún no estaba derrotado. ¿Ves esos dos postes de madera allá abajo, separados por una distancia de unos treinta pasos?

—Sí.

—En ocasiones especiales son usados por algunos de nuestros soldados más valerosos, suficientemente osados para competir en una contienda llamada el Círculo de la Muerte. Di órdenes de que Jesús fuera conducido hasta el poste más cercano, aquí debajo de nosotros, en donde le quitarían las ropas, lo atarían de pies y manos al madero y le administrarían treinta y nueve azotes. Para el momento en que mis dos expertos lictores acabaran de infligirle el castigo, sabía que quedaría muy poco de su cuerpo que no estuviera cubierto de sangre o de heridas abiertas por las correas de cuero y las cadenas.

"Esperé aquí hasta que terminaron; cuando volví al patio era casi imposible reconocer el rostro estropeado del prisionero como el de Jesús. Sobre su cabeza, uno de mis soldados había encajado una corona de espinas, trenzada de una planta seca del desierto que se usa para encender fuego, y el manto de Herodes caía nuevamente sobre sus hombros. Alguien había colocado en su mano una caña ensangrentada para simular un cetro real, después de haberlo golpeado con ella. Los soldados seguían girando a su alrededor, picándolo con las puntas de sus lanzas y gritando: «¡Salve, Rey de los Judíos!», mientras la multitud aplaudía.

"A una señal mía fue subido a la plataforma, a mi lado, y se veía en un estado tan lastimoso que estaba seguro de que los sacerdotes tendrían piedad de él. Levanté una de sus manos ensangrentadas por encima de su cabeza y grité: «¡Mirad, he aquí al hombre!». Todo fue en vano. Una vez más, el sumo sacerdote gritó: «¡Crucifícalo!» y la multitud hizo eco a sus palabras, una y otra vez.

—¿Hubo alguna reacción de parte de Jesús?

—Ninguna; ni llanto, ni súplica pidiendo misericordia, ni siquiera un gemido de dolor.

—¿Sabías —le pregunté— que para ese momento había pasado más de un día y una noche sin dormir, y probablemente casi sin alimentos ni agua?

—No —admitió Pilato—, y cualquier cosa que haya podido ser, debo reconocer que jamás he visto otro prisionero que se comporte con tal... con tal dignidad, aun bajo circunstancias mucho menos penosas.

—Y con la multitud pidiendo a gritos su ejecución, ¿finalmente, tuviste que ceder a sus exigencias?

—¡Oh, no! Mi paciencia con ellos había llegado a su límite. Les dije que si querían crucificarlo, podían llevárselo y crucificarlo ellos mismos, pero que yo seguía encontrándolo inocente.

—Esa fue la tercera vez que anunciaste tu veredicto de inocencia.

—Sí.

—¿Qué hicieron?

—La muchedumbre enmudeció; recuerda que casi todos habían venido sólo para pedir que pusiera en libertad a Barrabás. Caifás consultó durante breves momentos con los demás sacerdotes y entonces dijo: "Tenemos una ley, y según ella, debe morir, porque se ha llamado a sí mismo el Hijo de Dios". Cuando escuché eso, sentí deseos de escupir sobre el sumo sacerdote por traidor. Si hubiera declarado eso al principio, yo hubiera aprobado el veredicto de muerte dictado por el sanedrín, acusándolo de blasfemia y el asunto habría terminado hacía horas. Ahora ya era demasiado tarde en lo que a mí concernía. Ordené que el prisionero fuera traído otra vez a mis habitaciones; como no podía subir las escaleras, dos de mis soldados lo subieron, apoyándolo contra la pared, justamente en el interior de este balcón. Después, hubo necesidad de restregar una y otra vez para quitar toda su sangre del empanelado.

Ambos nos dimos vuelta, como obedeciendo a una señal y regresamos a la habitación. José nos miró con ansiedad cuando volvimos a ocupar nuestros asientos. Señalé en dirección al muro contra el cual se recargó Jesús.

—¿Qué fue lo que le preguntaste, en esta ocasión?

—Le pregunté de dónde venía...

—¿Por qué? ¿Qué importancia podía tener eso? ¿Acaso no lo sabías? De Nazaret, en Galilea...

—No, no Matías, no era eso lo que yo quise decir. Si Jesús se creía un dios, quería escuchar de sus labios en dónde pensaba él que se había originado su espíritu y cuál consideraba era su finalidad. Así como Vulcano protege nuestro fuego y Fórnax nuestro maíz para hornear, Jano nuestras puertas, Juno nuestra alma y Cuba nuestras ovejas, yo quería saber qué imaginaba él que serían sus obligaciones como dios aquí en la Tierra.

—¿Qué te dijo?

—¡Nada! Sus tristes ojos color café, simplemente me miraban con compasión y piedad, como si lamentara los problemas que me causaba. Tuve la extraña sensación de que estaba dispuesto a ir a la cruz y que no apreciaba mis esfuerzos por ponerlo en libertad, porque eso obstaculizaba su deseo de morir, si es que puedes creer tal locura. Le dije: "¿Por qué no me hablas? ¿No sabes que tengo el poder de crucificarte y el poder de ponerte en libertad?"

—¿Te respondió?

—Finalmente lo hizo. Dijo que no tendría ningún poder sobre él si no se me hubiese concedido desde arriba. Después, como si me estuviera perdonando, como si yo estuviera recibiendo el perdón *de él,* dijo que la persona que lo traicionó entregándolo en mis manos cometió el mayor pecado. Ya no pude soportar más e hice que lo llevaran escaleras abajo hasta llegar a la plataforma, en donde informé a la multitud que lo pondría en libertad.

—Por cuarta vez —le dije.

—Sí, pero inmediatamente Caifás se inclinó hacia adelante, señaló este anillo que me fue regalado por Tiberio y dijo: "¡Si pones en libertad a este hombre, no eres amigo de César!" La muchedumbre empezó, una vez más, con su estribillo de: "¡Crucifícalo!" y yo grité: "¿Debo crucificar a su rey?" Fue entonces cuando Caifás descargó su rayo, gritando en voz muy alta: "¡No tenemos otro rey que César!"; ya no me atreví a responder por temor a que cualquiera de los presentes me acusara, a mí, el amigo y admirador de César, de ser menos leal que una chusma de judíos.

—¿Qué hiciste entonces?

—Pedí un recipiente con agua, y cuando mi sirviente lo puso delante de mí, sumergí las manos en el agua y dije: "Soy inocente de la sangre de este justo. Véanlo ustedes mismos". Luego ordené que dejaran en libertad a Barrabás, como quería la muchedumbre, y dicté la sentencia formal a Jesús con las palabras: "¡Serás crucificado!" Los soldados le quitaron su manto real, reemplazándolo con su viejo manto rojo y me trajeron una tablilla de pino en la cual inscribí: "Jesús de Nazaret, rey de los judíos", para que la colocaran en la cruz arriba de su cabeza. Cuando Caifás y los demás vieron lo que acababa de hacer, se lamentaron de que hubiera escrito: "Rey de los judíos", en vez de: "Quien dice ser rey de los judíos". Les dije que lo que estaba escrito, escrito estaba y el letrero quedó tal como lo hice. Entonces los soldados se llevaron a Jesús y a otros dos prisioneros, a quienes condené a muerte el día anterior, fuera de la ciudad hacia el Noroeste, hasta un lugar llamado Gólgota, para ser ejecutados.

La voz del procurador era tranquila y desapasionada, como si acabase de describir lo que había tomado a la hora del desayuno. La habitación quedó en silencio. Respiré profundamente, y dije:

—Pilato, ¡no creo tu historia!

José de Arimatea se quedó boquiabierto. Pilato no dijo nada, la sangre parecía haber desaparecido de su rostro. Estaba muy cerca de mí, así que me preparé, esperando una bofetada o algo peor, por mi declaración insultante, mas no fue así. El hombre más poderoso y temido de toda Judea quedó inmóvil, como si de pronto mis palabras lo hubieran convertido en piedra.

Su comportamiento inesperado me dio valor para continuar.

—Creo que hubo otra razón mucho más apremiante para que desearas poner en libertad a Jesús, algo que tenía muy poco que ver con tu deseo de vengarte del sumo sacerdote y, menos aún, con tu propio sentido de la justicia romana al tratar con un hombre que, obviamente, jamás había predicado el derrocamiento del imperio.

Esperé que reaccionara en alguna forma, pero no lo hizo, con excepción de un espasmo nervioso del párpado izquierdo, que no había notado antes.

—Dime —le pregunté—, ¿te acompañaba tu esposa en esta visita a Jerusalén?

El procurador luchaba torpemente con su cinturón, del cual sacó, por fin, un trozo cuadrado de tela color azul, que usó para cubrirse la boca y toser. Pude escuchar un ahogado "no".

—¿No es verdad que se encontraba aquí, en tu compañía, durante esa temporada de Pascua en que Jesús fue ejecutado, hace seis años?

—¿Qué tiene que ver ella con Jesús? —refunfuñó.

—Si mal no recuerdo, me dijiste que cuando Caifás vino a buscarte aquella noche, para pedirte algunos soldados que ayudaran a sus guardias en la captura de Jesús, *ambos,* tu esposa y tú despertaron de un profundo sueño, ¿no es así?

Asintió; era obvio que no tenía ni la menor idea de adónde quería yo llegar con mis preguntas; y, por la expresión de extrañeza de José, él tampoco la tenía.

—Después de que Caifás y tú se pusieron de acuerdo y él se retiró, con toda seguridad volviste a tu alcoba, ¿no es verdad?

—Por supuesto —rezongó.

—Y tu esposa —dije sonriendo comprensivamente—, si es como la mayoría de las esposas, probablemente aún se encontraba despierta, curiosa por enterarse del extraño asunto, que no podía esperar hasta que amaneciera, que hizo venir al sumo sacerdote hasta tu casa, a una hora tan avanzada de la noche, ¿estoy en lo cierto?

El procurador estuvo a punto de devolverme mi sonrisa, pero se detuvo a tiempo.

—Estaba despierta —suspiró.

—¿Y te preguntó qué había sucedido entre ustedes dos, y tú se lo dijiste?

—Lo hice.

—¿Acostumbras levantarte más temprano que tu esposa, por la mañana?

—Siempre, y sobre todo cuando mis obligaciones me traen a Jerusalén, donde tengo tantos deberes oficiales que debo cumplir.

—La mañana del juicio, ¿ya estabas vestido y abajo antes de que ella se levantara?

—Sí. Caifás me prometió que traería a Jesús poco después de la salida del sol.

—Entonces, ¿tu esposa y tú no sostuvieron conversación alguna, antes de que salieras de tu alcoba al amanecer?

—Ninguna.

Ahora apenas podía escucharlo; me incliné hacia él.

—Pilato, ¿no es verdad que al iniciarse el juicio de Jesús te entregaron una nota de parte de tu esposa, Claudia Prócula?

Su cuerpo se aflojó en la silla, y la parte inferior se deslizó hacia adelante hasta que nuestras rodillas casi se tocaban.

—¿Cómo te has enterado de todas esas cosas?

¿Cómo iba a decirle que lo había leído en el Evangelio según Mateo, capítulo 27, versículo 19? ¿Cómo podía explicarle que había estudiado minuciosamente esa anécdota del juicio, de la cual solamente se habla en el Evangelio según Mateo, durante más de dos décadas? Siempre había querido aceptarla como un hecho, puesto que era la única explicación lógica de por qué un gobernante cruel e insensible, sin ningún escrúpulo para dirigir las espadas de sus hombres sobre el pueblo al que regía, pero despreciaba, de pronto se hubiera convertido en un ser de naturaleza sumisa, inclinándose ante la voluntad del sumo sacerdote y sus lacayos, a quienes siempre había tratado con el mayor desprecio.

—Pilato —dije, fingiendo—, hubo muchos entre la muchedumbre que vieron a tu sirviente entregarte un mensaje cuando te encontrabas en la plataforma. Yo sólo estoy suponiendo quién pudo enviarte ese mensaje, pero, ¿quién más se atrevería a interrumpir al procurador mientras celebraba una audiencia, con excepción de su esposa? ¿Qué decía ese mensaje que te envió?

—Escribió: "No debes tener nada que ver con ese hombre justo, ya que hoy padecí mucho en sueños por su causa".

—¿Tú crees en los sueños?

—¿Acaso hay un romano que no crea en ellos? Creo, igual que Augusto, que los sueños son el medio por el cual nuestros dioses casi siempre se comunican con nosotros. Cuando leí el mensaje de mi esposa no me fue posible ignorarlo, ya que muchas veces en el pasado lo que ella soñó se cumplió. También recordé que Calpurnia, la esposa de Julio César, le advirtió que había recibido en sueños un aviso de que no debía arriesgarse en el idus* de marzo. El emperador hizo caso omiso de su advertencia y, como sabes, cayó esa mañana bajo las dagas de los asesinos. Ya más avanzado el juicio, cuando escuché al sumo sacerdote acusar a Jesús de pretender que era el Hijo de Dios, hice que lo trajeran nuevamente a esta habitación, tal y como te lo dije, para preguntarle de dónde venía. Debido al sueño de Claudia, ya no estaba muy seguro de quién o qué era.

—¿Tu esposa se encuentra ahora en el palacio de Cesarea?

* En el antiguo cómputo romano, los días 15 de marzo, mayo, julio y octubre, y el 13 de los demás meses. *(N. T.)*

—No —respondió con estoicismo—. Arregló sus baúles y volvió a Roma cuatro días después de la crucifixión. Me dijo que no podía vivir un día más al lado del hombre que había asesinado al Hijo de Dios, y que ahora que había resucitado de su tumba no tenía ningún deseo de estar cerca de mí cuando viniera en busca de venganza.

—¿Se enteró de la tumba vacía?

—Claudia se encontraba a mi lado cuando recibí esa mala nueva —dijo sonriendo con tristeza, y se irguió en la silla como si sintiera algún alivio por haber descargado, finalmente, su secreto en alguien, después de todos estos años, aun cuando sólo se tratara de un historiador.

—En lo que respecta a esa tumba: entiendo que ya avanzada la tarde del día de la crucifixión, José se presentó delante de ti para solicitar tu autorización, a fin de dar sepultura al cuerpo de Jesús, en vez de dejar que lo arrojaran a la fosa común. ¿Accediste a su petición?

—Sí, pero solamente después de cerciorarme de que Jesús estaba muerto. Con frecuencia, un crucificado sobrevive durante varios días en la cruz, y me sorprendió escuchar que Jesús había expirado tan pronto. Envié a Cornelio al Gólgota, mientras José y yo esperábamos juntos; no tardó en regresar y nos informó que Jesús, sin lugar a dudas, había muerto.

—¿Cornelio? —dije casi sin aliento—. ¿Por casualidad se trata del mismo Cornelio que nos acompañó hasta aquí, a tus habitaciones, después de recibirnos en la puerta?

—El mismo. No solamente ha sido mi oficial más leal, sino mi mejor amigo y consejero durante muchos años. Antes servimos juntos a las órdenes de Germánico.

—¿Tendrías alguna objeción en que después hable con él?

—Ninguna.

—En todo caso, cuando estuviste seguro de que Jesús había muerto, ¿autorizaste a José para que reclamara el cuerpo?

—Sí. Excepto en los casos extremos, he hecho una práctica común entregar los cuerpos de los criminales ejecutados a sus familias o amigos, para que les den sepultura. Conocía a José de Arimatea como un hombre de honor, que siempre pagaba todos sus impuestos a tiempo, de manera que no tuve ninguna objeción para que recibiera el cuerpo, aun cuando me sorprendió que él, un miembro muy respetado del sanedrín, que condenó a Jesús, se atreviera a comprometer su posición en el supremo tribunal judío al venir, públicamente, a reclamar el cuerpo —mirando hacia atrás dijo Pilato observando al anciano con enfado—. Jamás debí entregarle los restos.

—¿Por qué no?

—Si hubieran arrojado el cuerpo a la fosa común, junto con los de los otros dos que fueron crucificados ese día, hace mucho tiempo que Jesús de Nazaret estaría olvidado. Como sabes, nuestro amigo aquí presente procedió a sepultar el cadáver en una elegante tumba, y cuando se descubrió que estaba vacía, no fue difícil que los ignorantes y los crédulos se convencieran de que Jesús había resucitado de entre los muertos. Sin el falso testimonio de esa tumba, ya no tendríamos a esos agitadores, quienes ahora se llaman a sí mismos cristianos, y que cada día que pasa nos ocasionan más problemas.

—Pilato, por lo que me dices, entiendo que piensas que el cuerpo fue retirado de esa tumba con el fin de engañar a la gente.

—Así es.

—Pero, ¿no vino Caifás a verte al día siguiente de que Jesús fue sepultado, advirtiéndote lo que podía suceder? ¿No te pidió que colocaras un guardia delante de la tumba, para que los seguidores de Jesús no pudieran llevarse el cuerpo con el fin de afirmar después que había resucitado de entre los muertos, tal y como profetizó que lo haría?

—Debí escucharlo. En vez de ello, como todavía estaba furioso por su traición durante el juicio, le recordé que me había lavado las manos de todo ese asunto. Le dije que mis hombres tenían cosas más importantes que hacer que dedicarse a custodiar la tumba de un hombre muerto y que si quería que vigilaran la tumba, podía usar a su propia gente.

—Ahora que lo recuerdas, ¿también te arrepientes de haber tomado esa decisión?

—Sí. Cuando por primera vez llegó a mis oídos la noticia de que la tumba estaba vacía, supuse que Caifás ni siquiera se había molestado en apostar a su propia guardia. Aun así, envié a Cornelio a ver al sumo sacerdote para exigirle una explicación. El sumo sacerdote envió sus excusas —dijo Pilato desdeñosamente—. Le dijo a Cornelio que envió a varios guardias, pero que se sintieron fatigados después de un largo día de cumplir con sus deberes en el Templo y se quedaron dormidos durante la noche; que seguramente mientras dormían, los discípulos de Jesús fueron a retirar el cuerpo. ¿Puedes imaginarte a alguno de *nuestros* soldados dormido cuando está de guardia, sabiendo que el castigo romano para una negligencia así en el cumplimiento de su deber es la muerte?

Nuestro anfitrión servía más vino en nuestras copas cuando escuchamos cuatro golpes cortos y secos en la puerta. Pilato gritó: "¡Adelante!" y apareció Cornelio, para recordarle al procurador que ya era hora de que empezara a vestirse para su inspección semanal de los cuarteles.

Pilato hizo una seña a Cornelio para que entrara a la habitación.

—¿Por qué no hablas con el centurión ahora —me dijo— mientras yo me preparo para este requisito de la vida militar, que sólo es una pérdida de tiempo?

Cornelio aceptó mi invitación para que tomara asiento, pero su rostro mostraba cierta incertidumbre, al no saber qué queríamos de él, aún después de que José le explicó nuestra misión y le aseguró que no tenía nada que temer al responderme con la verdad.

—Cornelio —empecé tan suavemente como pude—, ¿recuerdas esa tarde, hace seis años, cuando Pilato te pidió que fueras a la colina llamada Gólgota para verificar si un hombre de nombre Jesús, que fue crucificado esa misma tarde, ya estaba muerto?

El centurión asintió vacilante.

—José quería reclamar el cuerpo para darle sepultura —dijo—, pero Pilato había expresado ciertas dudas de que Jesús hubiera expirado tan pronto. Hacía mucho tiempo llegamos a un acuerdo con los sumos sacerdotes de que ningún judío convicto de un crimen grave debía colgar de una cruz durante su sabat. Para aquellos que son crucificados el día anterior al sabat, que se inicia a la hora de la puesta del sol, tenemos un procedimiento para apresurar su muerte cuando ésta se acerca, que consiste en fracturarles las piernas. Para cuando llegué a la colina, Fabio, que estaba a cargo de los detalles de nuestras ejecuciones, ya había fracturado las piernas de uno de los criminales, quien colgaba a un lado de Jesús. El hombre aún se quejaba, pero sus lamentos eran cada vez más débiles y sabíamos que estaría muerto antes de que transcurriera mucho tiempo. Justamente cuando Fabio empezó a balancear su pesado mazo en dirección a las piernas de Jesús, yo lo detuve, diciéndole que era innecesario, pues era claro que Jesús ya había muerto, por lo que Fabio se dirigió hacia el tercer crucificado, quien estaba inconsciente, pero aún con vida, y le deshizo los huesos antes de volver a mi lado, bajo la cruz en donde estaba Jesús. Pude darme cuenta de que resentía mi interferencia, ya que Fabio es un buen hombre que sigue sus órdenes al pie de la letra, así que tomé la lanza de un soldado que se encontraba cerca y clavé su afilada punta en el costado derecho de Jesús, de donde salió una gran cantidad de sangre y agua. "¿Ya ves, Fabio? —recuerdo haberle dicho—, este hombre ya está muerto. ¿Para qué desperdicias tus fuerzas en un cadáver?" Luego, le dije que sus hombres podían bajar a los otros dos de sus cruces y arrojar sus cuerpos a la fosa común, pero que no debía abandonar la colina hasta que llegara José de Arimatea a reclamar el cuerpo de Jesús. Después volví al lado de Pilato y le informé que el galileo ya estaba muerto, y se entregó a José el permiso por escrito al procurador para que se hiciera cargo del cuerpo sin vida.

Me quedé mirando al bronceado centurión, bien parecido a pesar de un lunar de aspecto desagradable que cruzaba desde su oreja izquierda hasta la boca, y seguí mirándolo hasta que empezó a moverse nerviosamente en su silla. Transcurrieron varios minutos antes de decirle:

—Pilato me dice que ustedes se conocen desde hace mucho tiempo.

—Sí, señor —exclamó, obviamente aliviado al cambiar de tema. Expandió el pecho con orgullo, epítome de cualquier sargento primero que jamás haya vivido—, ¡combatimos bajo el mando de Germánico!

—No estás asignado aquí, ¿estoy en lo cierto? ¿Vienes acompañando a Pilato desde Cesarea, para las festividades judías?

—Sí, señor.

—¿Habitas en el cuartel general de Cesarea?

—No, señor, con mi familia, en las afueras de la ciudad.

—¿Alguna vez viviste en o cerca de la aldea de Cafarnaúm?

—Sí, hubo un periodo de mucha intranquilidad, hace muchos años, debido a los impuestos que se obligaba a pagar a los pescadores del lago, y durante todo ese tiempo Pilato mantuvo una centuria de hombres en Cafarnaúm, bajo mi mando, para aplicar la ley y el orden. Sin embargo, aun durante esa misión, seguía acompañando al procurador siempre que venía a Jerusalén en cualquier ocasión.

Me incliné hacia Cornelio hasta que casi estuvimos cara a cara.

—Dime, centurión, ¿es verdad que conocías a Jesús desde esa época?

—Sí, lo conocía —dijo con voz temblorosa.

¡Mi tiro a ciegas! Ahora casi estaba seguro de que me encontraba en presencia de ese centurión cuyo nombre no se menciona en Mateo y Lucas, y cuyo servidor fue sanado por Jesús.

—¿Llegaste a hablar con Jesús en alguna ocasión?

—Sí.

—Háblame de ello, como mejor lo recuerdes.

Cornelio ahuecó sus grandes manos sobre ambas rodillas y sacudió la cabeza como para aclarar sus ideas, y dijo:

—Había escuchado numerosas narraciones de las buenas obras y de los milagros realizados por ese hombre entre los pobres de la costa, y aun de sus curaciones de muchos enfermos e inválidos. Cuando Lino, mi amado sirviente, enfermó de parálisis y nadie que lo intentó pudo ayudarlo, me dirigí a la costa en busca de Jesús, suplicándole que intercediera ante su dios en favor de mi amigo. Con gran sorpresa de mi parte, colocó su brazo alrededor de mi cuello, diciendo: "Iré a sanarlo". Le dije que yo no era digno de que entrara en mi morada, pero que por lo que había escuchado de sus grandes poderes, sabía que si sólo decía una palabra, mi servidor quedaría sano. Le expliqué que comprendía tales cosas puesto que era un hombre que tenía autoridad y soldados bajo mi mando, y que si yo decía a un hombre: "ve" iba, y si le decía "ven" venía, y a mi servidor "haz esto" y lo hacía, por lo que pensaba que Jesús podría hacer lo mismo, sin verse obligado a deshonrarse, como judío, si entraba a mi casa.

—¿Qué hizo Jesús?

Cornelio se frotó varias veces los ojos con la mano derecha, y dijo:

—Primero ofendió a quienes se encontraban a su lado, porque me abrazó, y no necesito decirte que la mayoría de los judíos preferiría comer la carne de un cerdo antes que abrazar a un romano. Después se volvió a los demás y dijo: "En verdad os digo que no he encontrado una fe tan grande como la de él en todo Israel". Entonces, se volvió hacia mí, me tocó ligeramente la mejilla con sus dedos y dijo: "Sigue tu camino, y sea como tú has creído". Para el momento en que llegué a mi casa, ya se celebraba que la parálisis hubiera abandonado el cuerpo de Lino y entre mi familia reinaba gran alegría. Para mostrar mi gratitud, hice una espléndida contribución al tesoro de la aldea, a fin de que erigieran una sinagoga. Si tienes oportunidad de visitar Cafarnaúm, cualquiera te enseñará el camino hasta ella y te dirá que a un centurión romano se debe su lugar de culto.

El centurión inclinó la cabeza y al hacerlo vi el conocido brillo de un metal. Sin pensar en las posibles consecuencias de una reacción de parte de este rudo luchador, introduje mi mano dentro de su túnica, retirando un pesado amuleto de oro que colgaba de una tira delgada de cuero. Al volverlo hacia la ventana, pude ver que tenía los mismos signos que el que José me obsequiara hacía cuatro días, ¡incluyendo el trazo inconfundible de un pez!

—¿Está enterado Pilato de esto? —le pregunté suavemente.

Movió la cabeza.

—Y por mí no se enterará, Cornelio —me escuché decir—. Dime, ¿estás absolutamente convencido de que Jesús ya había muerto cuando te alejaste del Gólgota?

—Lo estaba; estoy seguro de ello. Durante mis años de servicio he visto a muchos hombres muertos y he tomado muchas vidas durante las batallas. Ya no quedaba ni una chispa de vida en Jesús y, en verdad, su carne estaba empezando a enfriarse y se sentía rígida al tacto.

—Si estaba muerto, ¿por que atravesaste su costado con la lanza?

—No lo sé a ciencia cierta —dijo casi sollozando—. Recuerdo que en ese momento pensé que era lo menos que podía hacer por mi Señor, ya que no podía soportar el pensamiento de que aplastaran sus huesos. De alguna manera, sabía que él comprendería que quería ahorrarle esa vergüenza, aunque tuviera que atravesarlo con mis propias manos...

Me estremecí, y aparté la vista, y recordé que tanto en el Éxodo como en el Libro de Números, la preparación prescrita del cordero pascual para la celebración de la Pascua, después de ser degollado para el sacrifico, especifica que *ninguno de sus huesos debería estar roto.*

—Y bien —nos interrumpió la voz de Pilato—, ¿ya te las arreglaste para descubrir más verdades, historiador?

El procurador se dirigió a nosotros con un vestigio de insolencia, llevando la cabeza erguida; el uniforme, aparentemente, le había hecho recobrar la confianza. Ahora estaba delante de nosotros como todo un guerrero de Roma, desde el peto pulido de su armadura hasta los arreos ceñidos alrededor de su cintura, con sus innumerables tiras de cuero tachonadas con clavos de plata. Por lo visto, después de todo, el hábito sí hace al monje. Caminó junto con nosotros hasta la puerta y después a lo largo del corredor con olor a humedad.

—Dime, Matías —me preguntó con ese tono de voz informal que los anfitriones asumen al despedirse de sus invitados—, ¿sigue Vitelio montando sus caballos árabes todas las mañanas?

—Igual que siempre —le aseguré—. Aunque se pueden tener peores vicios.

—Sí —sonrió, destilando amabilidad—, como los tenemos casi todos.

—Pilato, ¿todavía sostienes la declaración que me hiciste al iniciarse nuestra charla de hoy?

—¿Cuál fue? —preguntó con fastidio, como si en lo que a él se refería, la entrevista ya hubiera llegado a su fin.

—Según recuerdo, dijiste que opinabas que cualquier mención de Jesús en mi libro, si acaso, merecería una frase o dos.

Soltó mi brazo y murmuró:

—No lo sé, no lo sé. Lo que sí sé es que ¡ojalá jamás hubiera escuchado ese nombre?

Nos acercábamos al descanso con su hacinamiento de estatuas; me detuve y pregunté:

—¿Por casualidad, ¿no hiciste que retiraran el cuerpo de Jesús de la tumba, ya fuese para incomodar a Caifás o al sanedrín, o por cualquier otro motivo?

Su risa retumbó a todo lo largo del corredor vacío.

—Si lo hubiera hecho, puedes estar seguro de que lo habría mostrado hace ya mucho tiempo. ¿Te das cuenta de que unos cuantos meses después de su crucifixión miles de gentes ya recorrían toda la ciudad, agitando y causando problemas, al asegurar que Jesús resucitó de entre los muertos y que pronto volverá? Desde entonces, me he visto obligado a apostar cuatro centurias adicionales de hombres aquí, simplemente para mantener el orden, y podría emplear más durante las fiestas, si sólo Vitelio me las asignara. No, amigo mío, no tengo idea de quién se pudo llevar el cuerpo, pero pagaría cualquier cosa por la información acerca del sitio en donde descansa.

No pude resistir una última tentativa. Volviéndome para señalar hacia el corredor largo y solitario que durante más de seis años no había escuchado la voz de su esposa, Claudia Prócula, le dije:

—Jesús ya te ha costado muy caro, ¿no es verdad, procurador?

José miraba con displicencia por la ventanilla del carruaje a su lado, mientras avanzábamos por las calles llenas de bullicio en dirección a su casa. Finalmente, y sin volver la cabeza, preguntó:

—¿A quién te agradaría visitar después, Matías?

—Si es posible, al apóstol Juan y después a María Magdalena.

—Tienes suerte —respondió, pero no con su entusiasmo acostumbrado.

—¿Por qué?

—Desde la crucifixión, Juan ha estado viviendo en la amplia casa de la viuda María, en donde Jesús celebró su última cena.

—¿Ahora están casados los dos?

—No, no —dijo sin sonreír y volviéndose por fin hacia mí—. María es una mujer muchos años mayor que el apóstol y no goza de buena salud. Su hogar, virtualmente, se ha convertido en la sede de Pedro y Santiago y de los demás dirigentes del movimiento, aquí en la ciudad. El sitio se conserva para sus necesidades bajo la supervisión de Juan, con ayuda de Marcos, el hijo de María, y de la mujer de Magdala, que habita en las cercanías; ella atiende a María en sus enfermedades y también prepara los alimentos para todos los que se reúnen allí a conferenciar. En una sola visita podrás hablar con Juan y con María Magdalena, y creo que deberíamos hacerlo el día de hoy, ya que tengo el temor de que se te está acabando el tiempo.

—Pero aún dispongo de tres días —protesté.

—Quizá no —me dijo con solicitud, dándome una palmada en la rodilla—. Mira por la ventanilla posterior.

Hice lo que me pedía, tratando de ver, a través del polvo que levantaban las ruedas de nuestro carruaje, hacia la corriente turbulenta de humanidad que dejábamos atrás al ascender hacia la parte alta de la ciudad.

—Nadie nos sigue, José. No veo a ningún hombre calvo o encapuchado montando un caballo gris o, para el caso, a nadie que parezca sospechoso.

—Exactamente.

—¿Qué quieres decir?

—Matías, ahora ya no es necesario que Pilato nos haga seguir. ¿Recuerdas la parte de tu conversación con él, en el corredor, justamente antes de salir, sobre todo lo referente a Vitelio y a tu confirmación de que el gobernador seguía montando sus caballos árabes todas las mañanas?

—Sí, ¿por qué? —pregunté, con un presentimiento enfermizo de que sabía con exactitud lo que José estaba a punto de decir. Desafortunadamente, mi intuición era absolutamente correcta.

—Vitelio sufrió una severa lesión hace casi cinco años. Una mañana, mientras galopaba, salió despedido de su cabalgadura favorita y cayó sobre la base de la espina encima de una gran piedra. A partir de entonces, camina cojeando pronunciadamente y con ayuda de un bastón; desde ese accidente, jamás ha vuelto a montar. Ahora Pilato ya sabe que, cuando menos, eres un impostor.

Las ráfagas de aire ardiente del desierto, que arrastraban el quemante polvo, penetraban en el interior de nuestro carruaje abierto, pero de pronto sentí mucho frío.

11

Un humo oscuro y ondulante flotaba perezosamente sobre el Infierno.

Desde el palacio de José, en lo alto de la ciudad, podía contemplar el infame Valle de Hinnom mucho más abajo, más allá de la muralla sur, mientras subíamos al carruaje después de una breve comida de pan caliente y miel. Ese valle, como sabía muy bien, también era llamado Gehenna, o Infierno, no tanto por los desperdicios y la basura que se quemaban constantemente en sus laderas sin vida, sino por los incontables niños que fueron sacrificados en ese lugar, en los hornos, durante la época de Salomón, para complacer a la deidad conocida como Moloc.

Serpenteando a través de las desoladas y yermas tierras en torno de montículos escarpados de rocas que se sucedían uno a otro como plácidas olas hacia el horizonte, se veía la delgada faja de un camino de tintes magenta que conducía hasta una pequeña aldea.

—Belén —dijo José con reverencia, en respuesta a mi mirada inquisitiva.

—¿Habrá tiempo? —pregunté con optimismo.

—Me temo que no, Matías. No solamente no habrá tiempo para que recorras algunos lugares, sino que debo pedirte que hagas ésta y las demás visitas que tengas en mente, lo más breve posible.

El camino desde la casa de José hasta la de la viuda María descendía en un ángulo tan pronunciado que sólo la gran fuerza de Shem, aplicada constantemente sobre el freno de mano, impedía que nuestro carruaje adquiriera mayor velocidad colina abajo y quedara por completo fuera de control.

Por fin, nuestro vehículo hizo una grata y crujiente parada, delante de un patio rodeado por un muro frente a una casa grande de piedra, de dos pisos, construida en la falda de la colina. A no más de veintisiete metros se encontraba la puerta de la ciudad, por la que los viajeros iban y venían de Belén, o de Hebrón, a veinticuatro kilómetros de distancia. José no era un extraño en este lugar; al cruzar el patio, cuando apenas nos encontrábamos a la mitad, se detuvo señalando hacia dos tupidos granados que dominaban uno de los rincones del pequeño terreno. Bajo los sombreados arcos de sus ramas, reclinada sobre una larga silla de mimbre, una mujer de edad avanzada dormía profundamente.

—María —llamó el anciano con suavidad—, María.

La mujer parpadeó varias veces antes de reconocer a José de Arimatea; entonces le tendió ambos brazos y él se dirigió hacia ella, mientras yo esperaba. Después de estar juntos durante unos pocos minutos, José la besó ligeramente en la frente y volvió a reunirse conmigo, señalando hacia una escalera exterior de piedra, que conducía a una terraza al aire libre en el segundo piso.

—María dice que Juan y su hijo, Marcos, se encuentran en el Templo, y que la mujer de Magdala ha ido al mercado. Podemos esperarlos en la habitación del piso superior. Ven, vamos a recorrer los mismos peldaños que Jesús ascendió para celebrar su última cena —me dijo en un tono de voz informal, volviéndose para observar la expresión de mi rostro. No lo decepcioné. Había catorce peldaños; los subí de puntillas y aún seguía caminando en la misma forma cuando entramos al aposento.

Dominando la amplia y desordenada habitación estaba una gran mesa, que se levantaba a no más de treinta centímetros por encima del piso cubierto por una esterilla. Tenía cuando menos tres metros de largo y más de uno de ancho, y su superficie, oscura y pulida, no tenía ese polvo omnipresente que casi siempre encontramos en los muebles del desierto. A la cabecera de la mesa estaba una vela alta y gruesa, sobre una base de piedra, que proyectaba su vacilante luz por encima de la madera pulida y los gruesos cojines verdes parcialmente metidos debajo de tres de los lados de la cubierta de la mesa. No necesitaba que José me dijera que ésta era la mesa en donde Jesús, en compañía de sus doce apóstoles, comió el cordero pascual esa noche aciaga en que más tarde fue aprehendido en el huerto de Getsemaní.

—Hace muchos años —dijo José— nuestros antepasados acostumbraban celebrar apresuradamente la cena de Pascua, permaneciendo de pie, pero ahora que ya no estamos esclavizados, ni en tierra extraña, nos reclinamos durante la comida sagrada y comemos de manera pausada.

El anciano se agachó para sentarse hasta quedar con las piernas extendidas atrás de él lejos de la mesa, con el codo izquierdo apoyado sobre uno de los cojines.

—Así es como compartimos la cena, Matías, con la mano derecha siempre libre para mojar el pan en la olla común.

Hice un movimiento hacia la vela.

—¿Jesús estaba sentado allí?

—Sí, con Juan a su derecha y Judas a su izquierda y los demás a ambos lados. Este cuarto costado de la mesa, aquí, es donde colocaron los alimentos traídos desde la cocina, en la planta baja.

—¿Judas se encontraba a su izquierda?

—Eso es lo que me han dicho.

—¿Se sigue usando la mesa ahora?

—Muchas veces a la semana. Normalmente hacen uso de ella Pedro o Santiago, el hermano de Jesús, cuando desean celebrar consejo con los demás. Sin embargo, nadie toma asiento allí, jamás —dijo, señalando en dirección al cojín que se encontraba detrás de la vela.

—¿Está enterado Pilato de que este sitio se usa virtualmente como un. . . un lugar de reunión general clandestino?

—Muy pocas cosas tienen lugar en esta ciudad sin el conocimiento del procurador, o del sumo sacerdote, para el caso. Pero el movimiento ha crecido demasiado para que pueda permanecer oculto.

Seguí mirando la mesa hasta que José me leyó el pensamiento, lo cual ya no me sorprendía.

—No se parece mucho al escenario escogido por Da Vinci para su pintura, ¿verdad, Matías? Sin embargo, como escritor, seguramente comprenderás que en tanto que la realidad puede ser más extraña que la ficción, la vida muy raras veces es tan dramática como el arte. Aun cuando hay mucho que decir en favor de la composición y la brillante disposición de las figuras llevadas a cabo por ese maestro, la realidad fue muy diferente.

Toda la habitación para invitados era una penosa desilusión después de conocer el cuadro de Da Vinci. A todo lo largo de uno de los muros se amontonaban bultos de ropa y cestas llenas de una variedad sin fin de sandalias. Los canastos de mimbre, debajo de las tres pequeñas ventanas de la habitación, estaban atestados de calabazas, mazorcas de maíz, higos, uvas y varios frutos que no pude identificar. En otro rincón se elevaban hileras de gruesos quesos redondos, envueltos en tela y de un olor decididamente acre, mientras que de unos ganchos que pendían de las pesadas vigas del techo colgaban varios pequeños animales muertos rodeados de zumbantes moscas.

—En esta habitación se alimentan muchas bocas —me recordó José siguiendo mi mirada—. Ven, siéntate a mi lado y descansa un poco mientras llegan los demás.

Tuve que recurrir a toda mi fuerza de voluntad para sentarme sobre uno de los duros cojines, junto al anciano. Titubeando, me incliné hacia adelante hasta que las palmas de mis manos descansaron sobre la pulida madera. Tenía que estar soñando; nada de esto era real. ¡Nada! ¡No era posible que estuviera ante la mesa donde Jesús celebró su última cena! De pronto, la llama de la vela se volvió borrosa hasta que me restregué los ojos. El anciano me observó silencioso.

El fuerte sonido de las sandalias con suela de madera sobre la piedra me anunció, poco después, el regreso de Juan, justamente antes de que entrara apresurado a la habitación para saludar a José. Este "hijo del trueno" era de menor estatura y mucho más frágil que su hermano Santiago, y también bastante más joven. Su cabello castaño claro estaba recortado un poco más arriba de los hombros, y su escasa barba de bordes irregulares enmarcaba un rostro de tez clara, cuyos pómulos sobresalientes le daban un aspecto casi demacrado. Mientras lo estudiaba, me era difícil creer que éste era el "discípulo amado" que, seis años antes, había sido uno de los tres del círculo más íntimo, junto con su hermano y con Pedro, escogidos por Jesús para estar a su lado durante tantos de los momentos más significativos de su vida. Otra vez las primeras impresiones. Tomó asiento enfrente de José y de mí, y escuchaba con atención, mientras el anciano lo enteraba del propósito de nuestra visita, sonriendo y asintiendo con frecuencia en dirección a ambos.

—Mateo y mi hermano ya me han hablado de ti, Matías, y me dijeron que debía esperar tu visita. Algún día —dijo intensamente— yo también espero escribir una historia, pero solamente será la de nuestro Señor.

Me agradó. Durante un momento de enajenación, me pregunté cómo podría asegurarle que, ciertamente, llegaría a escribir esa historia, y que a diferencia de los demás, tendría muchos años para reflexionar sobre sus experiencias antes de recopilar lo que el mundo conocería como el Evangelio según Juan.

—Entonces, ¿me ayudarás? —le pregunté.

—Pregunta; te diré todo lo que sé. José —sonrió— puede atestiguar mi honestidad.

—Gracias, Juan. Como sabes, ya he hablado con muchos de los que estuvieron cerca de Jesús y también con algunos de sus enemigos. Tú estuviste a su lado casi desde el principio de su misión y, por lo que me han dado a entender, fuiste el único apóstol que presenció su crucifixión. En lo que tu información puede ser de mayor ayuda es para llenar algunas brechas en su vida, para las cuales no tengo ningún testimonio de fuentes originales, ya sea porque a los que interrogué no contaban con ella, o bien, porque fui demasiado ignorante y no supe hacer las preguntas adecuadas.

—Comprendo.

—¿También estás enterado de que no creo que Jesús haya resucitado de entre los muertos?

No hubo ningún cambio de expresión; nada de esa animosidad acostumbrada del fanático empañó su mirada. Sus labios se curvaron en una media sonrisa y dijo:

—La gran mayoría de nuestro pueblo, no sólo aquí, sino en su propia aldea, comparte tu creencia. Todavía nos queda mucho trabajo por hacer.

—Mientras más escucho acerca de sus últimos días —empecé— más poderosa es mi convicción de que Jesús llegó a Jerusalén, esa última semana, no solamente con el fin de celebrar la Pascua, sino para unir a la gente a su causa, esperando, de alguna manera, poder convencer a todos de que podía conducirlos a una vida mejor, a un nuevo Reino aquí en la tierra. Puesto que aun sus más acerbos enemigos están de acuerdo en que no era temerario ni ignorante, encuentro difícil comprender cómo esperaba imponer su voluntad en esta gran ciudad, contando nada más con una docena poco más o menos de galileos desarmados para ayudarlo.

—Matías, hubo muchas cosas sorprendentes en esa semana, aun para quienes estábamos tan cerca de él. Ninguno de nosotros tenía deseos de venir a Jerusalén a celebrar la Pascua ese año, ya que sabíamos que los sumos sacerdotes y el sanedrín estaban confabulados para dar muerte a Jesús, desde que resucitó a Lázaro, porque temían que muy pronto todos los hombres creerían en él si le permitía seguir haciendo milagros.

—Juan, ¿por qué ese primer día de la última semana entró Jesús a la ciudad montado, de entre todos los animales, en un humilde borrico?

—A medida que nuestro grupo se aproximaba a Betfagué, en nuestra jornada hacia Jerusalén para pasar la Pascua, Jesús envió a dos de nosotros adelante para que le consiguiéramos un borrico, diciendo que era necesario que llegara a Jerusalén montado en uno, a fin de que se cumplieran las palabras de la profecía.

—¿Alguno de ustedes comprendió lo que quiso decir?

—Ninguno; no éramos tan versados como Jesús en las palabras de nuestros profetas. Fue después, mucho tiempo después, que nos enteramos de que Zacarías escribió: "¡Oh, hija de Sión!, regocíjate en gran manera, lanza gritos de júbilo, ¡oh hija de Jerusalén!; he aquí que a ti vendrá tu rey, el justo, el salvador; Él vendrá pobre y montado en un asno, en un pollino..."

—¿Describía Zacarías al Mesías?

—Sí, a aquel que vendría a liberar al pueblo de Alejandro, hace más de trescientos años.

—Puesto que Alejandro murió teniendo a todo el mundo en sus manos, supongo que el libertador de quien hablaba Zacarías jamás llegó. Entonces, Jesús, montado en un pollino, ¿pretendía que esto fuera una señal para el pueblo de que estaba entrando a Jerusalén como su Mesías? Eso no tiene ningún sentido. Si tú y los demás apóstoles no comprendieron la señal, ¿cómo esperaba Jesús que las multitudes rurales e ignorantes del camino la reconocieran? —encogió sus delgados hombros.

—Fuera de sus palabras de que debía cumplirse la profecía, Jesús no nos explicó sus razonamientos y nosotros tampoco le preguntamos nada.

—Y no obstante, algunos de tu grupo, de acuerdo con lo que me han dicho, aparentemente trataron de incitar a la muchedumbre a lo largo del camino gritando: "¡Hosana al hijo de David! ¡Bendito el que viene en nombre del Señor!" Esa aclamación, ¿tiene algún significado especial para todos los judíos?

—Lo tiene. Es una plegaria al rey ungido, al Mesías, pidiéndole la salvación y la liberación, y es tan antigua como nuestro pueblo.

—Pero si ninguno de ustedes reconoció el significado de la entrada de Jesús montado en un pollino, ¿quién de tu grupo gritaba la aclamación al Mesías?

—Pedro y, con su estímulo, el resto de nosotros pronto se unió, primero en voz baja y después cada vez más fuerte.

—¿Hicieron algo más que eso, ¿no es así? Se me ha dicho que algunos de ustedes tendieron sus vestiduras y hojas de palma en su camino, como si se tratara de la realeza. Toda esa conmoción, ¿hizo que la multitud siguiera a Jesús para hacer una entrada triunfal en la ciudad?

—No —replicó Juan con calma—. Algunos, sobre todo los más rudos, se reían de nosotros, llamándonos "los tontos de Galilea".

—¿Nadie, entre toda esa gente, aun cuando sólo fuera por curiosidad, preguntó a ti o a los demás apóstoles la identidad del hombre que cabalgaba en un pollino y recibía un homenaje de esa naturaleza por parte de su grupo?

—Algunos lo hicieron.

—¿Y qué respondieron ustedes?

—Les dijimos que se trataba de Jesús, el profeta de Nazaret, en Galilea.

—¿Por qué no les dijeron que era el Mesías?

Juan bajó la mirada, frotando los dedos sin objeto sobre la superficie pulida de la mesa.

—Aun entonces, todos estábamos ciegos ante la verdad, con excepción de Pedro.

—¿Pedro? ¿Te refieres al incidente en Cesarea de Filipo, cuando Jesús preguntó a todos ustedes quién era él, y Pedro fue el único que respondió que era el Mesías?

—¿Quién te habló de eso?

—El mismo Pedro. Y también me dijo que Jesús les encargó que no hablaran de ello a ningún hombre. ¿Fue debido a esa orden por lo que todos ustedes dijeron a la multitud que Jesús era el profeta, en lugar de decir que era Jesús, el Mesías, o se debió a que, con excepción de Pedro, el resto de ustedes no estaba muy seguro de quién era?

Juan guardó silencio; seguí presionándolo.

—¿Es razonable suponer que los demás, incluyéndote a ti, aún no habían adquirido la fe necesaria para mover las montañas o convertir ciudades?

—Tus palabras son muy duras, pero expresan la verdad. Solamente después se abrieron nuestros ojos, después de que Jesús había resucitado y...

Extendí mi brazo por encima de la mesa y tomé su mano con suavidad.

—¡Espera! Por favor, ayúdame a comprender todos esos acontecimientos en su orden adecuado. Apenas esta mañana pregunté a Pilato acerca de cualquier desorden ocasionado por la entrada de Jesús a Jerusalén ese día. Me dijo que no tuvo conocimiento de ningún desorden, pues de lo contrario hubiera tomado las medidas necesarias para impedir que se convirtiera en algo más serio. Sin duda, hubiera aprehendido a Jesús acusándolo de instigación. Ahora tú, Juan, acabas de confirmar la declaración de Pilato de que no hubo ninguna entrada triunfal a la ciudad, acompañada por multitudes bulliciosas de seguidores que saludaban a su salvador. Jesús bien pudo entrar a Jerusalén montado en un pollino, como el Mesías, por lo que a *él* concernía y posiblemente a Pedro, pero para el resto de ustedes, así como para los peregrinos a lo largo del camino, sólo era otro rabí o, si acaso, un profeta galileo, que entraba a la ciudad en un pollino a fin de observar las festividades de Pascua. Y en vez de que la gente se uniera a su causa, como él tal vez esperaba, todos siguieron adelante con sus preparativos normales para las festividades. ¿Estoy en lo cierto?

Juan miró apresuradamente en dirección a José, quien no fue de más ayuda para él que para mí durante cualquiera de mis entrevistas.

—Sí —admitió finalmente.

—¿Pudo su desilusión por la falta de reacción de la gente haberlo llevado a interrumpir los negocios en el Templo, poco tiempo después de su entrada a la ciudad? ¿Creyó acaso que un acto tan notorio en contra de las autoridades como era derribar las mesas de los mercaderes podría unir a la muchedumbre a su causa, en un número mucho mayor del que logró mediante sus palabras y sus buenas acciones entre los pobres y los enfermos?

—Jesús lloró muchas veces, lleno de tristeza, por la ciudad al ver que no comprendían todas esas cosas que les traerían la paz y la felicidad, ya que preveía un día terrible en que en Jerusalén no quedaría piedra sobre piedra por no haber reconocido ellos la gracia divina. Cuando dijo todas esas cosas, nosotros éramos demasiado ignorantes y por eso incapaces de comprender su significado.

—Juan, ¿alguna vez has reflexionado en lo que podría haber sucedido si esa tremenda multitud de peregrinos, reunida para las festividades, hubiese creído que en verdad era el Mesías? Sin lugar a dudas, Jesús hubiera podido movilizar un ejército suficientemente numeroso como para que, aun armados sólo con palos y piedras, se hubiera apoderado de la Fortaleza Antonia en el transcurso de uno o dos días.

Juan movió la cabeza con desesperanza.

—Me doy cuenta de que, como romano, te debe ser difícil comprender que Jesús no vino para reunir ningún ejército contra nuestros enemigos y los perseguidores de nuestro pueblo. Por favor, trata de entender que únicamente vino para reunir a sus hijos a fin de poder enseñarles la forma de encontrar el Reino de Dios y disfrutar de él en medio de paz y amor.

—Y ese Reino de Dios: ¿has podido encontrarlo? ¿En dónde está?

Ahora le correspondió a Juan extender su brazo por encima de la mesa. Con el dedo índice, tocó con gesto vigoroso mi pecho, y dijo:

—¡El Reino de Dios está en tu interior, justamente donde Jesús dijo que está!

De pronto me sentí enfermo, invadido por la náusea; sentía deseos de vomitar. Con la escasa circulación a través de las tres pequeñas ventanas, la habitación del piso superior era un horno gigantesco que nos asaba lentamente. Cerré los ojos y, en la oscuridad, podía ver relámpagos plateados que rebotaban de un lado a otro. Toda esta increíble experiencia empezaba a afectarme, tanto física como mentalmente. Inhalé y exhalé lo más profundo que pude, hasta que escuché la voz preocupada de José, que preguntaba:

—¿Te sientes mal, Matías?

Moví la cabeza negativamente. Tenía muy poco tiempo que perder si Pilato sospechaba de mí. Hice una seña con ambos brazos en dirección a la mesa y la vela, y pregunté:

—¿Cuál es tu recuerdo más intenso de la última cena que Jesús celebró en este lugar?

Juan reflexionó durante varios minutos, y cuando respondió en su voz hubo más alegría que aflicción.

—Antes de que sirvieran los alimentos, recuerdo que Jesús se puso de pie y, quitándose el manto, colocó una toalla muy grande alrededor de su cuerpo. Vertió agua en una vasija y empezó a lavarnos los pies y a secarlos con la toalla. Todos estábamos demasiado sorprendidos como para decir algo, con excepción de Pedro, quien le preguntó por qué lavaba nuestros pies, a lo cual Jesús respondió que comprenderíamos más adelante. Entonces, Pedro se levantó y dijo: "¡Tú no me lavarás los pies!", porque sabía que ninguno de nosotros merecía ese tratamiento tan especial de parte de nuestro Señor. Jesús le respondió que, en ese caso, Pedro no tendría parte con él, y Pedro, al ser reprendido se sentó, permitiendo que nuestro Señor lavara el polvo de sus pies.

—¿Les explicó Jesús la causa de su comportamiento tan insólito?

—Lo hizo. Cuando hubo terminado, volvió a su lugar y nos dijo que si él, a quien llamábamos Señor y Maestro, podía lavarnos los pies, nosotros también podíamos hacer lo mismo los unos a los otros, y que lo que acababa de hacer era un ejemplo que esperaba que jamás olvidaríamos. Después nos sorprendió aún más diciendo que no todos estábamos limpios, y que uno de nosotros lo traicionaría.

—¿Qué sucedió después?

—Hubo una gran consternación y muchos gritos en esta habitación; muchos preguntaban: "Señor, ¿soy yo?" Yo estaba sentado a la derecha de Jesús, y vi que Pedro me hacía una señal desde su lugar aquí, en este lado de la mesa, para que le preguntara a Jesús de quién se trataba. Apoyé la cabeza contra su pecho y susurré: "Señor, ¿quién es?" y me respondió al oído: "Aquel a quien ofrezca un trozo de pan, después de haberlo mojado". Entonces, mojó el pan, doblado alrededor de un trozo de cordero, en la fuente, y se lo entregó a Judas, que estaba sentado a su izquierda.

—¿Alguien más escuchó lo que Jesús te dijo?

—Nadie. Después se dirigió a Judas en un tono de voz que todos pudimos escuchar y le dijo: "Lo que tienes que hacer, hazlo pronto", y de inmediato Judas desapareció en medio de la noche.

—¿Nadie relacionó la salida de Judas con la traición que Jesús acababa de mencionar?

—No lo creo. Judas siempre hacía los encargos para Jesús o para cualquiera de nosotros, ya que era el que manejaba el caudal común. La cena siguió adelante, pero ya todos disfrutamos muy poco de ella, pues ahora cada uno miraba al otro con sombría duda.

—¿Qué otros recuerdos tienes de esa cena?

El rostro de Juan volvió a iluminarse.

—Como sabes, Matías, los judíos tenemos diez mandamientos que nuestro antepasado Moisés recibió directamente de Dios. Esa noche, Jesús nos dio otro, mucho más difícil de respetar que los otros diez juntos, y sin embargo, tan poderoso que si pudiéramos vivir de acuerdo con él, ninguno de los otros sería necesario.

Sabía lo que estaba a punto de escuchar, pero aun así, tenía que oírlo de la mejor fuente de información que ningún escritor podría tener hasta el fin de los tiempos.

—Jesús nos advirtió que sólo estaría con nosotros muy poco tiempo y que adonde él iba no podíamos seguirlo. Entonces dijo: "Un nuevo mandamiento os doy: que os améis los unos a los otros como yo os he amado, y por ello todos los hombres sabrán que sois mis discípulos". Pedro le preguntó a nuestro Señor a dónde se dirigía, y Jesús repitió que a donde iba no podíamos seguirlo, pero que más adelante podríamos hacerlo. Pedro no podía aceptar eso y preguntó por qué no podíamos seguir a Jesús ahora e insistió diciendo: "¡Y aun estoy dispuesto a dar mi vida por Ti!" Jamás podré olvidar la respuesta de nuestro Señor ni tampoco la olvidará Pedro. Jesús lo desafió diciendo: "¿Darás tu vida por mí? En verdad te digo, que antes de que el gallo cante, esta noche, me habrás negado tres veces". Más adelante, Pedro me confió que Jesús le había repetido esas mismas palabras, después de la cena, cuando salíamos de la ciudad.

—Y la profecía resultó cierta, ¿no es verdad?

—Así fue. Cuando Jesús fue capturado en el huerto, también nos capturaron a Pedro y a mí, pero nos dejaron en libertad después de golpearnos con palos y darnos puntapiés, hasta que apenas podíamos caminar. Yo quería huir montaña arriba en dirección a Betania, pero Pedro no aceptó; dijo que no podíamos abandonar a nuestro Señor en sus momentos de necesidad, de manera que seguimos al grupo que lo había capturado hasta que, finalmente, llegó a la casa del sumo sacerdote, después de haber ido primero al hogar de su padre político. Esperamos en el patio, ansiando enterarnos de lo que planeaban hacer con Jesús y preguntándonos por qué los miembros de nuestro supremo tribunal, el sanedrín habían empezado a llegar en medio de la noche. En tres ocasiones, cuando nos acercamos a las fogatas, los que estaban al servicio de Caifás acusaron a Pedro de conocer a Jesús y de haberlo visto en su compañía y las tres veces lo negó. Apenas acababa de brotar de sus labios su última negación cuando ambos escuchamos el primer canto del gallo; Pedro gimió como si acabaran de atravesarlo con una espada y cayó a mis pies. En el primer momento pensé que Dios lo había hecho caer muerto por sus negaciones, pero cuando vi que su pecho subía y bajaba traté de ayudarlo a ponerse de pie y alejarlo del patio, por temor a que la guardia nos capturara nuevamente. Traté varias veces de moverlo, pero no lo logré, así que corrí hacia la casa de José y con la ayuda de su gigantesco amigo y servidor nos las arreglamos para traer a Pedro hasta aquí y lo depositamos en el lecho de Marcos, en la única otra habitación que hay en este piso. Para entonces yo me sentía exhausto, pero después de enterar a la viuda María y a las demás mujeres, incluyendo a la madre del Señor, de que Jesús había sido aprehendido ninguna de ellas estaba en condiciones de asistir a Pedro, así que yo mismo me hice cargo de él.

—¿Qué sucedió después?

—Para el amanecer, las mujeres se habían recuperado lo suficiente como para traerme algún alimento. Pedro seguía sin conocimiento y su piel quemaba al tacto. Una y otra vez enjugué su cuerpo con agua y jugo de áloe, salpicando también mi rostro repetidas veces a fin de permanecer despierto. Después, más avanzado el día, quizá hacia la séptima hora, escuché terribles gritos y sollozos que venían desde el piso inferior; corrí escaleras abajo para enterarme de lo que sucedía, y casi choqué con la madre de nuestro Señor, quien se encontraba de pie en el primer peldaño. Cayó en mis brazos y pude sentir que su cuerpo temblaba, hasta que tomó mi rostro en sus manos diciendo sosegadamente: "Venía en tu busca. Acabamos de enterarnos de que los romanos han llevado a mi hijo al Gólgota para ser crucificado. Debo estar a su lado, Juan. Por favor, llévame con mi hijo. Marcos y su madre atenderán a Pedro hasta nuestro regreso".

Juan hizo una pausa, cubriéndose el rostro con las manos. Podía ver su pecho, que subía y bajaba como si él también experimentara dificultad para respirar. Después, secándose los ojos, continuó:

—Empecé a sollozar y pronto la madre del Señor me consolaba a *mí,* enjugando *mis* lágrimas, hasta que sentí una gran vergüenza por mi debilidad, pues era yo quien debía ofrecerle mis condolencias y consuelo. Poco después, María Magdalena y mi madre, Salomé, y María, la madre de Santiago y Josué, se reunieron con nosotros en el patio, y los cinco nos dirigimos a la puerta de la ciudad, siguiendo el camino fuera del muro hasta que, finalmente, llegamos al lugar de la ejecución, una pequeña colina situada al noroeste de la ciudad.

—Para el momento en que llegaron ¿ya estaba Jesús en la cruz?

—Sí, igual que otros dos, uno a cada lado de él. Su cuerpo estaba tan cubierto de sangre y de golpes que ni siquiera su madre lo reconoció, hasta que una de las mujeres señaló hacia el letrero arriba de su cabeza, que decía: "Jesús de Nazaret, Rey de los Judíos".

—¿Se encontraba cerca una gran multitud?

—No, solamente los soldados y algunos sacerdotes del Templo así como unos cuantos peregrinos que, por curiosidad, habían venido del camino. Yo quería mantener a las mujeres tan alejadas como fuera posible, para evitarles sufrimiento, pero la madre del Señor no aceptó. Insistió en que la llevara tan cerca de la cruz como lo permitieran los soldados.

—¿Se encontraba Jesús en condiciones de reconocerlos?

—Cuando nos acercamos por primera vez, tenía los ojos cerrados. La sangre manaba de sus pies y manos, en donde fueron introducidos los clavos que atravesaban su carne y sus huesos hasta llegar al madero. Desvié la mirada, incapaz de contemplar a nuestro amadísimo Maestro. Podía escuchar las palabras que pronunciara en otro día, como si nuevamente las pronunciara desde la cruz: "He aquí, iremos a Jerusalén y el Hijo del hombre será traicionado ante los sumos sacerdotes y los escribas y lo condenarán a muerte. Lo entregarán en manos de los gentiles para ser objeto de mofa, lo azotarán y lo crucificarán". Tenía el corazón destrozado; quería huir, correr y correr sin detenerme jamás. Solamente la mano de la madre del Señor, que sostenía con firmeza la mía, me mantuvo allí. Y entonces escuché su voz y al abrir los ojos pude ver que miraba en dirección a su madre, y decía: "¡Madre, he allí a tu hijo!" y después sus dulces ojos café me miraron directamente, y dijo: "¡Hijo, he allí a tu madre!" Sé que yo estaba sollozando al igual que ella, porque él estaba tan cerca y, no obstante, ni siquiera podíamos levantar un solo dedo para ayudarlo o mitigar su dolor. Poco tiempo después, abrió de nuevo los ojos y dijo: "Tengo sed" y le ofrecieron vinagre en una esponja. Luego, lo escuchamos gritar: "¡Dios mío, Dios mío, ¿por qué me has abandonado?!" y después dijo: "Todo ha terminado", inclinó la cabeza y entregó el espíritu; y cuando lo hizo, su madre se desvaneció en mis brazos.

—¿Se encontraba presente alguno de los otros apóstoles en la crucifixión?

—No, sólo estábamos las cuatro mujeres y yo.

—¿Qué hiciste después?

—Con ayuda de mi madre, traje a la madre del Señor de vuelta a esta casa, y reanudé mi vigilia al lado de Pedro, quien seguía delirando.

—¿Y las dos mujeres?

—María Magdalena y la madre de Santiago y Josué se quedaron atrás para ver en dónde depositaban los soldados el cuerpo de Jesús, con la esperanza de poderlo recuperar después. Antes de la puesta del sol volvieron y nos dijeron que José de Arimatea había reclamado el cuerpo para sepultarlo en una tumba ubicada en un pequeño jardín cerca del Gólgota. Puesto que José era amigo de Jesús y de muchos de nosotros, nos sentimos aliviados al saber que nuestro Señor estaba en buenas manos.

—¿Durante cuánto tiempo permaneciste al lado de Pedro?

—Hasta algún momento de la mañana del día que siguió a nuestro sabat.

—¿No lo dejaste durante algún tiempo, tal vez para visitar la tumba?

—No, solamente me aparté de su lado para satisfacer mis necesidades.

—¿Sin dormir?

—Dormía en una silla, con la cabeza apoyada sobre el colchón, cerca de los pies de Pedro.

—¿Cuándo te enteraste de que las mujeres planeaban hacer una visita a la tumba?

Juan frunció el entrecejo por primera vez, irguiéndose en la silla.

—María Magdalena vino a verme durante la tarde de nuestro sabat y dijo que aun cuando ya habían visto el sitio en donde Jesús sería sepultado, no habían entrado al jardín, ya que era privado, a fin de ver si el cuerpo había sido lavado, ungido y amortajado de acuerdo con nuestras leyes. Temía que lo hubieran sepultado apresuradamente, debido a que la puesta del sol se acercaba con gran rapidez. Me dijo que ella y algunas de las mujeres irían a la tumba, a una hora temprana de la mañana, con especias, aceites y lienzos para ungir a nuestro Señor en forma adecuada, y que quería que las acompañara para que moviera la piedra que hubieran colocado en la entrada. Le dije que no me atrevía a abandonar a Pedro en las condiciones en que se encontraba y que tampoco tenía fuerzas para caminar hasta las puertas de la ciudad, mucho menos hasta el Gólgota; se enojó mucho conmigo, llamándome cobarde y otras cosas más. Por la mañana salieron sin mí.

—¿Ninguno de ustedes sabía que el sumo sacerdote mandó sellar la tumba, apostando guardias?

—No; aparentemente Caifás hizo esos arreglos durante el sabat. Si las mujeres lo hubieran sabido, no habrían ido.

—¿Qué sucedió después?

—Poco tiempo después de que salieron, Pedro se sentó en la cama y pidió algún alimento. La viuda le llevó un tazón con sopa caliente y un poco de queso y, debido a su estado, esperé hasta que terminó antes de darle las terribles nuevas de que nuestro Señor estaba muerto.

—¿Cuál fue su reacción?

—Escuchó en silencio mientras yo lo enteraba de lo poco que sabía, sin extenderme en los detalles de la crucifixión que yo había presenciado. Después, me abrazó y ambos lloramos. Para nosotros, el mundo se había acabado en Getsemaní. Finalmente, volvió a dejarse caer sobre el lecho y se quedó contemplando las vigas, y yo podía ver que sus labios se movían como si estuviera orando. Esto continuó hasta que María Magdalena irrumpió en la habitación como si de nuevo estuviera poseída por todos los demonios que en una ocasión Jesús expulsó de ella. Cayó sobre Pedro y empezó a sacudir al pobre hombre, gritando: "¡Se han llevado al Señor de la tumba y no sabemos en dónde lo han depositado!" La saliva escurría de su boca y los ojos se le saltaban de las órbitas mientras repetía las mismas palabras, una y otra vez, hasta que la viuda vino a llevársela y a consolarla. Pedro se levantó de la cama, se puso la túnica y las sandalias, y preguntó si sabía en dónde habían sepultado a Jesús, y cuando asentí dijo: "Vamos a ver por nosotros mismos". Ambos corrimos la mayor parte del camino y, hasta el día de hoy, no sé cómo cualquiera de los dos encontramos las fuerzas para hacerlo. Yo llegué primero a la tumba, en el momento en que el primer rayo de sol aparecía por el Este.

—¿Cómo puedes estar seguro de que se encontraban ante la tumba en donde fue sepultado Jesús? Después de todo, no habían presenciado el entierro, y he podido ver muchas tumbas fuera de los muros de la ciudad.

—Matías, solamente hay un pequeño jardín cerca de ese terrible lugar llamado Gólgota y María me había dicho que en ese jardín sólo había una tumba, tallada en la roca. Después, José confirmó que no nos equivocamos.

Miré a José, y éste asintió.

—Juan, ¿viste a algunos soldados, o a alguien, en ese jardín?

—A nadie.

—¿A algún jardinero, quizá?

—No.

—¿Y la tumba estaba abierta?

—Sí, con la *golal,* la gran piedra redonda, a un lado de la entrada y apoyada contra uno de los costados de la tumba.

—¿Qué hiciste?

—Estaba asustado. Las tumbas, a cualquier hora, especialmente al amanecer, no ayudan a que el corazón lata en forma normal, aun cuando estén vacías. Mi razonamiento me decía que esperara a Pedro, pero aún estaba varios pasos atrás, así que reuní el poco valor que me quedaba y, encorvándome, miré hacia el interior. A la escasa luz del amanecer, pude ver la sábana blanca descansando en un hueco tallado en la roca. La sábana estaba enrollada una y otra vez, como si todavía contuviera un cuerpo, pero vi que no tenía nada en su interior.

—¿Entraste a la tumba?

—No, hasta después de la llegada de Pedro, cuando él se arrastró hasta el interior. Al salir, su rostro estaba tan pálido que temí que volviera a desmayarse. En vez de eso, cayó de rodillas y empezó a orar. Entonces, yo también entré a la tumba y vi, no solamente la sábana que habían puesto alrededor del cuerpo del Señor, sino también el lienzo que siempre se coloca sobre el rostro del muerto; ese lienzo se encontraba en la horadación exactamente en donde debía encontrarse la cabeza en relación con la sábana que envolvía el cuerpo. Entonces creí.

—¿Creíste qué?

—Que Jesús había resucitado de entre los muertos, tal y como lo profetizó. Hasta ese momento, en ese pequeño jardín, el verdadero significado de sus palabras jamás había penetrado en mi dura cabeza.

Alcé ambas manos frente a él.

—No comprendo, Juan. ¿Qué fue lo que Pedro y tú vieron en esa tumba que hizo que ambos creyeran que Jesús resucitó de entre los muertos?

—En el terrible estado mental en que nos encontrábamos —explicó Juan con lentitud, como si previamente hubiera sobreestimado mi inteligencia— y con las palabras de María Magdalena todavía frescas en nuestra mente, nos dirigimos a esa tumba creyendo que el cuerpo había sido robado; pero toda la evidencia encontrada en ella demostraba que no había sido así. ¿Quién iba a llevarse el cuerpo de su tumba, en la oscuridad de la noche, retirando la larga sábana llena de especias, y después volvería a enrollarla, sin derramar las especias, colocándola nuevamente en el hueco como si todavía contuviera un cuerpo? ¿Y quién sería suficientemente cuidadoso como para volver a colocar el lienzo dentro del hueco justamente en el sitio donde debería estar si aún se encontrara sobre la cabeza de Jesús? Esas eran las preguntas que Pedro y yo pudimos contestarnos solamente con un nombre.

—¿El de quién, Juan?

—¡El de Dios!

Debí haberlo sabido.

—¿Quieres decir que Dios retiró el cuerpo de Jesús de su tumba y de la sábana sin alterar su disposición?

—Para Dios no hay imposibles.

—Entonces, dime, ¿por qué Dios se molestó en rodar la piedra? Si el cuerpo fue retirado de la sábana sin desordenarla, ¿no podía Dios, con la misma facilidad, retirar el cuerpo de la tumba sin quitar la piedra de su lugar?

Durante una pequeña fracción de segundo, los ojos de Juan se volvieron con desánimo hacia José de Arimatea. El anciano permaneció silencioso.

—¿Por qué Dios se molestó en mover la piedra, Juan? —pregunté nuevamente.

—Para que nosotros, que teníamos ojos, pero no podíamos ver, recobráramos nuestra visión junto con la fe debilitada, ¡por medio del gran testigo mudo de esa tumba vacía!

No podía refutarlo, pero tampoco estaba satisfecho. Cuando le había planteado los mismos puntos a Pedro, insinuándole que toda la evidencia había sido fabricada para hacer que pareciera una resurrección y no el robo de una tumba, Pedro había perdido la paciencia conmigo. Y ahora Juan me hablaba de fe, y yo quería hechos. ¿Llegaría alguna vez a enterarme de la verdad? Débilmente, le pregunté a Juan:

—¿Qué hiciste después?

—Cuando salí de la tumba, me arrodillé junto a Pedro y di gracias a Dios por el más grande de sus milagros. Entonces, Pedro me pidió que fuera a Betania, ya que estaba seguro de que los demás estaban en la casa de Marta y María. Yo debía darles la buena nueva acerca de nuestro Señor, pero también debería advertirles que no dijeran nada a nadie, ya que Pedro tenía la seguridad de que nuestra vida aún peligraba, y si el sumo sacerdote se enteraba de que habíamos visitado la tumba, quizá nos acusara de haber retirado el cuerpo para engañar al pueblo con nuestra historia de la resurrección.

—¿Encontraste a los demás?

Juan sonrió con tristeza.

—No fue difícil. Marta me llevó hasta donde se encontraban todos acurrucados juntos como ovejas asustadas, ocultos en un bosque detrás de su casa. Sus mentes ya estaban tan quebrantadas que escucharon mi relato de los juicios, la crucifixión y la sepultura como si ya esperaran todo eso. Lo que no esperaban y no podían creer fue mi anuncio de que Jesús había resucitado de entre los muertos, como dijo que lo haría. Recuerdo a Tomás diciéndome que fuera a contar mi historia a las mujeres, que tal vez ellas me creerían, pero que en lo que a él se refería, tendría que ver la tumba y la sábana con sus propios ojos y aún así tendría serias dudas. Algunos de los demás, ciegos como yo lo había estado, ridiculizaron mi narración, preguntándome cómo era posible que Jesús tuviera el poder para resucitar de entre los muertos cuando que había sido incapaz de impedir que Caifás lo prendiera y que Pilato lo colgara de una cruz. No tenía caso tratar de razonar con ellos o recordarles todo lo que Jesús profetizó acerca de su futuro. Con el corazón oprimido, me aparté de ellos y volví a la ciudad y a esta casa.

Ahora mi frustración era completa. Ciertamente, Juan había confirmado el testimonio de Pedro de que ambos estuvieron juntos aquí, en esta casa, todas las horas transcurridas entre el momento de la sepultura y el descubrimiento de la tumba vacía. No era posible que ninguno de ellos hubiera estado implicado en el robo de la tumba.

Y lo que era aún más perjudicial en lo concerniente a mi investigación, era que tanto Pedro como Juan habían corroborado las palabras de Mateo y de Santiago referentes a los otros nueve apóstoles que huyeron a Betania. Ahora estaba seguro, ¡ninguno de ellos había sido responsable de esa tumba vacía!

Debía yo borrar de la lista a once apóstoles, a Pilato y a Caifás.

La lista de sospechosos de la comisión investigadora, formada por un solo hombre, menguaba con rapidez, casi tan rápido como su confianza.

12

La viuda María ya no dormía en el desvaído diván de mimbre bajo los tupidos granados cuando José y yo seguimos a Juan a través del piso superior hasta el patio. En su lugar, pero ocupando sólo la mitad inferior del diván, estaba sentada otra mujer, dedicada activamente a desvainar guisantes dentro de un tazón de madera que tenía sobre el regazo, entre los pliegues de un largo vestido negro. Era una belleza; su cabello largo que ondeaba al viento tenía las tonalidades del bronce antiguo y su piel era tan clara que me encontré preguntándome tontamente por qué no tenía pecas.

¡María Magdalena! Heroína de miles de novelas bíblicas a todo lo largo de los siglos, y quien desempeñó un papel prominente en la última parte de los cuatro evangelios. La mujer de quien Jesús expulsó siete demonios. Una prostituta reformada o cuando menos una "pecadora", dependiendo de la fuente, y esta última categoría tan adecuada para la mayoría de nosotros que su atractivo ha sido universal durante casi dos mil años. Sin embargo, en un punto concuerdan todos los evangelios y las primeras fuentes de información. El amor de la mujer de Magdala por su Señor y su valor no fueron sobrepasados por ninguno de ese pequeño grupo que acompañó a Jesús a Jerusalén para celebrar su última Pascua.

Los tres tomamos asiento sobre el césped, a sus pies, y después de que tanto José como Juan se turnaron pacientemente y sin prisas para explicarle el fin de mi visita, me miró, preguntándome en tono de voz quejumbroso:

—¿Prometes no hacerme daño si te digo todo lo que quieres saber acerca de Jesús?

—María Magdalena, Matías es amigo mío; jamás te haría daño —le aseguró José.

La mujer señaló en dirección a la franja púrpura de mi túnica.

—Todos los romanos hacen daño a la gente y aun trataron de dar muerte a mi Señor.

Su voz, parecida a la de una niña, tanto por su tono como por sus inflexiones y la cadencia lenta de sus palabras, todas pronunciadas monótonamente y sin emoción, indicaban una condición para la cual ni el anciano ni Juan me habían preparado.

—No ha sido ella misma durante muchos años, Matías —me confió José finalmente, como si la mujer no pudiera escucharlo—, desde aquella mañana en que regresó de la tumba vacía. Sin embargo, su capacidad de recordar aun los menores detalles de sus experiencias con Jesús no ha menguado. Simplemente háblale con suavidad y haz que tus preguntas sean sencillas.

—Sólo tengo unas cuantas —le dije.

Casualmente miré hacia las ramas por encima de mi cabeza. Un solitario granado, de forma simétrica, se balanceaba con suavidad bajo la brisa. Siguiendo un impulso repentino, me puse de pie y dando un salto desprendí de su tallo el fruto de un rojo oscuro y se lo entregué a María Magdalena. Lo aprisionó contra su pecho y bajó los ojos en un ademán tan conmovedor como el de una tímida jovencita.

—María Magdalena —empecé—, ¿cuándo viste a Jesús por primera vez?

—Algunos escribas y fariseos me llevaron ante su presencia, mientras enseñaba en el Templo. Me arrojaron a sus pies, gritando que me habían sorprendido en el acto flagrante de adulterio y que, de acuerdo con las leyes de Moisés, deberían lapidarme. Querían saber lo que Jesús tenía que decir.

—¿Y qué dijo?

—Se sonrojó, pretendiendo no haber escuchado y se inclinó para escribir con su dedo sobre el polvo del suelo.

—¿Pudiste ver lo que escribió?

—No, pero siguieron presionándolo para que les respondiera, así que, finalmente, alzó la vista y dijo: "Aquel de ustedes que esté libre de pecado, que arroje la primera piedra" y después volvió a escribir algo sobre el suelo. Yo estaba enfurecida con él, segura de que había sellado mi destino y que ahora me llevarían fuera de la ciudad para que me dieran muerte. Me cubrí los ojos con las manos a fin de no ver los rostros de los que se mofaban de mí en mi vergüenza, esperando que me llevaran, pero pronto dejé de escuchar las risas y los insultos, y cuando abrí los ojos vi que todos los escribas y fariseos se habían retirado.

—¿Qué hiciste entonces?

—Me puse de pie, segura de que Jesús y esos hombres me estaban jugando una broma cruel. Él me preguntó: "Mujer, ¿en dónde están tus acusadores? ¿Ningún hombre te ha condenado?" y yo respondí: "Ningún hombre, Señor" y entonces Jesús dijo: "Yo tampoco te condeno. Vete y no vuelvas a pecar". Después, se volvió hacia la multitud que presenciaba la escena a distancia, y dijo: "Yo soy la luz del mundo Quien me siga no caminará en la oscuridad, sino que tendrá la luz de la vida". Y desde ese día lo seguí, atendiendo a sus necesidades cuando me lo permitía, y yo lo amé mucho.

—Háblame de esa mañana en que tú y los demás fueron a visitar la tumba.

Extendió la mano hasta alcanzar la cesta que estaba a su lado y tomó otro puñado de vainas de guisantes, que dejó caer en el interior del tazón, y siguió con su tarea mientras hablaba.

—Con María, la madre de Santiago y de Josué, había observado a José cuando él y sus acompañantes bajaron de la cruz el cuerpo de nuestro Señor. Cuando vimos que se llevaban el cuerpo a una tumba cercana, en un pequeño jardín, nos sentimos aliviadas y regresamos aquí. Pero al día siguiente, que era nuestro sabat, empecé a preguntarme si habrían preparado el cuerpo de nuestro Señor para su sepultura de acuerdo con nuestra ley. Una vez terminado el sabat, a la hora de la puesta del sol, me dirigí al mercado a comprar especias, mirto, áloe y aceites, resuelta a ir a la tumba a la mañana siguiente muy temprano para ungir a nuestro Señor en la forma adecuada.

María y Salomé, la madre de Juan, accedieron a acompañarme a la tumba, pero cuando le pedí a Juan que fuera con nosotros para que nos ayudara a mover la pesada piedra que normalmente es colocada a la entrada de las tumbas, se rehusó a hacerlo, diciendo que no se atrevía a abandonar a Pedro y que tampoco tenía fuerzas para caminar una distancia así.

—¿Pero de cualquier manera las tres se dirigieron allí?

—Oh, sí. Antes de que saliera el sol, llevando cada una de nosotras un saco lleno de especias y todo lo demás, cruzamos la puerta cercana y seguimos el camino de tierra hacia el Norte hasta llegar a esa horrible colina en donde crucificaron al Señor. Todavía se erguían allí los tres maderos verticales, pero los horizontales sobre los cuales clavaron las manos de esos pobres hombres, fueron retirados junto con sus cuerpos.

—En ese camino hacia el Norte, ¿no se encontraron a nadie?

—No, para gran decepción nuestra, pues esperábamos encontrar a alguien a lo largo del camino para que nos ayudara a mover la piedra de la tumba. Después de pasar el Gólgota empezamos a perder el valor, ya que el sol todavía no aparecía y entre los árboles y matorrales se veían muchas formas y sombras extrañas. Aun así, entramos en el jardín, sobresaltándonos a cada ruido; pronto pasamos delante de una fogata, cuyos leños arrojaban chispas y humo al soplar la suave brisa, y nos preguntamos quién habría estado allí durante la noche. Entonces, llegamos a la tumba y vimos que la gran piedra había sido apartada de la entrada.

—¿Y eso las atemorizó?

—Oh, no. Al principio pensamos que tal vez José habría llevado el cuerpo de nuestro Señor a otra parte para su sepultura final, pero de haber hecho algo así, sabíamos que hubiera ido a decírnoslo. Entonces dije a María y a Salomé que quizá alguien se había robado el cuerpo, y estrechamente abrazadas nos arrodillamos para ver hacia el interior de la tumba. Salomé fue la primera en gritar y yo casi me desvanecí. ¡Sentado sobre el suelo de piedra, en el interior, se encontraba un joven ataviado con una larga vestidura blanca, quien, al vernos, gritó atemorizado! Recuerdo que di un salto hacia atrás golpeándome la cabeza contra la piedra. Todas dejamos caer nuestros sacos y salimos corriendo, tropezando y cayendo muchas veces sobre el césped húmedo al alejarnos del lugar. Detrás de nosotras podíamos escuchar al extraño vestido de blanco, que gritaba: "No tengan miedo. Buscan a Jesús de Nazaret, que fue crucificado..." y eso es todo lo que puedo recordar, porque para entonces ya estábamos en el camino, corriendo como si nos persiguieran animales salvajes. Yo llegué de vuelta aquí antes que las demás mujeres y de inmediato subí las escaleras para decirles a Pedro y a Juan que alguien había robado el cuerpo de nuestro Señor.

Solamente el ruido de los duros guisantes, al caer de sus vainas dentro del tazón que sostenía María Magdalena, perturbaba la quietud del patio. Ahora luchaba conmigo mismo, tratando de conservar mi serenidad. Estaba muy cerca de una evidencia importante, nueva evidencia, por lo que no podía permitir que me traicionara mi ansiedad, ya fuera por el sonido de mi voz o por el aspecto de mi rostro.

Durante muchos siglos, santos y anticristos, eruditos y filósofos, teólogos y escritores, soñadores y burlones, todos han luchado con las versiones discordantes de los evangelios, en relación con lo que en realidad experimentaron María Magdalena y las demás mujeres cuando llegaron ante la tumba vacía. ¿Acababa acaso de enterarme de la verdad escueta, mucho tiempo antes de que se viera recubierta por décadas de creyentes bienintencionados? o ¿acaso esta mujer con un largo historial de problemas mentales me estaba jugando una broma?

—¿Estás segura, María Magdalena, de que viste a un joven en el interior de la tumba?

—Todas lo vimos. A la escasa luz, no pudimos ver su rostro claramente, pero estoy segura de que se trataba de un joven, y cuando nos llamó, mientras huíamos, su voz era la de un hombre joven.

—¿Es posible que se hayan tropezado con un ángel?

Los labios de María Magdalena se plegaron en una sonrisa condescendiente, si es que alguna vez he visto una.

—Jamás he contemplado a un ángel, por lo menos a uno que pudiera reconocer como tal —replicó—. ¿Y acaso un ángel de Dios se hubiera sentido atemorizado por nuestra aparición en la tumba o nos hubiera permitido huir sin calmar nuestros temores?

No había ningún argumento contra esa lógica. Traté de concentrarme, de recordar algunas notas que había garrapateado hacía mucho tiempo, al principio de mis investigaciones para mi libro "Comisión: Cristo". En el Evangelio según Mateo, las mujeres se habían encontrado en el sepulcro con el "ángel del Señor". En el Evangelio según Lucas, había dos hombres con vestiduras resplandecientes y más adelante, en el mismo capítulo se hace una referencia a "una visión de ángeles". En el Evangelio según Juan, María Magdalena miró hacia el interior del sepulcro y vio a "dos ángeles vestidos de blanco", pero en el Evangelio según Marcos, las mujeres entraron al sepulcro y "vieron a un joven sentado del lado derecho, vestido con una larga túnica blanca".

¿En realidad no se mencionaba a ningún ángel en la narración de Marcos sobre esa escena de la tumba a una hora temprana de la mañana? Sí, estaba seguro de ello. Si el evangelio de Marcos describía a un primer visitante a la tumba, antes de que llegaran las mujeres, ¿quién era ese visitante y qué estaba haciendo allí? Y ese individuo misterioso, ¿habría sido un cómplice para retirar el cuerpo, o incluso un testigo del robo? ¿Sería posible. . . ?

—Juan, ¿sabes si ya regresó Marcos?

—Sí, acabo de escuchar su voz. Está dentro de la casa con su madre, ayudándola a preparar la cena.

—¿Sería posible que hablara con él por unos momentos? —dije mirando a José en busca de ayuda. El anciano mostró muy poco entusiasmo por esta repentina adición a nuestra agenda, pero finalmente me concedió el beneficio de una anuencia un tanto forzada.

El joven apóstol se dirigía a la casa en busca de Marcos, cuando lo detuve.

—Juan, ¿puedo hablar con él allá? —pregunté, señalando hacia la habitación del piso superior.

—Como quieras —gritó.

Le di las gracias a María Magdalena por su ayuda, y esta vez José me siguió escaleras arriba.

El cuerpo delgado y moreno de Marcos estaba cubierto con un taparrabos de piel de animal, que colgaba desde la cintura hasta abajo de las rodillas. Su cabello negro era una masa de rizos, que enmarcaban un rostro atractivo de rasgos pronunciados, más griegos que otra cosa. A pesar de su juventud, en él había una extraña intensidad y sus ojos color café eran demasiado tristes y serios para su edad. Penetró lentamente en la habitación, con cierta inseguridad, respondiendo al saludo afable de José sólo con una sonrisa breve y forzada. Cuando el anciano lo invitó a tomar asiento, miró hacia la puerta, como si prefiriera retirarse, pero por fin se dejó caer con timidez sobre un cojín que se encontraba exactamente frente a mí en la mesa.

—Marcos —sonreí, tratando de hacer que se sintiera cómodo—, ¿te ha hablado Juan del propósito de mi visita?

Asintió.

—¿Qué edad tienes?

Pasó saliva y dijo roncamente:

—Tengo veinte años de edad.

—¿Recuerdas muchas cosas acerca de Jesús? Seis años es mucho tiempo.

No hubo respuesta.

—¿Responderás a algunas preguntas sobre él, si es que puedes recordar?

Silencio total, pero los músculos de sus brazos se tensaron y apretó los puños que descansaban sobre la mesa. Desanimado, me volví a José, quien sólo movió la cabeza con desaliento. Entonces, recordé mi amuleto, ese trozo de oro pesado, plano y de una forma tan curiosa, que llevaba al cuello desde que José me lo obsequió el primer día durante nuestra visita al Templo. Ya se había convertido en una parte integral de mi cuerpo, tanto que ni siquiera estaba consciente de que colgaba de la tira de cuero alrededor de mi cuello. Introduje la mano en mi túnica y saqué el amuleto, volteándolo a fin de que Marcos pudiera ver el trazo del pez.

—Marcos, ¿me ayudarás, por favor? —pregunté extendiendo mi mano sobre la mesa y colocándola sobre la suya. Su rostro se iluminó y, después de un momento de vacilación, colocó su otra mano sobre la mía, asintiendo. El suspiro de alivio de José inundó la habitación, y yo volví a instalarme en mi cojín, sintiendo exactamente lo que debió haber sentido Judas.

—¿Recuerdas la última cena que Jesús celebró en esta habitación?

—Fui yo quien trajo los alimentos hasta aquí desde la cocina, que se encuentra en la planta baja —dijo con orgullo.

—¿Y viste a Jesús y a los demás cuando finalmente partieron, o ya te encontrabas en tu lecho debido a lo tardío de la hora?

—Estaba abajo en el patio, esperándolos. No había visto a mi tío Pedro durante muchos meses y no podía comprender por qué esa noche no había jugado conmigo, como lo hacía siempre que visitaba nuestra casa. También estaba resentido por haberme visto obligado a comer el cordero pascual en compañía de las mujeres, mientras todos los hombres festejaban juntos en la planta alta.

—¿Sucedió algo en el patio, cuando el grupo descendió desde esta habitación?

—Cuando mi tío me vio, debió sentirse culpable por su negligencia, pues sin decir una palabra entró a la casa, a la planta baja, y al salir me dijo que mi madre me había dado permiso para que caminara con él y con los demás hasta la Puerta de la Fuente, en la parte sureste de la ciudad, cerca de los estanques.

—Es un recorrido muy largo hasta esa puerta. ¿Tienes algún recuerdo relacionado con él?

Pude ver que José me miraba ceñudo. Por lo visto, no se explicaba por qué hacía yo esas preguntas en apariencia innecesarias e inocentes, cuando el tiempo se había convertido en algo tan valioso.

—Tengo muchos recuerdos de ese paseo —replicó Marcos con nostalgia—. Las lámparas festivas que brillaban desde las ventanas de muchas casas, mientras las familias hacían los preparativos para dirigirse al Templo, cuyas puertas se abrirían a la sexta hora después de la puesta del sol; las multitudes y los animales en el camino, como si fuera de día; la emoción de estar en compañía de mi tío y de Jesús, cuando menos durante parte de la celebración de la Pascua; y de los himnos que cantamos mientras caminábamos.

—¿Iban todos juntos?

—Estábamos tan cerca unos de otros como un racimo de uvas hasta que nos acercamos a la puerta, cuando Jesús se detuvo y dijo: "Esta noche padecerán por mí, porque está escrito: «Abatiré al pastor y las ovejas se dispersarán»". Sus palabras causaron gran temor a los hombres, incluyendo a mi tío, y después Jesús dijo: "Pero después de levantarme, iré delante de vosotros a Galilea".

Una vez más mi corazón empezó a latir con demasiado entusiasmo para mi propio bien.

—Marcos, ¿alguien más, cerca de Jesús, lo escuchó pronunciar esas palabras, exceptuándote a ti y a los once apóstoles?

—No, habló casi en un susurro, como si estuviera compartiendo un secreto.

¿Me encontraba acaso a punto de resolver un misterio que había confundido a tantas mentes teológicas? María Magdalena acababa de decirme que cuando las tres mujeres se encontraron con el joven en la tumba, habían huido casi de inmediato, pero no antes de oírlo gritar: "No teman. Buscan a Jesús de Nazaret, que fue crucificado..." y eso era todo lo que recordaban mientras huían aterrorizadas. Solamente en uno de los evangelios, el de Marcos, la narración más temprana conocida de la vida de Jesús, el autor especifica que *un joven,* y no ángeles, como mencionan los otros tres, fue visto en la tumba, y en el último capítulo de Marcos incluso se puede leer la cita completa de lo que ese joven dijo a las mujeres, por supuesto, sin saber que sólo habían escuchado parte del anuncio al huir. Con rapidez repasé esos versículos en mi mente: "No teman; buscan a Jesús de Nazaret, que fue crucificado; ha resucitado; no se encuentra aquí: he allí el sitio en donde lo depositaron. Pero sigan su camino y digan a sus discípulos y a Pedro que irá delante de ustedes a Galilea: allá lo verán, tal y como Él lo dijo".

¡Había triunfado! Cuando menos ahora encajaba perfectamente una pequeña parte del rompecabezas de la resurrección. Por lo que Marcos me acababa de decir, sólo otra persona además de los apóstoles, había escuchado a Jesús anunciar, a la salida de la ciudad, que después de levantarse iría delante de ellos a Galilea. ¡Y esa otra persona, según sus propias palabras, era *el mismo joven* que ahora estaba sentado frente a mí!

Obviamente, ya fuera por temor a un castigo, o por vergüenza, o debido a cualquier otra causa desconocida, Marcos no le había confesado a nadie que fue él quien, sin quererlo, había atemorizado a las mujeres, asustándose a su vez cuando ellas se tropezaron con él en el interior de la tumba esa mañana. Pero, ¿qué hacía un joven de catorce años en la tumba, antes del amanecer? ¿Cómo llegó hasta allí, y cómo volvió, sin que su madre y los demás se enteraran? Y lo que era más importante de todo, cuando menos para mi investigación, ¿qué otra cosa había presenciado en el huerto antes de la llegada de las mujeres? De alguna manera, tenía que obtener esa información de él.

—Marcos, ¿escuchaste otras palabras en labios de Jesús, mientras se acercaban a la puerta?

—No. Mi tío me besó diciendo que ya había ido demasiado lejos y que debía apresurarme a volver al lado de mi madre, a fin de no preocuparla. Hice lo que me indicaba y regresé a mi lecho.

—Y entonces —dije—, de acuerdo con los demás con quienes he hablado, algo terrible sucedió aquí, ¿no es verdad?

—Sí. No sé cuánto tiempo había dormido antes de que me despertaran unos golpes y el ruido de fuertes voces de hombres en nuestra casa y pronto pude escuchar los gritos de mi madre y de las demás mujeres. Antes de que pudiera saltar del lecho, dos soldados romanos abrieron mi puerta de un puntapié, acercaron sus lámparas a mi rostro, miraron debajo de mi lecho y después salieron a toda prisa. Temblando, salí a la terraza y pude ver que el patio estaba atestado de soldados, cada uno llevaba una antorcha brillante. Luego, salieron otros soldados de la casa y escuché que un hombre decía: "¡Debe haber ido a Getsemaní! Vamos hacia allá para capturarlo" y todos cruzaron apresuradamente la calle hasta salir por la puerta de la ciudad. Cuando bajé, encontré a mi madre y a las demás mujeres reunidas en su alcoba, llorando y consolándose unas a otras, y cuando le pregunté por qué los soldados habían venido a registrar nuestra casa, me dijo que venían a prender a Jesús, Le dije que debía apresurarme a ir a Getsemaní para prevenirlo, pero me detuvo, prohibiéndome salir de casa, por temor a que los soldados me hicieran algún daño.

—Pero tú fuiste hacia allá, de cualquier manera, ¿no es verdad?

Escuché dos gritos, uno de Marcos y otro de José de Arimatea. El anciano fue el primero en recobrar la voz.

—¿Cómo estás enterado de tales cosas, Matías?

¿Qué podía decirle en presencia de Marcos? ¿Cómo podía recordarle al anciano un incidente descrito tan sólo en el Evangelio según Marcos, un incidente que nada más podía escribir el individuo que había estado implicado personalmente? ¿Cómo podía repetirle la historia de que cuando Jesús fue prendido y todos los apóstoles huyeron, había otra persona en el huerto, *un joven* cubierto con una sábana de lino alrededor de su cuerpo y que cuando trataron de capturarlo "abandonó la sábana, huyendo desnudo"? Ignoré la pregunta de José y decidí jugarme el todo por el todo.

—Marcos, tú corriste hacia el huerto, bajando por esas escaleras exteriores desde tu habitación en este piso, a fin de que nadie te viera, ¿verdad? Después, seguiste una ruta directa a través de la ciudad, cruzando el Templo; saliste por una de sus puertas en el lado este, cruzando el puente sobre el Cedrón y llegaste al huerto, pero demasiado tarde. Jesús ya había sido prendido y cuando algunos de los soldados te vieron, trataron de capturarte, sólo que te las arreglaste para que únicamente se apoderaran de la sábana en la cual te habías envuelto y huiste, dejando la sábana en manos de los soldados, ¿no es así?

Sepultó la cabeza entre las palmas de las manos y dijo:

—Sí.

—¿Y tuviste que recorrer desnudo todo el camino hasta tu casa?

—Para mi eterna vergüenza.

—¿Comentaste eso con alguien?

—No.

—¿Ni siquiera después?

—No, pero ahora que tú. . .

—Tu secreto está a salvo con nosotros, Marcos, siempre y cuando estés dispuesto a decirme todo lo que sepas respecto a otro asunto de gran importancia.

Me odié a mí mismo. En sus ojos había lágrimas y jamás he podido hacer frente a las lágrimas de otros sin derrumbarme.

—Cualquier cosa... todo lo que quieras saber —sollozó.

—En algún momento, después de que volviste del huerto y te dirigiste al lecho, debes haber vuelto a despertar, ¿estoy en lo cierto?

Se quedó boquiabierto, y yo le expliqué:

—Tu tío Pedro ya me dijo cómo perdió el conocimiento en el patio de la casa de Caifás, y fue traído hasta aquí por Juan y Shem, el protector de José; puesto que instalaron a Pedro en tu lecho, ¿en dónde dormiste tú?

—Afuera, en la terraza.

—¿No hacía frío allí? Pedro dijo que encendieron fogatas en el patio del sumo sacerdote. ¿Por qué no dormiste aquí?

—He dormido allá afuera en muchas ocasiones y en todas las estaciones. Es agradable yacer de espaldas bajo las abrigadoras mantas, contemplar las estrellas y sentir la brisa en el rostro.

—¿Puedes mostrarme con exactitud en dónde dormiste esa noche, si lo recuerdas?

José lanzó un gemido de impaciencia, pero no dijo nada. Seguimos a Marcos afuera y dimos vuelta en la esquina de la terraza del piso superior, que daba hacia el Suroeste. Directamente abajo de nosotros se encontraba el camino que conducía al palacio de Caifás y a la casa de José, en lo alto de la colina. A mi izquierda podía contemplar el tráfico que llegaba a la ciudad desde Belén, cruzando la puerta de entrada y, a mi derecha, hacia el Norte, podía ver el palacio de Herodes. Señalé en dirección al Norte:

—Esa colina, fuera de los muros de la ciudad, mucho más allá del viejo palacio de Herodes, ¿es el Gólgota, en donde Jesús fue crucificado?

—Sí.

—Y el camino de tierra, fuera de esta puerta cercana, ¿llega hasta el Gólgota?

—Y más allá —replicó Marcos.

—Ahora bien, Jesús fue crucificado al día siguiente de que tú trataste de salvarlo de que lo aprehendieran en el huerto. ¿Dormiste aquí esa noche?

—Sí, Pedro seguía enfermo de fiebre y Juan estaba a su lado.

Otra confirmación de la coartada de Pedro y Juan, como si tuvieran necesidad de ella.

—Al día siguiente era tu sabat. ¿Recuerdas en dónde dormiste esa noche?

—Pedro aún no se levantaba de mi lecho, así que nuevamente dormí aquí afuera.

—Dime, Marcos —sonreí—, ¿acostumbrabas sentarte aquí a menudo, en medio de la oscuridad, a ver pasar a la gente allá abajo y contemplar las luces de la ciudad? Me imagino que cualquier muchacho de catorce años disfrutaría al hacer eso.

Asintió.

—Lo hice muchas veces cuando era más joven, aun cuando no durmiera aquí.

—¿Y recuerdas haberlo hecho esa noche, después de terminado el sabat?

Respondió de inmediato.

—Esa noche nadie durmió en esta casa, con excepción de mi tío enfermo. Abajo podía escuchar a mi madre y a las demás mujeres lamentándose y llorando, llamando por su nombre a nuestro Señor, y de vez en vez, justo cuando acababa de cerrar los ojos, una de ellas gritaba y yo volvía a despertar.

—Conforme avanzaba la noche, ¿observaste algo fuera de lo común que tuviera lugar en la parte de la ciudad que puedes ver desde aquí?

Vaciló, mostrándose cauteloso conmigo después de mi descripción tan exacta de su casi captura en Getsemaní.

—¿Algo poco común? No lo creo. ¿Qué quieres decir?

Señalé hacia el Gólgota.

—Una fogata, una fogata ardiendo cerca de esa colina, en el jardín. Encendida por los guardias que Caifás envió del Templo para vigilar la tumba de Jesús, como ahora sabes, pero entonces ignorabas. ¿Viste ese resplandor y quizá las antorchas de los guardias mientras vigilaban? ¿Y no te preguntaste por qué habría una fogata ardiendo tan cerca del sitio en donde Jesús había sido crucificado y sepultado?

Los grandes ojos color café de Marcos me miraron suplicantes. Se volvió hacia José, como si esperara que el anciano lo rescatara de su aprieto, pero no recibió ninguna ayuda de su parte. Por fin coloqué ambas manos sobre sus hombros y lo oprimí suavemente.

—Marcos, ¿por qué no nos cuentas, en tus propias palabras, todo lo que viste y todo lo que sucedió después? Te hará bien compartir ese peso que has llevado tú solo durante tantos años.

Me volvió la espalda y dio varios pasos hacia el borde de la terraza, la cual no contaba siquiera con la protección de una balaustrada. Mientras contemplaba hacia el pavimento allá abajo, quise avanzar hacia él, pero el brazo de José me lo impidió. Conocía a Marcos mejor de lo que yo llegaría a conocerlo jamás. Después de varios minutos de ansiedad, cuando menos para mí, el joven se volvió y aceptó:

—Te lo diré, siempre y cuando lo que diga permanezca en secreto entre nosotros tres. En este momento, nada bueno resultará si mi historia se vuelve del dominio público, y sólo creará dudas en las mentes de aquellos cuya fe en que Jesús resucitó de entre los muertos, como bien sabemos, aún no es muy firme. Quizá más adelante, cuando los cimientos que están construyendo Pedro, Juan, Santiago y los demás sean más sólidos, se les podrá decir a todos. ¿Aceptas mis condiciones?

Era más de lo que me había atrevido a esperar. Asentí, a sabiendas que mantendría su palabra. De acuerdo con mis investigaciones, dentro de veinte o treinta años Marcos escribiría su primer resumen de la vida de Jesús, con ayuda de los recuerdos de Pedro. Y en ese Evangelio pujante, aunque el más breve de todos, incluiría la historia del joven desnudo en Getsemaní, así como la del otro joven vestido de blanco que se encontraba en la tumba.

—Procede con tu historia —le animé— y puedes estar seguro de que tus palabras estarán a salvo con nosotros.

—Tenías razón —empezó—. Sí observé la fogata cerca del Gólgota y las antorchas moviéndose de un lado a otro. Y aun bajé a decírselo a mi madre, pero las mujeres, finalmente, habían conciliado el sueño. Me dirigí hacia donde estaba Juan para hablarle de ello, pero él también estaba profundamente dormido en una silla, al lado de Pedro, quien despedía sonidos extraños. Volví solo hasta aquí y me senté a observar. Después de dos horas, poco más o menos, sentí los ojos pesados, así que extendí mis mantas, dispuesto a dormir, cuando de pronto nuestra casa se empezó a sacudir de un lado a otro. Me puse de pie de un salto, pero la vibración cesó casi tan pronto como empezó y ya no le concedí mayor importancia, puesto que la tierra se había estremecido muchas veces desde que el Señor fue crucificado y mi madre me dijo que era Dios expresando su cólera por lo que le hicieron a su Hijo. Volví la mirada hacia el Gólgota y con gran sorpresa pude ver cuatro antorchas que se alejaban rápidamente de la fogata, como si los que las llevaban fueran corriendo, continué observando conforme las luces avanzaban hacia el Sur en esta dirección, por el camino fuera de la ciudad. Pronto el muro las ocultó de mi vista, pero su resplandor iluminaba el cielo a medida que las antorchas se aproximaban cada vez más, hasta que cuatro hombres, ataviados con el uniforme de los guardias del Templo, cruzaron apresurados la puerta de la ciudad y pasaron directamente debajo de donde yo me encontraba.

—¿Había gente en las calles?

—Unas cuantas. Parado frente a esta casa, al otro lado de la calle, estaba un hombre con su animal, y lo escuché gritar: "¿Van huyendo o persiguen a alguien?", y uno de los guardias, sin detenerse, gritó una y otra vez: "¡Se ha ido de la tumba, se ha ido de la tumba!" y siguieron apresurados colina arriba hasta que los vi entrar en el patio de la casa del sumo sacerdote Caifás.

—¿Qué hiciste al escuchar sus palabras?

—Me sentí invadido por una gran alegría, ya que sabía a quién se referían. Recuerda que oí decir a Jesús: "Después de levantarme. . .", y ahora acababa de escuchar a esos hombres, cuyas luces había seguido a todo lo largo del camino desde el Gólgota, anunciar que había salido de su tumba. En medio de mi emoción, corrí escaleras abajo, crucé la puerta y me dirigí hacia el Norte, en dirección al Gólgota, sin siquiera detenerme el tiempo suficiente para calzarme las sandalias.

—¿Qué ropas llevabas?

—¿Qué llevaba? Ah... mi camisa de noche. Ya me había desnudado y estaba a punto de dormirme cuando el temblor de tierra me sorprendió.

—¿Y de qué color es tu camisa de noche?

—¿De qué color? Es blanca.

—¿Te encontraste con alguien en el camino norte?

—A nadie que pueda recordar y de ser así es probable que ni siquiera lo hubiera visto. Mi mente y mi corazón, así como mis ojos y pies, iban hacia el sitio en donde fue depositado nuestro Señor. Por último llegué al jardín; aún ardía la gran fogata que había visto desde esta terraza, y más allá de ella podía ver la tumba. Me las arreglé para retirar un pequeño tronco que aún ardía y, llevándolo a manera de antorcha, me acerqué a la tumba, sin darme cuenta, hasta que estuve muy cerca, de que la piedra había sido apartada.

—¿Viste a alguien en el jardín?

—En una ocasión escuché ruidos detrás de algunos matorrales y casi salí huyendo, antes de ver a un perrito cruzar por el césped y desaparecer entre los árboles; pero fuera de ese animal, no vi a nadie. Cuando llegué a la entrada de la tumba, introduje la antorcha y me incliné para mirar hacia el interior, dispuesto a huir a la menor provocación. En el sepulcro, en un nicho tallado en la roca, se encontraba la mortaja con que lo sepultaron y, aun cuando la tela seguía enrollada, pude ver que no contenía ningún cuerpo. Lentamente me arrastré hacia el interior de la tumba y me senté del lado derecho, apoyado contra el muro, contemplando el gran milagro que acababa de suceder. Al principio lloré, después empecé a orar, como Jesús nos enseñó a hacerlo y le di gracias a Dios por liberar a nuestro Señor de manos de sus enemigos; me encontraba en un estado tal de exaltación que me parecía escuchar voces de ángeles que cantaban y reían con alegría. Después, tal vez debido a lo tardío de la hora, debo haberme quedado dormido con la cabeza apoyada contra el muro, no sé cuánto tiempo permanecí en esas condiciones antes de que me despertaran unas voces; me di vuelta y pude ver unas figuras que se movían en la entrada de la tumba. Con la escasa luz del amanecer a sus espaldas y mi antorcha ya apagada no pude reconocerlas y sorprendido ante su aparición, lancé un grito, entonces algunas de ellas empezaron a gritar también y me di cuenta de que eran mujeres. Rápidamente retiraron las cabezas de la abertura y yo me arrastré detrás de ellas, pero ya me habían vuelto la espalda al huir cuando traté de decirles que no tuvieran miedo.

—¿Pudiste reconocerlas una vez que estuviste fuera de la tumba?

—No, aún había más oscuridad que luz en el jardín lleno de árboles y sólo pude verlas de espaldas cuando huían.

—¿Trataste de detenerlas?

—Sí. Como ya dije, las llamé diciendo que no tuvieran miedo y algo más.

—¿Recuerdas qué fue lo que les gritaste?

Frunció el entrecejo, frotándose la barbilla puntiaguda.

—Creo que dije: "No tengan miedo: buscan a Jesús de Nazaret, que fue crucificado: ha resucitado; ya no está aquí: mirad el sitio en donde fue depositado. Pero sigan su camino y digan a sus discípulos y a Pedro, que irá delante de ellos a Galilea: allí lo verán, tal como Él dijo".

Eso en cuanto a los ángeles en la tumba; pero aun así para una tumba privada en un oscuro amanecer lleno de presagios hubo un tráfico considerable. Por supuesto, Juan y Pedro, pero antes que ellos María Magdalena y las demás mujeres. ¡Y ahora sabía con certeza que Marcos estuvo allí antes que cualquiera de ellos! Pero, ¿quién había precedido a Marcos? Si encontrara la respuesta a esto, con toda seguridad también conocería la identidad de mi ladrón de tumbas. Moví la cabeza con perplejidad y pude sorprender una ligera sonrisa burlona en el viejo rostro de José de Arimatea, al verme luchar por encontrar una solución a ese misterio que me había traído hasta aquí.

—Marcos, según María Magdalena, tanto Juan como Pedro corrieron a la tumba tan pronto como ella les trajo la noticia de que alguien se había llevado el cuerpo de Jesús. ¿Cómo es que no te tropezaste con ellos en el camino, o cómo no te encontraron aún en el jardín?

Esbozó una sonrisa.

—Volví aquí cruzando las calles de la ciudad en vez de seguir el camino afuera de los muros; me apresuré a subir las escaleras sin ser visto, me deslicé bajo las mantas y pretendí que dormía.

Desde el patio, allá abajo la madre de Marcos lo llamaba, necesitaba leña para el fuego. Él se volvió a mí con un ademán de disculpa, pero le dije que de cualquier manera mi interrogatorio había terminado y le di las gracias por su ayuda. Su abrazo al despedirse de mí me sorprendió momentáneamente, antes de comprender que, para él, mi amuleto de oro certificaba que yo era uno de ellos. De pronto me sentí exhausto. Derrotado, como un sonámbulo.

José me dijo en un tono de voz consolador:

—Matías, vamos adentro; descansemos un poco.

Lo seguí de vuelta a la amplia habitación del piso superior y me dejé caer sobre uno de los cojines verdes frente a la gran mesa con su vela perpetua.

El anciano se inclinó hacia mí, con las manos juntas casi como en una plegaria.

—Matías, ha sido un gran privilegio y un honor acompañarte durante estos últimos cuatro días. Después de observarte y de escuchar la forma tan hábil de tratar con toda clase de testigos, a fin de descubrir la verdad, no es difícil comprender por qué tus libros de crímenes e investigación te han ganado un renombre mundial.

Cobré ánimos y José de Arimatea continuó:

—Cuando llegaste aquí, te dije que cualquier resultado que lograras, se debería estrictamente a tu propia capacidad, a tus conocimientos y a tus habilidades y que yo estaría a tu lado únicamente para protegerte y aconsejarte lo mejor que pudiera. Siento que hasta este momento no he cumplido con mi pequeña parte de nuestro trato tan bien como tú has sabido hacer frente a ese gran desafío; ya que mientras tú has hecho grandes progresos para absolver a muchos de aquellos de quienes sospechabas podían estar implicados en el robo del cuerpo de Jesús, tu vida ahora corre peligro y todos los consejos que te he dado podrían caber en la cabeza de un clavo.

—José, tal y como eres, has sido maravilloso. Con demasiados consejos de tu parte, hubiera sospechado que tratabas de influir en mí o de cegarme con algunos hechos a fin de que no pudiera ver otros. Juntos hemos logrado grandes cosas.

Sacudió la cabeza tristemente.

—Pero el tiempo que nos queda es muy breve. En esta hora tan tardía de nuestra misión, ¿aceptarías una sugerencia o dos, a fin de llevarte a una solución más pronta del misterio relacionado con la tumba vacía?

—Por supuesto.

En su sonrisa amable hubo alivio y gratitud.

—Matías, ¿qué sucedería en tus novelas si la persona que ha sido asesinada reapareciera con vida?

—Eso no puede suceder.

—¿Por qué no?

—Porque si la persona asesinada en realidad estuviera con vida, no tendría ningún asesinato que mi detective pudiera descubrir.

—Exactamente.

—¿Qué quieres decir con "exactamente"?

—Lo que quiero decir es muy sencillo —dijo con paciencia—. Así como uno de tus libros no tendría un asesino si la persona a quien se creía asesinada aún siguiera con vida, de la misma manera tampoco tendrías un ladrón de tumbas, en este caso, si el cuerpo que, supuestamente, se llevaron caminara y hablara y comiera, aquí en la ciudad, después de encontrar la tumba vacía.

Suspiré; debí haberlo sabido. En algún momento teníamos que llegar a esto.

—José, con toda seguridad habrás observado que en todos mis interrogatorios, de Mateo, de Santiago, el hermano de Juan, de Pedro y hasta el día de hoy, el del joven Juan y el de Marcos, deliberadamente terminé nuestras discusiones con el descubrimiento de la tumba vacía.

—Me he dado cuenta de ello y me he preguntado el porqué.

—Cuando llegué aquí por primera vez, te dije que durante todos esos años de trabajar en mi "Comisión: Cristo", acumulé cientos de preguntas, de dudas y de bloques con los que tropecé en lo referente a la vida de Jesús, y te mencioné decenas de ellos. Pero también te dije que si pudiera convencerme de que nadie retiró el cuerpo de Jesús de esa tumba y de que sí resucitó, todas las demás preguntas se desvanecerían.

—Sí, lo recuerdo.

—Estoy consciente de cada una de las supuestas apariciones de Jesús que se registraron después de haberle dado sepultura, pero el hecho de pedir a cualquiera de sus seguidores más cercanos que describa alguna visión que haya tenido personalmente, o que pensó tener, como una secuencia natural de esa tumba vacía, va en contra de todo el sentido común y la lógica que he aplicado a mi labor durante veinte años. Como has podido ver y oír, sólo me he concentrado en los hechos, en esos hechos que podían corroborarse, y eso es todo lo que haría mi comisión ficticia si, en realidad, sus miembros se encontraran aquí.

Se me quedó mirando hasta que empecé a sentirme incómodo, al tiempo que murmuraba a medias para sí mismo, una y otra vez:

—Hechos... hechos... hechos...

Después se puso de pie, encorvando su anciana espalda varias veces, acompañándose de algunos quejidos, y preguntó:

—¿Podrás concederle un capricho a un anciano:

¿Qué podía decirle?

—Por supuesto.

—Quédate aquí —me dijo, extendiendo su palma abierta hacia mí. Cruzó la puerta y estuvo ausente quizá unos cinco minutos, y regresó con Juan a su lado, quien se mostraba perplejo. Después de que ambos tomaron asiento frente a mí, José colocó su mano sobre el hombro del apóstol, y pronunció estas palabras:

—Hijo, mi amigo Matías tiene necesidad de mayor información que olvidó obtener de ti antes. Creo que nos dijiste que cuando les llevaste las nuevas a los demás, en Betania, ninguno creyó tu relato de que Jesús había resucitado de entre los muertos. En vez de ello, te ridiculizaron y tú regresaste aquí, con el corazón entristecido.

—Eso es verdad, pero más avanzado el día, hacia la hora de la puesta del sol, todos vinieron a esta casa para presentar sus respetos a la madre del Señor, y se quedaron sorprendidos cuando escucharon de sus labios la misma noticia que yo les llevé: que Jesús no estaba muerto. Pero ninguno creyó que se hubiera realizado la profecía del Señor y dijeron que esa misma noche volverían a sus hogares en Galilea. Al escuchar eso, la madre del Señor no quiso dejar que iniciaran su jornada de regreso sin que antes tomaran algún alimento, por lo que les subieron a esta habitación algo de comer para todos, y se cerraron todas las puertas exteriores de esta casa, al igual que la puerta del patio.

—¿Por qué los encerraron? —pregunté.

—Tomás y Nataniel habían escuchado por las calles que ya las autoridades empezaban a acusarnos de haber retirado el cuerpo de Jesús de su tumba y existía un gran temor de que pronto todos seríamos aprehendidos.

José de Arimatea hizo una de sus raras interrupciones.

—Matías, trata de imaginarte a ese pequeño grupo de hombres, derrotados por los acontecimientos, sin su maestro y atemorizados, ocultos aquí tras de las puertas cerradas. Todos, sin excepción, eran ignorantes y no tenían un céntimo, y por lo que sabían, eran fugitivos en una ciudad en la cual las autoridades ya habían clavado a su maestro en una cruz. Durante muchos meses siguieron a Jesús de una parte a otra por todo el país, soportando el abuso, las privaciones y las amenazas; y ahora, ese grupo lastimoso, habiendo perdido todo en Getsemaní, incluyendo la fe en su maestro y la esperanza de compartir el reino prometido, se preparaba para huir de esta ciudad de peligro y de sueños rotos.

Juan siguió con el hilo de la narración.

—Ninguno de nosotros comió los alimentos que nos fueron preparados. Nos sentamos alrededor de la mesa, como lo hicimos esa última noche en compañía del Señor, y muchos lloraron compadecidos de sí mismos, a pesar de todo lo que Pedro y yo tratamos de decir para convencerlos de que eran más los motivos para celebrar que para apesadumbrarnos. Algunos incluso llegaron a culpar a Jesús por el apuro en que se encontraban, diciendo que engañados con sus promesas y milagros, sacrificaron todo por seguirlo y ahora ya no les quedaba nada. Otros convinieron en que había sido un buen hombre y que proporcionó alivio a muchos, pero que, ciertamente, no era el Mesías como Pedro anunció en Cesarea de Filipo, ya que ningún Mesías de los judíos hubiera permitido que lo humillaran y lo avergonzaran como lo hicieron con él los romanos y el sumo sacerdote. Pedro, el obstinado Pedro, siguió recordándoles la tumba vacía hasta que Tomás, en un arrebato de cólera, salió de la habitación diciendo que tenía la intención de pedirle prestada una lámpara a la viuda María, a fin de dirigirse a la tumba vacía en ese momento y convencerse por sí mismo. Después que salió, cerré nuevamente la puerta y seguimos cruzando palabras, hasta que varios de los hombres, cansados de tanto discutir, se aprestaron a salir, diciendo que viajarían hacia el Norte, en la oscuridad, a fin de evitar las patrullas.

—¡Espera! —gritó José, levantándose de la mesa.

Hizo una seña a Juan y ambos salieron de la habitación. El anciano volvió solo y tomó asiento frente a mí, mientras sus ojos ardían con una intensidad que jamás había visto antes.

—Matías, ¿en verdad puedes imaginarte la derrota y la desesperación que flotaban esa noche en esta habitación? ¿Puedes concebir a esos hombres de mar y tierra, aterrorizados y con los rostros agobiados surcados por lágrimas de dolor y decepción, con las mentes alteradas pensando sólo en su propia seguridad, aferrados unos a otros aquí como lo estuvieron durante dos días en el bosque?

—José, tú sabes que *soy* escritor; desde luego que sí puedo hacerlo.

—Matías, escúchame —me ordenó—. Como has podido ver con tus propios ojos durante esta semana, ahora hay miles y miles de creyentes en Jesús resucitado. Sabes también que dentro de diez años a partir de esta fecha, esa cifra habrá aumentado tanto que empezará a crear graves disturbios en la ciudad y en el Templo. Dentro de veinte o veinticinco años habrá cristianos en cada ciudad y aldea desde aquí hasta Roma, y dentro de cuarenta años habrán comenzado a debilitar paulatinamente las lanzas y espadas del Imperio y, en menos de trescientos años, un emperador romano caerá de rodillas adoptando las enseñanzas de Jesús para todos sus súbditos. Hijo mío, tú siempre insistes en hechos y sabes que lo que acabo de decirte no contiene sino hechos. Vuelves a asentir; así que estás de acuerdo conmigo. Muy bien, gran escritor de libros, ¡explícame, si puedes, cómo es posible que esos once miserables apocados, en lugar de huir a sus hogares, pudieran abandonar esta habitación esa noche, llevando la palabra de Jesús a todo el pueblo, con tal fuerza y vigor y que en el transcurso de tres siglos, ellos y sus discípulos que les siguieron pudieran conquistar el Imperio Romano! ¡Dímelo! ¿Qué sucedió en esta habitación, antes de que tuvieran oportunidad de huir hacia una vida de anonimato, qué los hizo cambiar de unos hombrecillos derrotados a la fuerza más poderosa dedicada al bien que el mundo haya conocido jamás? Dime, ¿qué pudo ocurrir aquí para crear en esos hombres un cambio tan poderoso y apremiante en sus caracteres que más adelante todos llegarían a dar la vida por su fe? ¡Habla, Matías!

Era un José muy diferente del hombre que había conocido durante cuatro días. Me encogí de hombros y respondí débilmente:

—Dímelo tú, José. Recuerda que soy yo el que anda en busca de respuestas.

—¡No te lo diré! —rugió, y su voz se quebró—. Yo no tuve el privilegio de encontrarme aquí.

Se dirigió apresuradamente a la puerta, la abrió y llamó a Juan, quien debía encontrarse cerca, en la terraza.

—Juan, te suplico que le digas a Matías qué fue lo que sucedió esa noche en esta habitación, cuando algunos de los hombres se disponían a abandonarla para siempre.

Juan cerró de un golpe la pesada puerta de madera, corriendo el largo cerrojo de hierro, dejándolo caer ruidosamente en su soporte.

—Esta puerta estaba cerrada, tal y como lo está ahora. De pronto, Jesús, llevando solamente una faja de lino, se encontraba de pie, aquí —dijo, avanzando unos cuantos pasos—. Yo fui el primero en verlo, y caí de rodillas. Otros gritaron arrodillándose y unos cuantos corrieron hacia la pared de atrás, atemorizados. Entonces, lo escuchamos decir: "La paz sea con vosotros"; levantó sus manos y todos pudimos ver los agujeros de los clavos que traspasaron sus muñecas y sus pies y la herida abierta de su costado, en donde el legionario lo atravesó. Yo quise correr hacia Él para abrazarlo, pero las piernas no me obedecieron y no pude moverme de mi lugar. Los demás tampoco pudieron acercarse a Él mientras nos hablaba largamente, ordenándonos salir al mundo, empezando por Jerusalén, para predicar sus enseñanzas, puesto que éramos sus testigos y en su nombre se nos otorgaría un gran poder. Después desapareció de la habitación, tan repentinamente como llegó, y todos nos arrodillamos para orar. Después se dirigieron a Pedro y a mí, pidiendo perdón por su incredulidad y su falta de fe.

—¿Volvió Tomás de su visita a la tumba a tiempo para compartir la... la aparición de Jesús?

—No, y cuando le dijimos que habíamos visto al Señor, se rió de nosotros, sugiriendo que habíamos bebido demasiado vino. Recuerdo que dijo: "Si no veo en sus manos la huella de los clavos y meto los dedos en los agujeros y si no meto la mano en su costado, no creeré". Ocho días después, en esta misma habitación, aun cuando la puerta estaba cerrada como antes, Jesús se nos apareció nuevamente, de pie entre nosotros. Señaló directamente hacia Tomás, pidiéndole que se adelantara. Tomás estaba tan fuera de sí por el temor que permaneció en su asiento hasta que los fuertes brazos de Pedro lo empujaron hacia el Señor. Entonces Jesús le dijo: "Acerca tu dedo y aquí tienes mis manos; trae tu mano y métela en mi costado; y no seas incrédulo, sino creyente".

—¿Qué hizo Tomás?

—Hizo lo que se le pedía y después cayó a los pies de Jesús diciendo: "Señor mío y Dios mío", y Jesús replicó: "Tomás, porque me has visto has creído; benditos aquellos que sin haber visto, han creído", y a partir de ese momento, todos, incluyendo a Tomás, hemos sido testigos del Señor, como lo estoy siendo contigo ahora y como lo seré con otro y otro más, hasta que el Reino de Dios esté al alcance de toda la gente.

En el interior del carruaje inmóvil, porque aún no le indicaba a Shem que avanzara, José de Arimatea, con el rostro todavía sofocado, dijo:

—Dime, Matías, ¿cuántos sospechosos quedarían todavía en la lista de tu comisión, si sus miembros estuvieran llevando a cabo esta investigación?

Para tratarse de un anciano, era excelente con el aguijón cuando quería.

—Solamente dos —murmuré—: Nicodemo y tú.

—¿Te sientes demasiado fatigado para continuar? Éste sería el momento ideal para ir a visitar el Gólgota y la tumba, puesto que es casi la misma hora en que bajamos a Jesús de la cruz y lo depositamos en el sepulcro.

—Estoy dispuesto.

—Excelente. Y desde allí, el recorrido es muy agradable por el camino a Emaús, hasta el hogar de mi viejo amigo Nicodemo. Allí tendrás el placer de visitar uno de los jardines de flores más impresionantes y bellos desde los días de Babilonia y, asimismo, podrás conocer al hombre más opulento de toda la nación.

—¿Más opulento que tú?

—Es como comparar el montículo de un hormiguero con el Monte Hermón —dijo riendo entre dientes—. Y ¿cuál será tu siguiente paso si, después de habernos interrogado a Nicodemo y a mí, decides que no somos los ladrones de tumbas que buscas?

Eso era exactamente lo que me estaba preguntando.

—No lo sé, José.

—Pero en tu manuscrito: ¿qué tenías planeado que hiciera la comisión investigadora cuando hubiera agotado su lista de testigos?

—No puedo decírtelo. Mucho antes de que el manuscrito de mi libro llegara a ese punto, ya había abandonado el proyecto como un caso perdido.

—Entonces, después de Nicodemo y de mí, ¿ya no tienes a quién interrogar?

—A nadie —respondí desesperanzado.

—Bueno —musitó—, quizá yo pueda encontrarte uno más.

13

—Desde hace varios años, ya no hay más crucifixiones en este lugar —dijo José—. Como puedes ver y percibir por el olor, no se ha convertido en otra cosa que en un basurero para todos aquellos demasiado perezosos para llevar sus desperdicios hasta los hornos del Valle Hinnom.

Al lugar se le llamó Gólgota en arameo, lo que significa "el cráneo", pero tan pronto como descendí del carruaje de José pude ver que su nombre no se derivaba de su forma, como han conjeturado tantos eruditos bíblicos. El terreno arenoso de la colina, marcado por manchas de maleza gigantesca, desperdicios animales y montículos de basura de olor nauseabundo, ascendía gradualmente a lo largo de unos quince metros poco más o menos hasta una cima plana y yerma a no más de seis metros por encima del camino. Aun a la luz de cálidas tonalidades naranja del sol de media tarde, el lugar estaba lleno de presagios y el hedor a muerte flotaba como un gas invisible por encima de nuestras cabezas. Los roedores, dando sus desagradables chillidos, se escabullían en todas direcciones cuando el ruido de nuestras pisadas perturbaba su alimentación.

—¿Por qué ya no hay más crucifixiones? —pregunté, dispuesto a aferrarme a cualquier insignificancia.

—Pilato decidió que este no era un sitio suficientemente público para exhibir los cuerpos de los criminales ejecutados, como ejemplo para el pueblo. Ahora las cruces, por lo general, se levantan cerca de los caminos principales, hacia el noreste de la ciudad.

—Y ¿por qué se le llama Gólgota?

El anciano señaló en dirección a un gran montículo de tierra suelta y piedras en el costado de la colina que veía hacia la ciudad.

—Allí fue donde se estableció la fosa común para todos aquellos ejecutados cuyos cadáveres no fuesen reclamados. Cuando llegan las lluvias fuertes, a menudo quedan expuestos muchos huesos y cráneos.

Al fin nos encontramos de pie sobre la cima desigual de la colina. La mirada cansada de José vagaba de un lado a otro sobre la monótona tierra bajo nosotros. Extendió la mano para tomar la mía y yo se la di, siguiéndolo mientras avanzaba unos diez pasos; después se detuvo.

—Aquí es donde Jesús fue levantado sobre la cruz, de frente al camino, con otra cruz a cada lado.

Me acuclillé en el suelo, no tanto para tener una mejor perspectiva, sino porque, de pronto, sentí las piernas muy poco firmes. La tierra era dúctil contra mis nudillos, como si todavía no se hubiera recuperado de todas las cruces de madera que sostuvo en el transcurso de los años. Después, escuché una voz, áspera, ronca y enojada; era la mía.

—José, ¿por qué tú y los demás han permitido que este lugar sea profanado? ¿Por qué, con todo su oro, no han erigido un monumento en este sitio?

—Matías —me dijo ayudándome a ponerme de pie—, no debes olvidar que la vergüenza de la muerte de un criminal por crucifixión todavía esta fresca en las mentes de todos los que amaron a Jesús. ¿Por qué debemos recordar lo malo, en vez del milagro que siguió?

—¿Cuántos formaban parte de tu grupo cuando bajaste a Jesús de la cruz?

—Éramos cuatro: Shem y yo y también Nicodemo y su hijo, Gorión. Shem, debido a su elevada estatura, quitó los clavos de las muñecas de Jesús con las orejas del mismo martillo, que pidió prestado a los soldados, con que fueron clavados a través de la carne y hueso. Después, sostuvo el cuerpo firmemente contra la cruz, mientras Gorión retiraba los clavos de los pies de Jesús. Luego bajaron el cuerpo, que ya se empezaba a poner rígido, y lo llevaron hasta el jardín en donde lo depositaron cerca de la tumba, sobre el césped.

—¿Había muchos espectadores?

—Según recuerdo, solamente María Magdalena y otra mujer. Los soldados nos prestaron muy poca atención después de haberles entregado la orden de Pilato, pues estaban impacientes por deshacerse de los otros dos cadáveres, arrojándolos a la fosa común, a fin de regresar a la fortaleza. Sobre el césped, cerca de la cruz, estaba ese manto rojo sin costuras, tan conocido, que perteneció a Jesús. Me apoderé de él, pero uno de los soldados corrió detrás de mí y me lo arrebató, diciendo que lo había ganado limpiamente en un juego de huesos. Le dije que no llevaba conmigo ningún dinero, pero que con gusto le pagaría una moneda de oro si me lo llevaba después a mi casa.

—¿Lo hizo?

—Estaba esperándome allí cuando regresé, después de sepultar a Jesús.

—¿Y qué hay del letrero que Pilato ordenó que se exhibiera sobre la cabeza de Jesús? ¿También dejaste eso?

—Oh, no, también está en mi poder. A decir verdad, tengo una pequeña habitación que solamente contiene reliquias que pertenecieron a Jesús.

—¿Se trata de la que tienes bajo llave?

Sus viejas cejas se alzaron.

—Sí.

—¿Me sería de alguna ayuda si pudiera verlas?

—¿En tu búsqueda de la verdad? —me preguntó, mirándome esperanzado.

—Sí.

Iba a hablar, pero se contuvo. Después de algunos minutos, movió la cabeza con tristeza y dijo:

—No lo creo así. Si no has podido enterarte de la verdad escuchándola de labios de los vivos, jamás la conocerás a través de unos objetos.

—Algunos de nuestros arqueólogos no lo han hecho tan mal.

—¡Ciertamente! —dijo de mal talante—. ¿Y qué sabes de Jesús que no se supiera mil años antes de que nacieras?

—No gran cosa —tuve que admitir—. Pero, ¿me dejarás ver esa habitación, verdad?

—Si tenemos tiempo —dijo ominosamente—. ¿Y qué hay de este lugar? ¿Ya has tenido suficiente?

—Bastante para que me dure toda una vida —le dije, arrepintiéndome de inmediato de haber escogido esas palabras.

El jardín de José se encontraba a unos noventa metros del Gólgota, oculto a la vista desde la colina y el camino que pasaba cerca por altas hileras de elevados cipreses descuidados. Al acercarnos, el anciano se volvió a mí pidiendo disculpas y dijo:

—No he tenido ningún cuidado hacia este jardín desde el descubrimiento de la tumba vacía y rara vez lo visito.

Y por su aspecto, parecía que tampoco nadie más lo visitaba. Al igual que en Getsemaní, el césped nos llegaba muy arriba de las rodillas, los macizos de flores y los senderos estaban totalmente invadidos por la maleza y las ramas desgajadas de los árboles permanecían en el mismo sitio en que cayeron. Y aun la tumba misma, parte de un afloramiento de piedra caliza cerca del límite este del jardín, estaba tan cubierta por la maleza y el césped que José tuvo que señalarme la entrada, una cavidad oval de no más de un metro veintidós de altura y unos sesenta centímetros de ancho. Obviamente, se tenían los mismos sentimientos tanto para la tumba como para el Gólgota. Y, de cualquier manera, ¿por qué querría alguien visitar una tumba vacía?

—Después de que su cuerpo fue colocado aquí, sobre el césped —señaló José—, Nicodemo y yo lo limpiamos con agua de áloe, frotándolo con aceites. Después, ayudados por Shem y Gorión, envolvimos una tela delgada de lino, enrollándola muchas veces alrededor de su cuerpo, empezando por los pies y, entre cada capa, en donde la tela quedaba sobrepuesta, poníamos mirra y maderas perfumadas de áloe y otras especias, hasta que la sábana contenía casi veintisiete kilos de ellas cuando llegamos al cuello. Dejamos su cabeza descubierta.

Para mí, el anciano iba muy rápido.

—José, hay muchas preguntas que me gustaría hacerte acerca de tu relación con Jesús antes de su muerte, pero quizá este no sea el sitio adecuado.

—Eso no será problema para ti, Matías; puesto que Nicodemo también está mezclado en esa parte de mi vida, podrás interrogarnos a ambos acerca de nuestras primeras experiencias con Jesús. Por el momento, ¿por qué no nos concentramos en las horas finales pasadas aquí?

Estuve de acuerdo, pero aun así quería retroceder un poco.

—José, te enteraste de que Jesús había sido prendido cuando Shem y tú respondieron a las súplicas de Juan para que le ayudaran con Pedro que estaba postrado en el patio de Caifás, ¿no es así?

—Sí, pero no sabía que Caifás pretendía juzgarlo esa misma noche, en una flagrante violación de nuestras leyes. Supuse que se celebraría un juicio después de que pasaran los días de nuestra Pascua, y, como miembro del sanedrín, no tenía ninguna razón para creer que no me sentaría a juzgarlo en compañía de los demás, como siempre.

—Entonces, a la mañana siguiente, ¿no tenías ninguna idea de que Jesús había sido llevado ante Pilato después de ser juzgado por el sanedrín?

—No. Poco tiempo después de la salida del sol, me encontraba en mi almacén, en el área del mercado, supervisando el inventario anual. No me enteré de los acontecimientos de esa mañana sino hasta que Nicodemo y su hijo me fueron a buscar para decirme que tanto el sanedrín como Pilato habían condenado a muerte a Jesús y lo habían clavado a una cruz en el Gólgota y que ya estaba muerto. Recuerdo que, al principio, me senté sobre una paca de lana y empecé a sollozar como un niño. Entonces, Nicodemo me dijo que los legionarios, si seguían su costumbre, lo más probable era que arrojaran el cuerpo de Jesús a la fosa común, con los otros criminales que fueron crucificados junto con él; sus palabras me hicieron reaccionar. "¡Jamás, jamás, jamás!" grité en voz tan alta que mis empleados vinieron corriendo en mi ayuda, temiendo que me estuvieran atacando. Di instrucciones a mi capataz para que escogiera entre nuestras telas la más fina y todas las especias necesarias para preparar el cuerpo, a fin de darle sepultura de acuerdo con nuestras leyes. Nicodemo y su hijo deberían llevar todo eso al Gólgota, mientras Shem me conducía a toda prisa a la fortaleza, en donde solicité una audiencia inmediata con Pilato, la cual me fue concedida. El procurador se sorprendió de que Jesús hubiera muerto con tanta rapidez, y se rehusó a entregarme el cuerpo tal y como yo se lo pedía hasta no enviar a Cornelio a la colina para cerciorarse de que Jesús en verdad estaba muerto. Tan pronto como Cornelio regresó, Pilato me entregó una orden escrita que llevé de inmediato al Gólgota, adonde llegué poco después que Nicodemo y Gorión.

—¿Estaban enterados de que planeabas sepultar el cuerpo en la tumba cercana que tenías preparada para ti?

—Sí, les hablé de ello antes de dirigirme a ver a Pilato. Al principio Nicodemo objetó, diciendo que deberíamos llevar el cuerpo a su palacio y mantenerlo allí hasta que se construyera para Jesús la tumba más magnífica de todo Israel. Sin embargo, no estuve de acuerdo en ello. El honor de sepultar a Jesús en mi tumba era la única oportunidad que tendría de hacer por él, ya muerto, lo que no tuve el valor de hacer mientras estuvo vivo, es decir, atestiguar públicamente mi amor por él.

—Entiendo que Caifás y el sanedrín se ofendieron al enterarse de que tú reclamaste el cuerpo.

Sonrió.

—Hasta ahora no me lo han perdonado, y me culpan de todos los problemas que han caído sobre ellos debido a los seguidores de Jesús, tanto en el Templo como en las calles. Insisten en que si yo no hubiera reclamado el cuerpo, no habría un solo cristiano en todo el país. Y cuando le recuerdo al sumo sacerdote que él mismo apostó allí guardias, se enfurece y repite la misma historia: que los discípulos se robaron el cuerpo mientras los soldados dormían, lo que no hicieron, como tú bien sabes.

—Entonces, ¿Nicodemo accedió, finalmente, a tu plan de sepultar a Jesús en este lugar?

—No le dejé ninguna alternativa. Se dio cuenta de que con toda probabilidad yo era el único judío en la ciudad que podría convencer a Pilato de que me entregara el cuerpo, debido a nuestros pasados tratos de negocios.

—¿No es posible que Nicodemo haya regresado después para llevarse el cuerpo, sin que tú te enteraras?

—¡Jamás! —estalló el anciano—. Como verás, Nicodemo es un hombre bueno y honorable; hemos sido amigos íntimos durante muchos, muchos años. Podría garantizar su integridad con mi vida.

—Y es probable que él diga lo mismo acerca de ti —dije con acritud.

—Ciertamente, así lo espero.

—¿Qué hicieron después que terminaron con la preparación del cuerpo?

—Con ayuda de Gorión, puesto que Shem era demasiado grueso para caber por la abertura, llevamos el cuerpo hacia el interior de la tumba y lo colocamos en el nicho que algún día hubiera sido el sitio final en donde yo reposaría.

José me observaba mientras me dirigía a la entrada del sepulcro, hice a un lado los matorrales, pisoteé la maleza y me incliné a contemplar el interior. Era bastante más grande que la tumba de Lázaro, con una pequeña habitación interior que conducía a otra, en la cual apenas podía ver el nicho tallado en la roca, aproximadamente a sesenta centímetros del suelo. Detrás de mí podía escuchar a José y ahora sus palabras se oían interrumpidas por los sollozos.

—Nicodemo y yo compartimos muchas horas con Jesús, rodeados por la oscuridad de la noche, escuchando sus recomendaciones y sus consejos. Ahora compartíamos con él la oscuridad de una tumba, y nuestro dolor era casi insoportable. Por último, coloqué un lienzo de lino sobre su rostro lastimado, como es la costumbre de nuestro pueblo, y salimos de la tumba, postrándonos sobre el césped a orar. Después, a una señal mía, Shem soltó la gran piedra, rodándola por el sendero hasta que vino a descansar frente a la entrada, cerrando la tumba.

—Y por cierto, ¿en dónde está la piedra?

—Con mi autorización, Nicodemo se la llevó a un sitio de honor en su jardín, hace dos o tres años. Fue necesario que construyera una carreta especial para transportarla, debido a su volumen y a su peso.

—¿En dónde se encontraba la piedra cuando descubrieron la tumba vacía?

—Todavía estaba descansando contra el lado izquierdo de la entrada.

—¿Es posible que una persona la hubiera retirado de la entrada, después de que fue colocada en su lugar?

—Jamás; el sendero por el cual se rodó hacia abajo hasta que tapó la entrada, era más profundo exactamente frente a ella. Una vez que la piedra quedó enterrada, había muy poco riesgo de que alguien violara la tumba.

—¿Shem hubiera podido moverla?

—Ni siquiera Shem.

—¿Y tres o cuatro hombres muy fuertes?

—Tal vez, pero, ¿conoces tú a unos hombres así, Matías, que hubieran arriesgado sus vidas, en la oscuridad, contra los soldados del sumo sacerdote, rodado la piedra, retirado el cuerpo de Jesús sin alterar la sábana que habíamos envuelto con tanto cuidado una y otra vez alrededor del cuerpo, y después desaparecieran con los restos sin ser aprehendidos? Si es así, ciertamente deberías interrogarlos.

Me tenía vencido, y lo sabía.

—¿Te importa si entro a la tumba?

El anciano tomó con ternura mi rostro entre sus manos, sacudiéndome suavemente la cabeza de un lado a otro.

—¿Quién tiene más derecho a entrar en ella después de la jornada que has hecho para ver este lugar? Aun Tomás vino aquí para cerciorarse.

La tumba vacía despedía un olor semejante al de un sótano húmedo. Una vez dentro de la pequeña gruta, me di vuelta y al hacerlo me pegué en la cabeza contra la bóveda antes de sentarme al lado derecho del sombrío recinto, tal y como Marcos dijo haberlo hecho después de que descubrió la tumba vacía. Descansando allí, era fácil comprender el terror que debió apoderarse de las mujeres cuando llegaron a la tumba en la semioscuridad, esperando prodigar sus cuidados a un hombre muerto y en vez de ello tropezarse con alguien vestido de blanco que se movía en el interior. Cualquiera, supersticioso o no, hubiera huido.

Sobre manos y rodillas me arrastré hacia el fondo de la gruta hasta llegar al nicho en donde fue colocado el cuerpo de Jesús, envuelto apretadamente en su mortaja, y cargado con el peso de más de veintisiete kilos de especias. Ningún hombre, robusto y sano, en las mejores condiciones físicas, hubiera podido sobrevivir en tales circunstancias por más de unas cuantas horas, una vez que se le hubiera encerrado en ese espacio, y mucho menos alguien que hubiera sufrido todo lo que padeció Jesús. Froté mi mano con suavidad a lo largo del fresco nicho antes de arrastrarme fuera de la tumba abandonada.

El palacio de Nicodemo era todo lo que él mismo no era. Situado bastante lejos del sinuoso camino que iba a Emaús, más o menos a unos dieciséis kilómetros de Jerusalén, el edificio, con sus columnas de mármol y su tejado rojo, todavía sin deslustrar por el sol, tenía el aspecto inconfundible de algo nuevo, mientras que su propietario se veía más anciano que José. La propiedad era muy vasta e irregular, en tanto que Nicodemo medía poco más de un metro y medio de estatura y en su sencilla túnica café, obviamente, no pesaba más de cuarenta y cinco kilos. En el interior de la mansión, por las habitaciones que pude ver, todo era recargado, ostentoso y abrumador, pero Nicodemo parecía ser un hombre modesto, poco impresionante y casi tímido. Sus rasgos faciales más sobresalientes eran una barba larga y poblada y unas cejas hirsutas que enmarcaban unos ojos cálidos y de mirada amable, de color gris, que de inmediato me hicieron sentir cómodo aun en el opulento salón, en donde nos sirvieron el mejor vino tinto que jamás haya saboreado. Mientras escuchaba a los dos viejos amigos ponerse al tanto de sus vidas y negocios, no era difícil percibir, entre ellos, un lazo que iba mucho más allá de sus vidas públicas. Nicodemo no pareció sorprenderse mucho con nuestra visita y José tampoco le explicó el motivo por el cual me encontraba allí, fuera de mencionar mi profesión de historiador y de repetir mis deseos de obtener alguna información relacionada con Jesús.

—¿Qué es lo que quieres saber, hijo mío? —preguntó.

Casi con pesar, dejé caer mi copa de rojo néctar y le dije:

—Tengo algunas preguntas para ambos. Para empezar: Nicodemo, me pregunto si querrías decirme cómo llegaste a trabar conocimiento con Jesús.

—Estoy en deuda con Gorión, mi único hijo, por ese gran honor. Una noche vino a mí lleno de tristeza. Según parece, ese día fue al Templo en compañía de su amigo de la escuela rabínica, Juan Marcos, para escuchar a un hombre de Galilea llamado Jesús, quien en muy poco tiempo había atraído la atención del pueblo mediante sus palabras y sus curaciones de los enfermos. Pedro, el tío de Marcos, formaba parte del pequeño grupo de hombres que abandonaron sus antiguas vidas a fin de seguir a ese joven de Nazaret. Gorión, cuando escuchó a Jesús hablar a las multitudes, se sintió tan impresionado por sus promesas de que el Reino de Dios estaba al alcance de la mano que, con la autorización de Pedro, se dirigió a él para preguntarle qué era lo que tenía que hacer a fin de participar en la vida eterna. Jesús le aconsejó que guardara los mandamientos, y mi hijo le preguntó que cuáles; él respondió: no matar, no cometer adulterio, no robar, no prestar falso testimonio, honrar a su padre y madre y amar al prójimo como a ti mismo.

—Un buen consejo.

—Sí —convino Nicodemo—, pero no lo suficiente para mi impetuoso hijo. Le aseguró a Jesús que él siempre obedecía sus mandamientos, y quería saber qué otra cosa era necesaria. Jesús le dijo que si quería alcanzar la perfección, si quería tener su tesoro en el cielo, debía ir y vender lo que tenía y entregar el dinero a los pobres. "Y después de hacerlo", dijo Jesús, "ven y sígueme".

—¿Y Gorión vino a buscarte para pedirte un consejo, después de su reunión con Jesús?

—No venía en busca de consejo, sino de consuelo. Me dijo que quería ver el Reino de Dios, pero que no lograba hacerse a la idea de vender los caballos árabes que yo le había comprado a lo largo de los años, y que se sentía invadido por la pena, puesto que en verdad creía en lo que Jesús le dijo. Como estaba acostumbrado a hacer siempre las cosas a su manera, esperaba que yo le diera una solución a fin de poder tener su establo y el Reino de Dios. Desafortunadamente, no pude darle ni consejo ni consuelo, puesto que yo mismo había desperdiciado gran parte de mi vida dedicado a la adquisición de oro y plata, y pensado muy poco en los demás. Aun así, a pesar de que mi grupo, el de los fariseos, ya había denunciado a Jesús como alborotador, le prometí a Gorión que iría a verlo esa misma noche para saber si existían otras formas mediante las cuales un hombre podía entrar al Reino de Dios. Por supuesto, yo quería enterarme de ello tanto para mi propio beneficio como para el de mi hijo.

—Lo que no puedo comprender, Nicodemo, es ¿por qué un hombre con tu gran riqueza, poder y educación, se molestaría en visitar a un ignorante galileo, por cualquier motivo? ¿Qué podría decir que te beneficiara a ti, un consejero culto, doctor en leyes, miembro del cuerpo judicial supremo de estas regiones?

—Matías, si era un verdadero profeta de Dios, sabía que podía aprender mucho de él, a pesar de carecer él de una educación formal. Dios no selecciona a sus mensajeros por los títulos que tienen o por el oro que hay en sus arcas, ni por los estudios en los que se distinguieron en la escuela. Y aun si no era un profeta, sentía cierta curiosidad por conocer al hombre que causara tan poderosa impresión en mi hijo y que ya ocasionaba grandes preocupaciones entre las autoridades debido a sus ideas revolucionarias, así como a sus milagros.

—Y tu visita a Jesús por la noche, ¿se debió a alguna razón?

—A la más obvia —dijo Nicodemo, bajando la cabeza—. No quería ser visto en su compañía, por temor a que los demás no pudieran comprender mis motivos y se manchara mi buen nombre.

—Y Jesús, ¿llegó a reunirse contigo?

—Se reunió con ambos —exclamó Nicodemo, colocando su mano sobre el hombro de José y acercándolo a él—. No soy un hombre que tenga fama de valiente y me preocupaba ir solo a ver a Jesús, de manera que le pedí a mi viejo amigo, aquí presente, que viajara conmigo hasta Betania, en donde Jesús estaba alojado.

Debí haberlo sabido; acababa de aclararse otro pequeño misterio bíblico. El tercer capítulo de Juan habla de la visita de Nicodemo a Jesús, sin mencionar que iba acompañado de alguien, pero Juan pone en boca de Nicodemo estas palabras: "Rabí, sabemos que eres un maestro que nos ha llegado de Dios..." *Nosotros,* no yo.

—¿Y tú lo acompañaste, José?

—Lo hice, Matías. Yo también deseaba conocer a ese hombre que ya había sido causa de varias reuniones del sanedrín. Shem nos acompañó para brindarnos su protección, pero ninguna fue necesaria y Jesús nos recibió cordialmente.

—¿Sabía que se encontraba en compañía de dos de los hombres más opulentos y poderosos de toda Jerusalén?

—Lo sabía, pero eso no tuvo ninguna importancia en el trato que nos prodigó, ya que para él simplemente éramos otros dos hijos de Israel en busca de la verdad. Le hicimos saber que creíamos que era un hombre enviado por Dios, ya que ninguno podía hacer lo que él hacía, a menos que tuviera a Dios de su parte. Después Nicodemo le preguntó cómo podíamos participar del Reino de Dios, y Jesús dijo que, a menos que un hombre volviera a nacer, no podría ver ese Reino.

—Al principio —dijo Nicodemo— no comprendí el significado de sus palabras. Le pregunté cómo era posible que un hombre volviera a nacer cuando ya era viejo. ¿Acaso Jesús esperaba que entráramos al vientre de nuestra madre por segunda vez? Pacientemente, nos explicó que nacer de nuevo significaba nacer desde arriba, con el Espíritu de Dios adentrándose en nuestro propio ser, sin importar cuál fuera nuestra edad o posición. José y yo tuvimos grandes dificultades para comprender sus palabras y Jesús se enojó ante nuestra ceguera, preguntándose cómo habíamos logrado convertirnos en los amos de Israel cuando comprendíamos tan poco acerca del gran reino de Dios.

—¿Iban a verlo con frecuencia?

—Fuimos muchas, muchas veces, y por lo general lo hacíamos juntos; siempre protegidos por la oscuridad. A medida que transcurrían los meses, llegamos a tener un gran amor y respeto por él, y no pasó mucho tiempo antes de que ambos contribuyéramos con generosidad al caudal de su pequeño grupo, a fin de que sus discípulos no se vieran obligados a pedir limosna por las calles, cuando podían emplear mejor su tiempo llevando consuelo y esperanza a la gente.

—Entonces, ¿ambos los financiaban?

—Cada día su grupo crecía en seguidores; empero, recibían muy poco en contribuciones de parte de los pobres que siempre se amontonaban a su alrededor. Era lo menos que podíamos hacer. Aunque no nos atrevíamos a apoyarlo en público, podíamos ayudar con nuestro oro, y así lo hacíamos.

—¿Alguna de las autoridades llegó a sospechar que ambos se convirtieron en sus seguidores secretos?

—En mi caso —dijo Nicodemo—, no creo que se despertara ninguna sospecha hasta que asistí a una reunión de los sumos sacerdotes y los fariseos, después de que en una ocasión nuestros guardias del Templo fueron enviados a prender a Jesús, acusado de soliviantar a la gente. Los guardias volvieron con las manos vacías, pues no se atrevieron a prenderle. Yo argumenté contra cualquier acción futura de esa naturaleza, ya que era ilegal juzgar a cualquier hombre antes de someterlo a un juicio, pero Caifás se enfureció y me preguntó: "¿Tú también eres de Galilea? ¡Investiga y observa, pues de Galilea no ha salido ningún profeta!"

José asintió.

—En cuanto a mí, no creo que nadie haya sospechado de mi amistad con Jesús antes de que fuera a visitar a Pilato, con el fin de reclamar su cuerpo para darle sepultura. Aun el procurador expresó una gran sorpresa ante mi petición. Por supuesto, después de que encontraron la tumba vacía, todas las autoridades, especialmente el sumo sacerdote, nos culparon a Nicodemo y a mí por no haber permitido que el cuerpo fuera arrojado a la fosa común.

Nicodemo sonrió.

—Al principio, todos nos trataban como si fuésemos leprosos, hasta que se llegó el momento de nuestra siguiente contribución anual a los fondos del Templo.

—Después de darle sepultura, ¿adónde se dirigieron ambos?

José fue el primero en hablar.

—Como sabes, Matías, no tengo familia, por lo que persuadí a Nicodemo de que fuera a mi casa, en donde pasamos el día siguiente, nuestro sabat, orando y meditando, mientras tratábamos de consolarnos, el uno al otro, de nuestra inmensa pérdida. Después de la puesta del sol, una vez terminado el sabat, Shem llevó a Nicodemo de regreso a su casa y yo me retiré a una hora muy temprana.

Nicodemo asintió.

—Yo también me retiré poco después de mi regreso de la casa de José. El tormento y la angustia de haber dado sepultura a nuestro amadísimo Jesús empezaban a dejarse sentir en mi cuerpo y corazón ya viejos.

—¿Y ninguno de ustedes volvió a salir de sus casas esa noche?

Nicodemo pareció sorprendido, hasta que José le explicó:

—Matías cree que el cuerpo de Jesús fue retirado de la tumba, de manera que los que éramos sus seguidores pudimos proclamar que resucitó de entre los muertos, al tercer día, tal como él dijo que lo haría. Tú y yo estamos en su lista de sospechosos como ladrones de tumbas y debo decirte que somos los últimos que quedamos en ella.

Era imposible comprender las miradas que ahora cruzaban entre sí esos dos viejos patriarcas. Sentado allí, de pronto me sentí como un niño que lucha en vano por descifrar el código de una conversación de adultos, cuando sólo cuenta con facultades y conocimientos muy limitados. Por fin, José dijo:

—Nicodemo, quiero que tratemos de ayudar a Matías en la mejor forma que nos sea posible.

Nuestro anfitrión guardó silencio durante unos momentos antes de decir:

—Entonces, creo que ha llegado el momento de mostrarle el jardín.

Sin lugar a dudas, el jardín de Nicodemo era un despliegue de horticultura artística de inconcebible magnificencia. Cuando salimos al sombreado peristilo, literalmente me quedé sin aliento. Tendido ante nuestra vista, sobre una colina que descendía gradualmente, aparecía un mosaico floral de increíble belleza. Cuando menos durante la siguiente hora, caminando a lo largo de senderos pavimentados con piedras de colores, pude solazarme con visiones resplandecientes de anémonas de tonalidades púrpura, blancas, un rosa delicado y escarlatas; macizos de margaritas, ciclaminos, tulipanes, azucenas, frágiles y majestuosas rosas, espuelas de caballero, jazmines bordeados con piedras, círculos de fulgurantes arbustos alrededor de cantarinas fuentes, matacandiles y muchísimas otras especies de flora exuberante que me eran desconocidas, aun después de que Nicodemo las identificara. Por doquiera se veían estanques conformados a los contornos oblicuos de la colina, cada uno de ellos con diferentes variedades de lirios acuáticos y pececillos dorados, mientras que los setos, meticulosamente podados, se esparcían por toda la propiedad, ofreciendo un contraste de tonos verdes y amarillos que realzaban todo ese despliegue de colores que sobrecogía la vista. Si alguna vez existió el Jardín del Edén, ahora me encontraba paseando por él.

Hacia el norte del jardín, al rodear una curva gradual más allá de un elevado grupo de rosas de Damasco, pude ver la inmensa piedra. Estaba apoyada sobre un costado de una oscura afloración rocosa y a su lado se veía una abertura cortada en la roca, que por su forma y tamaño era idéntica a la de la tumba que acababa de visitar en el jardín de José. Este último se encontraba de pie junto a mí, con una mirada complacida en su rostro, pero sin pronunciar palabra; Nicodemo también guardaba silencio, así que me aparté de ellos, adelantándome hasta la piedra. Era redonda, casi tan alta como yo y tenía unos treinta centímetros de espesor. Me apoyé contra su borde y empujé, pero se rehusó a moverse; empujé con más fuerza y ni siquiera se movió un centímetro. Me incliné para mirar hacia el interior de la tumba y, entonces, caí de rodillas. ¡Increíble! ¡Nicodemo había reproducido con toda exactitud, hasta donde podía ver, la tumba en la cual se había depositado el cuerpo de Jesús! Con excepción de la gran piedra. No era necesario que me recordaran que esa era la verdadera piedra que Marcos y, más adelante, María Magdalena, encontraran apartada de la entrada aquella mañana, hacía ya seis años. Todavía no salía de mi asombro cuando los dos me condujeron a una curvada banca de mármol muy cerca de allí.

—Y bien —dijo finalmente Nicodemo, rompiendo el silencio—. ¿Qué piensas de mi humilde jardín?

—¡Es algo sorprendente! —me maravillé—. ¡Todo él es absolutamente sorprendente!

—Me gusta salir aquí y sentarme, como ahora, cuando ya no puedo soportar las preocupaciones cotidianas. Aquí, cerca de la gran piedra, es posible poner todo en su perspectiva adecuada, y lo que parecía tan importante en el mercado, se vuelve transitorio e insignificante como un grano de arena.

—Jamás he visto cosa igual. Aun cuando mi profesión son las palabras, no puedo pensar en un cumplido digno de lo que has logrado en este lugar.

—Aun si pudieras hacerlo, yo no lo merecería, Matías. Es mi jardinero en jefe quien ha hecho de este sitio la obra de su vida.

—Tal vez a Matías le agradaría conocerlo —lo apremió José.

—Ciertamente, me agradaría muchísimo.

Nicodemo desapareció durante algunos momentos, volviendo en compañía de un gigante casi tan alto como Shem. Ya no era joven y su rostro moreno, surcado por grandes líneas, estaba desfigurado por dos grandes cicatrices de color grisáceo, una de ellas cruzaba su mejilla izquierda y la otra estaba debajo de los labios. ¿Cortes de espada? Llevaba el lacio cabello largo atado en la nuca, y el pelo de su barba sobresalía de su barbilla como si toda ella estuviera hecha de rígidas púas de alambre. Al vernos, disminuyó el paso, y caminó atrás de Nicodemo, su mirada cohibida dirigida hacia el suelo, como si estuviera buscando alguna hierba desperdigada que se hubiera atrevido a mostrarse en su jardín.

—Matías —dijo Nicodemo lleno de orgullo—, he aquí al hombre responsable de que todas estas dádivas del Señor estén creciendo aquí. Su nombre es Shobi.

—Shobi —empecé a decir—, este sitio es un milagro de...

¡Zas! Reacción tardía; ¿qué me recordaba? ¿Shobi? ¿En dónde había escuchado ese nombre antes? ¿Shobi? ¡Shobi!

Me volví rápidamente hacia José.

—¿Será posible que sea...?

—Se trata de él, Matías. El oficial del Templo que huyó, junto con los otros tres, para llevar a Caifás la noticia de que la tumba que estaban vigilando se encontraba vacía.

—¡El sumo sacerdote me dijo que tres de ellos se quitaron la vida y que el capitán, Shobi, desapareció!

José asintió.

—Ha permanecido aquí, al lado de Nicodemo, apartado del mundo exterior, durante seis años. Cuando salimos de la casa de la viuda María te prometí un testigo más, ¿lo recuerdas? Shobi ha accedido a hablar contigo, pero hay una condición, mía, no suya. Solamente dos o tres amigos de toda nuestra confianza están enterados de que aún está con vida y trabaja para Nicodemo. Hagas lo que hagas durante tu estancia en Jerusalén, no deberás violar su confianza. Si el sumo sacerdote llegara a enterarse de que Shobi se encuentra aquí, sin lugar a dudas lo sentenciaría a muerte, bajo cualquier pretexto. ¿Aceptas mis condiciones?

Tan pronto como asentí, José se puso de pie e hizo una seña a Shobi para que tomara asiento a mi lado, en la banca.

—Te esperaremos en la casa —me dijo por encima del hombro, mientras Nicodemo y él se alejaban, dejándome a solas con el único testigo viviente de lo que hubiese tenido lugar en el jardín de José, antes del amanecer de la más misteriosa de las noches.

—Tu nombre —empecé titubeando— no es muy común.

Hablaba con dignidad y fluidez, articulando sus palabras sin esa acostumbrada calidad gutural común de la lengua aramea.

—Me llamaron así en honor de Shobi, el hijo del rey amonita que fue el instrumento decisivo para proporcionar a David y a sus tropas los alimentos y toda clase de provisiones durante sus terribles batallas contra Absalón, su hijo. Sin la ayuda de Shobi, Israel hubiera perdido a su mayor patriota y dirigente.

—¿Durante cuánto tiempo fuiste guardia del Templo?

—Durante diez años. Caifás en persona me reclutó, durante el segundo año de su cargo como sumo sacerdote.

—¿Te agradaba servir en el Templo?

—Mucho. Durante mi octavo año me promovieron al cargo de capitán, con más de treinta guardias bajo mi supervisión. Como me crié huérfano, en la cercana Betfagué, estaba muy orgulloso del rango que había alcanzado gracias a mi trabajo arduo y a mi gran devoción al deber. ¿Quién podía pedir más que pasar los días y, en ocasiones, las noches en la casa de Dios? A pesar de las dificultades para mantener la paz en ese lugar en ciertas ocasiones, pronto me gané una buena reputación por la forma en que preparaba a mis guardias para hacer frente a las grandes muchedumbres que se reunían en el patio.

—¿Cómo te sentiste cuando Caifás te llamó para vigilar a un hombre muerto en su tumba?

Sonrió con desconsuelo.

—Al principio, tuve que hacer un gran esfuerzo para no reírme en las narices de su excelencia, pero después me explicó que Jesús había anunciado a sus seguidores, en muchas ocasiones, que sería crucificado por sus creencias pero que resucitaría de entre los muertos al tercer día. Caifás temía que sus discípulos fueran por la noche a robar el cuerpo y lo ocultaran para después asegurar que Jesús había resucitado tal y como lo anunciara. Convencido de la importancia de mi misión, escogí a tres de mis hombres más experimentados, para que vigilaran la tumba conmigo.

—¿Cuándo llegaron tú y tus guardias al jardín cerca del Gólgota?

—A la hora de la puesta del sol, al terminar nuestro sabat.

—¿Todo estaba en orden? ¿La piedra estaba en su sitio, tapando la entrada del sepulcro?

—Lo estaba. Entonces, procedimos a sellar la tumba, como lo ordenó el sumo sacerdote.

—¿Cómo lo hicieron?

—Colocamos delgadas tiras de listón por encima de la piedra y después sellamos sus extremos, con cera, contra el costado de la tumba. Cuando terminamos, nadie hubiera podido mover la gran piedra sin romper los sellos.

—Y después, ¿qué sucedió?

—Como el viento nocturno era frío, encendimos una fogata con algunas ramas caídas que estaban amontonadas contra uno de los olivos del jardín. Asigné las horas de guardia a mis hombres; yo me encargaría del tercer turno. Poco después de que el primer guardia ocupó su puesto, cerca de la tumba, los otros dos y yo nos quedamos dormidos cobijados con algunas mantas, cerca del fuego. Debido a la Pascua, tuvimos que estar de servicio durante largas horas ese día, en el Templo, y todos estábamos fatigados.

—Por lo que me dijo Caifás, aparentemente no sucedió nada fuera de lo normal durante los dos primeros turnos.

—Es verdad.

—Cuando llegó tu turno, ¿te hiciste cargo del que te correspondía?

Shobi me miró airado y la sangre que fluía hasta su rostro de aspecto ceñudo hacía que sus dos cicatrices se vieran más vívidas por su contraste.

—¡No gané mi reputación de integridad y justicia pidiendo a quienes estaban bajo mis órdenes que hicieran un trabajo que yo no haría! Ocupé mi sitio junto a la tumba, preparado para montar guardia las cuatro horas que me correspondían igual que a los demás.

—Pero entonces sucedió algo que abrevió tu vigilia.

—¡Jamás podré olvidarlo!

—Háblame de ello.

—Estuve montando guardia quizá durante una hora cuando escuché un sonido extraño, algo como un lamento. Al principio pensé que se trataba de algún animal entre los matorrales o que alguno de los guardias dormidos estaba soñando, pero mientras caminaba de un lado a otro frente a la tumba, ¡el lamento parecía venir del interior! Después de pasado un rato disminuyó y alejé el incidente de mi mente, pensando que sólo habría sido mi imaginación, o bien, que se trataba de un ruido producido por el viento. Al poco tiempo volví a escucharlo, más fuerte, como si alguien gritara de dolor. Corrí hacia la fogata y retiré una rama que ardía, para usarla como antorcha, e investigué en los alrededores del sepulcro, en busca de algún animal o incluso de algún ser humano que quizá estuviera herido. No vi nada. El ruido continuó, escuchándose cada vez más y más fuerte, hasta que ya no tuve duda de que procedía del interior de la tumba. Recuerdo haber pensado que tal vez Jesús, el hombre que se encontraba allí sepultado, no estaba muerto. De cuando en cuando se sabe que han sucedido casos así. Me apoyé sobre la gran piedra, con el oído pegado contra ella para escuchar y, entonces el suelo se estremeció, pero sólo durante un momento.

—Ese temblor, ¿movió la piedra... o rompió los sellos?

—No, ni siquiera despertó a los que dormían. Entonces, me di cuenta de que la fogata necesitaba más leños; empecé a caminar en dirección a ella cuando de pronto escuché pasos detrás de mí. Me di vuelta con gran rapidez, sacando mi daga de su funda y asumí la posición de combate. ¡Caminando hacia mí venía un hombre y parecía estar desnudo!

—¿Qué tan lejos te encontrabas de la tumba cuando lo viste por primera vez?

—A no más de diez pasos de distancia.

—¿Se encontraba entre la tumba y tú?

—Directamente.

—Y la piedra, ¿aún seguía en su posición correcta?

—Sí.

—¿No había rodado hacia un lado?

—No.

—¿Se trataba de un hombre? ¿Estás seguro de ello?

Sonrió débilmente.

—Estoy seguro; la luna brillaba en el firmamento y todavía la fogata despedía alguna luz. El cuerpo del hombre parecía irradiar su propia luz, pero razoné que lo que estaba viendo debía ser solamente un reflejo de la luna y del fuego sobre la piel del extraño, como si su cuerpo hubiera sido ungido con aceite.

—¿Qué hiciste?

—Nada. Había estado en muchas batallas, enfrentándome a la muerte con frecuencia, pero nunca antes supe lo que era sentir miedo. Me quedé inmóvil, con los pies arraigados en el suelo mientras el extraño se acercaba a mí sin vacilar. Cuando estuvo al alcance de mi brazo me entregó una tela blanca de lino, una especie de sabanilla, y yo extendí el brazo y la tomé de sus manos, como si fuera su servidor.

—¿Todavía conservabas tu daga en la otra mano?

—Sí, pero me alegro de no haber tenido necesidad de ella, porque no creo que hubiera podido defenderme. Mis manos y mis brazos eran tan inútiles como mis pies. Pronto el hombre desapareció en la oscuridad, más allá de los árboles.

—¿Pudiste ver su rostro claramente?

—No.

—¿Alguna vez viste a Jesús cuando predicaba en el patio del Templo?

—En muchas ocasiones.

—¿Hubieras reconocido a Jesús con esa luz?

—No.

—Esa persona, ¿te dirigió la palabra?

—Si se hubiera tratado de Jesús y me hubiera hablado, lo habría reconocido. Pero no cruzamos una sola palabra. La sabanilla me fue entregada en silencio, como si el hombre esperara que yo la tomara, y así lo hice.

—Después de que desapareció, ¿qué hiciste?

—Introduje la tela en mi faja y desperté a los demás, diciéndoles todo lo que había sucedido mientras dormían. Uno de los guardias, un antiguo camarada mío, me dijo que no teníamos necesidad de preocuparnos, puesto que la gran piedra seguía en su sitio, pero mis largos años de servicio me habían enseñado a no dar nada por sentado. Debía cerciorarme por mí mismo de que el cuerpo aún se encontraba en el interior. Dos de nosotros nos dirigimos al cercano Gólgota para ver si los romanos habían dejado atrás alguno de los travesaños que empleaban para clavar las manos de quienes debían ser crucificados. Volvimos con un pesado madero y lo transportamos hasta la tumba, en donde coloqué una pequeña roca cerca de la gran piedra y, utilizando el madero como palanca, los cuatro, después de muchos esfuerzos, finalmente logramos hacer rodar la piedra. . .

Las palabras de Shobi se apagaron. Se inclinó hacia mí, mirándome ansiosamente a los ojos.

—¿Te encuentras mal, señor? Tu rostro. . . tiene un color extraño; tal vez el sol te ha afectado. Ven, permíteme llevarte hasta la casa.

Hice un esfuerzo y moví la cabeza.

—Entonces, ¿fueron *tú y tus hombres* quienes movieron la gran piedra? ¿Ustedes? ¡Ustedes!

—Sí, a fin de asomarnos al interior. Llevando mi antorcha me incliné y entré en el sepulcro, me arrastré a través de la pequeña cámara exterior hasta que estuve cerca del nicho en donde debía descansar el cuerpo. Pude ver que la mortaja aún estaba allí, enrollada una y otra vez, ¡pero en su interior no estaba el cuerpo! No podía comprenderlo. Entonces, les grité a los demás para que vinieran a ver, pero ninguno de ellos se atrevió a entrar a un lugar reservado a los muertos, a pesar de que les dije que el cuerpo había desaparecido. Me senté allí solo en la tumba, tratando de recuperarme. ¿Qué podía decirle a Caifás para convencerlo de que no habíamos sido negligentes en el cumplimiento de nuestro deber? Todos mis años de lealtad y de arduo trabajo se esfumarían tan pronto como el sumo sacerdote fuera informado de lo sucedido. Jamás volvería a confiar en mí; ya todo lo había perdido. Recuerdo que encolerizado y en vano saqué el lienzo de lino de mi cintura, arrojándolo sobre el nicho, cerca de la mortaja. Al fin, decidí que todo lo que me quedaba por hacer era informar a Caifás de la verdad, tal y como había ocurrido, esperando que su sabiduría le permitiera juzgarme como yo merecía ser juzgado. Me arrastré fuera de la cueva y ordené a los demás que tomaran una antorcha de la fogata y que me siguieran, y todos salimos corriendo del jardín, sin detenernos hasta que nos encontramos de vuelta en el patio de la casa del sumo sacerdote.

—¿Le dijiste todo a Caifás?

—Todo, pero se rehusó a creerme. Nos abofeteó a mí y a los demás repetidas veces y nos acusó de habernos quedado dormidos mientras montábamos guardia, gritando que deberían lapidarnos a todos por nuestro crimen.

—¿Y también le hablaste del extraño que pasó cerca de ti en la tumba?

—Lo hice... y mientras aún permanecíamos de rodillas, sin saber lo que haría después con nosotros, me pidió que le contara una vez más del extraño. Entonces, llamó a su asistente y le ordenó que le trajera cuatro bolsas llenas de monedas de plata. Con gran sorpresa de nuestra parte, nos ofreció una a cada uno de nosotros, advirtiéndonos que no deberíamos hablar a nadie de nuestra experiencia, y que si nos preguntaban acerca de la tumba, solamente debíamos responder que los discípulos, aprovechando nuestro sueño, robaron el cuerpo. Luego nos despidió.

—¿Y qué hiciste después?

—Hasta el día de hoy, no puedo recordar gran cosa de lo que siguió. Sé que me alejé de las habitaciones de Caifás sintiéndome avergonzado y deseando estar muerto. Tan pronto como me encontré fuera del patio, después de desear las buenas noches a los demás, arrojé las monedas a la calle y empecé a correr hasta que nuevamente me encontré en el camino en las afueras de la ciudad, esta vez dirigiéndome al Norte, en dirección al jardín y a su tumba, y al tiempo que corría iba gritando a voz en cuello: "¡Jesús no está muerto, ha resucitado de su tumba! ¡Jesús no está muerto, ha resucitado de su tumba!" y eso es todo lo que puedo recordar hasta que desperté aquí, en la casa de Nicodemo.

—¿Le contaste a Nicodemo todo lo que sucedió?

—Sí, pero no pareció sorprenderse con mi relato. Sus sirvientes me dieron de comer y me bañaron, después me llevaron a un lecho y aquí he permanecido desde entonces, en paz.

—Y Caifás nunca ha sospechado que aún sigues con vida.

—Nicodemo me ha protegido muy bien. A este sitio llegan muy pocos visitantes y es rara la persona a la que le permite el acceso a su jardín. Por lo general, quienes cuentan con su autorización para admirar las flores y la tumba, con su gran piedra, han sido traídos hasta aquí por José de Arimatea, igual que tú.

—¡Ah! ¿Y cuántos visitantes dirías que ha traído José hasta aquí, desde que el jardín está bajo tu cuidado?

Shobi entrecerró los ojos y volvió la mirada hacia el cielo, frotando pensativamente su dedo pulgar contra el labio inferior.

—En cinco años, quizá unos diez, tanto hombres como mujeres.

—¿Se te permitió que hablaras con ellos y les contaras tu experiencia?

—Oh, sí. Desde luego, José los hizo jurar que guardarían el secreto, como lo hizo contigo, durante todo el tiempo que permanecieran en la ciudad.

—Por casualidad, ¿puedes recordar el nombre de alguno de ellos?

—Puedo recordar el de algunos. Uno se llamaba Tolstoy, otro Agustín. También otro llamado Dante, y Aquino, y Milton y... ah, sí... una joven encantadora llamada Juana. Igual que tú, muchos venían de tierras allende los mares.

Inclinándome hacia el hombretón, lo abracé diciendo:

—La paz sea contigo, Shobi.

Me devolvió el abrazo al tiempo que decía:

—Y la paz sea contigo durante todos tus días, Matías.

14

Pasé toda la noche recorriendo mi habitación de un lado a otro, repasando mentalmente todos los hechos que había logrado sacar a la luz en mis cuatro días de investigación. Y todo sin ningún provecho.

Conclusión: caso cerrado.

El testimonio de Juan del día anterior, seguido por el convincente relato de Marcos, me llevaron al borde de admitir, tanto ante José como a mí mismo, que estaba equivocado. Nadie retiró el cuerpo de Jesús ni sus seguidores perpetraron fraude alguno para el pueblo. La narración culminante de Shobi acabó de empujarme por el borde. Había fracasado en comprobar mi caso y, en vez de ello, ¡quedó demostrado que, desde un principio, no tenía ningún caso!

Pero sentía mucho más regocijo que pesar en mi derrota, si es que podía llamarla así. Ya que ahora haría lo que ningún ser humano hiciera jamás: describiría en mis escritos exactamente lo sucedido durante esos últimos días de la vida de Jesús, utilizando como fuentes de información a testigos presenciales fidedignos. Y para aquellos cuya desgastada fe tenía necesidad de un constante refuerzo ¡aun podía reafirmar el milagro de la resurrección! Jamás me pasó por la mente el hecho de que muy pocos creerían en mí, sobre todo quienes escucharon mis declaraciones en el programa de Carson. En lo único en que podía pensar era en volver a mi máquina para empezar, una vez más, a trabajar en el manuscrito de "Comisión: Cristo", pero en esta ocasión sin ninguna duda que nublara mi mente.

Aun así, algo me molestaba, pero no podía acertar qué era. ¿Qué cosa se me olvidaba? El rompecabezas estaba casi completo y la imagen era clara, pero faltaba una pieza que estropeaba el cuadro final. ¿Quién la tenía, y en dónde podría encontrarla? Traté de concentrarme todavía más, pero mi mente se rebeló; excesivamente cargada, se negaba a funcionar,

Después del desayuno, volví a dejarme caer en mi lecho y aparentemente me quedé adormecido, no sé durante cuánto tiempo, antes de que me despertaran unos fuertes golpes en la puerta. José estaba allí, con aspecto fatigado y demacrado y su piel tenía un color cenizo. Era obvio que el ritmo y la tensión de nuestros últimos días juntos lo habían afectado, al igual que a mí. A pesar de ello, el anciano se esforzó valerosamente por parecer jovial.

—Y, ¿cómo se siente el gran investigador esta mañana?

Con un gruñido, volví al lecho, en donde se sentó a mi lado.

—Como si tuviera una cruda terrible.

—¿Una cruda? —dijo frunciendo el ceño y moviendo la cabeza desconcertado.

Traté de explicarle.

—Una cruda es un estado de lo más repulsivo y molesto, tanto mental como corporal, en el cual uno despierta después de haber bebido vino en exceso durante la noche anterior. Es un estado de estupor para el cual no existe cura alguna hasta que el cuerpo se ha purificado al desechar los entorpecedores productos químicos de la uva.

—¿Estás familiarizado con esa aflicción porque la has experimentado tú mismo? —me preguntó solícitamente.

—Oh, sí —admití—. Hubo una época en mi vida, hace muchos años, cuando era un acontecimiento casi cotidiano.

—¿Y ya no lo es?

—Ya no —dije con firmeza.

—¿Qué hizo que dejaras de imponerte tan severo castigo?

—Una mañana, recobré el conocimiento en la cárcel, sin recordar nada de lo que sucedió durante las horas que precedieron a mi encarcelamiento. Hubieran podido acusarme de asesinato o de cualquier otro crimen imaginable y ni siquiera hubiera sido capaz de negarlo o de demostrar que no era culpable. Afortunadamente para mí, sólo fui arrestado por ebriedad, pero esa experiencia me atemorizó tanto que jamás he podido olvidarla.

Asintió comprensivamente.

—Muchos de nosotros tenemos que caer primero en los pozos más sombríos de la desesperación antes de aprender a apreciar la visión de una sola estrella en el firmamento. Durante ese tiempo, Matías, ¿estabas dedicado a escribir tus excelentes libros?

—Estaba escribiendo, pero no podía interesar a nadie en mi trabajo. El fracaso y la frustración se ahogan fácilmente, por lo menos en forma temporal, con unas cuantas botellas de vino barato.

—¿Alguna vez llegaste a orar pidiendo ayuda durante esas épocas tan tristes?

—Jamás; me despreciaba tanto por desperdiciar mi vida y mi talento, que tenía la impresión de que ni siquiera merecía ayuda. Y si existía un Dios, en lo cual no creía, estaba seguro de que mis miserables lamentos jamás serían escuchados.

—Habías olvidado todas esas cosas que, seguramente, aprendiste de tu madre cuando te leía por las noches: que ni siquiera un gorrión puede caer al suelo sin que Dios lo observe y que aun los cabellos mismos que hay en tu cabeza han sido numerados por Él, tal y como Jesús nos lo dijo. ¿Qué fue lo que, finalmente, cambió tu vida para bien, de manera que fuiste capaz de aplicar tu talento hasta obtener un renombre mundial? Eso debió requerir algo más que simplemente estar sentado en una cárcel, teniendo como compañeros de celda a la autocompasión y al temor, ¿no es así?

—Tres seres humanos cambiaron mi vida, José: la maravillosa mujer con quien contraje matrimonio y los dos hermosos hijos que me dio. Poco tiempo después de darme a mi segundo hijo, cuando aún bebía en exceso, tuve que elegir. Ella me dijo que podía tener las botellas o a mi familia, pero no ambas cosas, de modo que dejé de beber.

—¡Ah, ja! —exclamó—. ¡Entonces, fue el amor lo que cambió tu vida! Y junto con el amor, encontraste a Dios.

—Yo no dije eso, José.

—Pues, ¡lo dijiste, Matías, lo dijiste! Al descubrir cuánto amabas verdaderamente a tu esposa y a tus hijos, encontraste a Dios. ¡Dios es amor! Si nos amamos los unos a los otros, Dios mora en nosotros; no es posible tener una cosa sin la otra. Y cuando conocemos el amor, también hemos encontrado el Reino que muchos, que no pueden comprender este secreto tan sencillo, jamás encontrarán. Matías, el Reino de Dios no se encuentra sobre una nube, está en tu interior. Eso era lo que Jesús le decía a la gente, una y otra vez.

—Y le dieron muerte por sus esfuerzos —respondí con cinismo.

—Hijo —respondió con suavidad el anciano—, no he venido aquí esta mañana para predicarte. Tus ojos ya están abiertos, lo sé. Lo que debes aprender a aceptar es que Jesús fue asesinado porque incluso amó a quienes le dieron muerte, y ellos lo odiaban porque él los amaba. Eran incapaces de comprender su amor, ya que iba contra toda razón en un mundo que exige un pago por todos los efectos y servicios, y un castigo para todos los crímenes, sin dejar lugar para la caridad, la misericordia o la compasión. Tarde o temprano, la humanidad se dará cuenta de que el mejor remedio para todos los infortunios y desaciertos, preocupaciones, penas y crímenes de la humanidad estriba exclusivamente en los actos de amor. El amor es el mayor presente de Dios; es la chispa divina que por doquiera produce y restaura la vida. Para todos y cada uno de nosotros el amor nos da la fuerza, como sucedió en tu caso, Matías, para obrar milagros con nuestra propia vida y con las de aquellos que nos rodean.

José se puso de pie y se dirigió hacia la puerta lentamente, cojeando un poco; con la mano en el pestillo se dio vuelta para preguntar:

—¿Tienes algún otro plan para nosotros, alguien más a quien quieras visitar?

—Creo que no.

—Bien. Quizá hoy deberías descansar, con el fin de prepararte para tu jornada de regreso. Yo también me siento fatigado.

—¿Es hoy tu sabat?

—No, mañana será nuestro sabat. Hoy, más tarde, deberé abandonarte durante corto tiempo, pues debo atender algunos asuntos en mi almacén. Aun así, no puedo permitir que te vayas de esta casa sin primero mostrarte todas las pertenencias de Jesús que he podido reunir. Ayer, antes de que hablaras con Shobi te dije, en respuesta a tu pregunta, que tenía dudas de que el ver mi colección te ayudara a comprender la verdad. Pero ahora...

Una vez llegados al ala inferior del palacio de José, a su centro cultural, pasamos el estudio de Hermógenes, el escultor, y las tres habitaciones llenas de estantes con pergaminos, antes de encontrarnos frente a la única puerta cerrada en esa área. Torpemente, José buscó entre los pliegues de su túnica y sacó una gran llave de plata, introduciéndola en la cerradura. Los goznes de la puerta chirriaron ruidosamente en el momento de abrirse, y José se hizo a un lado para dejarme pasar.

—Te ruego que no prestes atención al polvo, Matías —se disculpó el anciano—. No permito que ninguno de mis servidores entre aquí a hacer el aseo y yo mismo soy bastante descuidado.

En comparación con las demás habitaciones del palacio, ésta era algo más que un espacio para almacenar. Tres largas mesas, paralelas una a la otra, ocupaban la mayor parte del limitado espacio circundado por unos desnudos muros blancos, con dos ventanas altas de un lado y una ancha puerta de bronce del otro. Lienzos de color verde oscuro cubrían las mesas. Seguí a José hasta la que se encontraba más cerca del muro y, sin ninguna observación preliminar, quitó la tela verde, descubriendo la mesa lo suficiente para que pudiera contemplar el primer objeto de su exposición.

—Tómalo en tus manos, Matías.

Aun su aspecto era repulsivo. José no necesitaba identificar ese objeto como una *flagra,* el instrumento utilizado por los romanos para flagelar. Me quedé mirando ese repugnante instrumento, de mango largo, al cual estaban atadas una docena o más de pequeñas cadenas que tenían en sus extremos unos clavos enmohecidos y curvados. Siempre hemos sido muy ingeniosos para idear instrumentos para castigarnos unos a otros.

—Tómalo, Matías —repitió José.

Extendí la mano con vacilación, tomando el mango de madera. Después de sopesarlo una o dos veces, retrocedí y lo hice restallar en el aire, mirando cómo se desplegaban las cadenas con un sonido silbante a medida que cada uno de los clavos formaba un círculo violento siguiendo su propia trayectoria maligna. ¿Castigo? ¡Éste era un instrumento de muerte! Una vez más, José me leyó la mente.

—Todos aquellos adiestrados en el uso de esta abominable arma —me explicó— pueden arrancar casi toda la piel de tu cuerpo y, sin embargo, mantenerte con vida para la ejecución en la cruz. Matías, trata de imaginar que te encuentras atado a un poste, delante de una muchedumbre que te escarnece, con el cuerpo desnudo extendido hacia atrás y los pies separados. Después, imagina las cadenas y los clavos golpeando tu espalda y tus costillas, cada uno de ellos desgarrándote la carne hasta los huesos, y cada uno de esos golpes asestado por hombres de gran fuerza. Piensa en esos clavos desgarrando tus partes pudendas, tus ojos, tu rostro, tu pecho. Trata de concebir un dolor tan terrible que ruegues pidiendo la muerte o la inconsciencia, pero justamente antes de que estés vencido, te echan agua fría sobre todo el cuerpo y te reviven lo suficiente para sentir el siguiente golpe y el siguiente. Matías, ¡hubo muchos que se mordieron la lengua hasta partirla en dos bajo los expertos golpes de un lictor romano! Imagina, si puedes, a alguien que ha recibido tan terribles golpes con este instrumento que su cuerpo ha quedado bañado por su propia sangre y está de pie en un charco de ella y aun así no grita pidiendo misericordia, como me han dicho que no la pidió Jesús.

Me estremecí y volví a dejar la *flagra* sobre la mesa.

—Emplearon dos de estos instrumentos con Jesús; no logré conseguir el otro, con tiras de cuero y plomos.

Retiró todavía más la tela que cubría la mesa, mostrando una corona de espinas. Cuando, finalmente, hube recobrado el aliento, pregunté con gran nerviosismo:

—¿Puedo sostenerla, José?

—Por supuesto, pero ten cuidado con tus manos. Este también es un instrumento terrible. Jesús fue crucificado llevando sobre su cabeza esa abominación, hecha por los soldados con las zarzas que utilizaban para encender el fuego. Yo mismo la retiré de su cabeza, con grandes dificultades; muchas de las agudas espinas de la planta penetraron en su frente y por encima de sus orejas.

Dos tiras de madera, cada una de no más de seis milímetros de espesor, estaban entrelazadas para formar un círculo imperfecto que tenía un diámetro aproximado de veintitrés centímetros. Irradiando de los grises tallos, a poco más de un centímetro una de otra, se veían unas espinas, delgadas como agujas, que casi tenían dos centímetros de largo. Sus afiladas puntas se clavaron en mi carne cuando levanté la corona con manos temblorosas hasta la altura de los ojos.

—Todavía puedes ver la sangre, Matías, aun cuando se ha vuelto más oscura con el paso de los años. Después de colocar la corona sobre la cabeza de Jesús, con este palo encajaron las espinas profundamente en su carne.

Esperó hasta que volví a depositar la corona sobre la mesa, antes de poner en mis manos un pesado bastón, que medía aproximadamente noventa centímetros de largo.

—Con este bastón, los soldados golpearon a Jesús en la cabeza, una y otra vez, haciendo que las espinas penetraran debajo de la piel. Después lo colocaron en su mano, como si fuera un cetro real, y de sus hombros colgaron esta capa.

Me entregó un trozo de tela color púrpura, de un tejido muy delicado, quizá seda, con un cordel trenzado en uno de sus extremos.

—Después de que cubrieron su cuerpo con este manto, se burlaron de él y lo hicieron girar, escupiéndolo en el rostro, dándole puntapiés, mofándose y llamándolo Rey de los Judíos. Cuando se cansaron de su diversión, lo devolvieron a Pilato, quien lo llevó nuevamente delante de la gente, flagelado y humillado.

—"¡He allí al hombre!" —dije, citando a Pilato.

—Sí —repitió José con suavidad—. "¡He allí al hombre!"

La segunda mesa sólo contenía dos artículos. Uno de ellos era un burdo trozo de madera de pino áspera, que fue clavado en la cruz sobre la cabeza de Jesús, en el cual estaba escrito toscamente en tres idiomas, latín, griego y arameo: "Jesús de Nazaret, Rey de los Judíos".

—Ese letrero, de acuerdo con los procedimientos romanos, fue llevado por un soldado que caminaba delante del convicto en el camino hacia el Gólgota, con el fin de que todos se enteraran de su crimen. Las palabras de Pilato, palabras que se rehusó a cambiar a petición del sumo sacerdote, eran su forma de insultar a las autoridades judías. Como puedes ver —dijo José, levantando en sus manos dos pedazos— Shem lo rompió cuando lo quitó de la cruz.

Di un salto hacia atrás, señalando hacia el letrero.

—¿Qué sucede, Matías?

—¿Alguna vez has prestado atención a la forma en que se rompió la madera, José?

Volvió a mirar los dos trozos y sus ojos se llenaron de lágrimas. En uno de ellos, en latín, decía "Jesús", y debajo de esa palabra solamente se leía otra: "Rex", ¡Rey!

Avanzamos hacia el otro artículo expuesto en la mesa, un manto desvaído de lana roja. José lo colocó en mis brazos.

—Esto se llama *abayeh,* y es la clase de manto que han usado los pastores de aquí durante cientos de años. Como puedes ver, no tiene costuras, excepto en los hombros. La madre de Jesús me dijo que él lo tuvo en su poder desde mucho antes de que alcanzara la edad adulta. Todos podemos recordarlo con este manto sobre los hombros, caminando por las calles y en el patio del Templo. En una ocasión, ofrecí comprarle uno nuevo, diciéndole que un hombre de su importancia debería vestir de acuerdo con su posición.

—¿Y qué te respondió?

—Simplemente se rió y me dijo que no se debía juzgar a un hombre por lo que está fuera de su piel, sino por lo que lleva en su interior, y me pidió que llevara el dinero que hubiera gastado en un manto nuevo y se lo diera a los pobres.

Levanté la tela suave, frotándola contra mi mejilla, hasta que sentí algo duro y áspero. A todo lo largo de uno de sus lados se veían varias manchas oscuras, frágiles al tacto.

—Más sangre suya —dijo el anciano.

Seguimos caminando hasta la tercera mesa. Debajo de la tela verde estaba un pedazo de lino y una sábana larga y estrecha, plegada en varios dobleces.

—Éste es el lienzo con el cual envolvimos su cuerpo y esta es la tela que colocamos sobre su rostro, de acuerdo con nuestras costumbres. Shem recuperó ambas prendas de la tumba, al día siguiente de que la encontraron vacía.

Asentí y José volvió a colocar la cubierta verde; después se dio vuelta y me tomó fuertemente de los hombros.

—Acabas de ver todas las posesiones materiales de un hombre, Matías. No dejó atrás oro ni plata, ni tierras, ni esposa ni hijos, ningún manuscrito ni obras de arte, ni tampoco un cargo de autoridad o un título. Lo que es más, ni siquiera permaneció entre nosotros durante mucho tiempo. Casi todos los hombres cuyas palabras o acciones han cambiado el curso de nuestro mundo, han requerido seis o siete décadas, a veces más, con el fin de lograr lo que se han propuesto. Y aun sus obras, tan grandiosas en su época, pronto se desvanecen de nuestra memoria. Este hombre murió cuando apenas contaba poco más de treinta años de edad y, no obstante, nada de lo que dijo o de lo que hizo ha menguado ni siquiera un poco.

Se me quedó mirando durante varios minutos, como si tratara de decidir si debía continuar o no. Finalmente dijo:

—Hay una cosa que me ha extrañado acerca de tu investigación, hijo mío. ¿Por qué ni siquiera una sola vez pediste a alguna de las personas a quienes interrogaste, que te describieran el aspecto físico de Jesús? ¿Acaso eso no te interesa? Es verdad, no te hubiera acercado más a los hechos relacionados con la tumba vacía, pero pienso que después de pasar tantos años estudiando la vida de un hombre, habrías llegado a adquirir cierta curiosidad en cuanto a su apariencia.

—Jamás pensé en ello, José —respondí—. Desde mi juventud, es probable que haya contemplado miles de pinturas de Jesús así como muchas esculturas, igual que la mayoría de la gente, y creo que simplemente supuse que lo conocía.

De alguna manera, me daba cuenta de que estaba jugando conmigo; sus viejos ojos tenían ese guiño que ahora me era tan conocido.

—Pero Matías, ¿acaso no es un error, de quienquiera que esté llevando a cabo una investigación, el de suponer cualquier cosa? Ciertamente, tus famosos detectives que has creado jamás resolverían sus misterios en tus libros si les permitieras suponer muchas cosas. ¿Estoy en lo cierto?

Asentí, sin saber qué debía esperar; ¡sin siquiera atreverme a adivinar! El anciano volvió a introducir la mano entre los pliegues de su túnica, sacó otra llave y, sonriendo ampliamente, se dio vuelta para dirigirse hacia la puerta de bronce, en el lado más cercano de la habitación. Hizo girar la llave, pero esperó hasta que me encontré a su lado antes de abrir la puerta por completo. En el interior de lo que no era nada más que un armario, iluminado por una ventana de cristales en lo alto, estaba la estatua de un hombre, de tamaño natural y tallada en mármol.

—Matías, según mi opinión, ésta es la mejor obra de Hermógenes, mi escultor.

—¿Jesús? —grité en voz alta.

Asintió con calma.

—Fue realizada sin mi conocimiento. Hermógenes acostumbraba ir a escuchar a Jesús en el patio del Templo por su propia voluntad, y cuando regresaba a su estudio, hacía algunos bocetos de memoria. Trabajando en secreto, a partir de todos esos dibujos, creó lo que estás viendo ahora, una perfecta efigie de nuestro Señor.

Los pies de la figura de mármol, calzados con sandalias, se apoyaban con firmeza sobre el suelo, sin ningún pedestal debajo de ellos, de manera que, cuando me acerqué todavía más, me encontré cara a cara con lo que, con toda probabilidad, era la única representación que jamás se hubiera hecho de Jesús en vida. Ciertamente, Hermógenes había realizado una obra maestra. Aun en el monocromo del mármol blanco, la figura daba la impresión de que en cualquier momento iba a moverse y a hablar, debido a la luz difusa del sol que iluminaba desde arriba. Estudié cada uno de sus rasgos, tratando de grabarlos en mi memoria.

Jesús llevaba el cabello partido en medio, cayendo libremente sobre la espalda, pero apartado del rostro, de manera que podían verse los lóbulos de sus orejas. La frente era amplia, encima de cejas pobladas y ojos hundidos. La nariz larga con una ligera curva y la boca de labios plenos. Tanto el bigote como la barba estaban recortados, aun cuando no con mucho cuidado, y sus pómulos salientes descendían hasta una barbilla puntiaguda. Si Hermógenes había sido preciso en su escala, su estatura era igual a la mía, aproximadamente un metro ochenta y tres, muy alto para un judío de esa época. Más que cualquier otra imagen que pudiera recordar, guardaba un gran parecido con el Jesús de un óleo pintado por Ralph Pallett Coleman. En una ocasión admiré una gran copia de la obra de Coleman, que colgaba en la oficina del capellán del Scottsdale Memorial Hospital, y Arthur Howard fue lo suficientemente amable como para enviarme una reproducción más pequeña para mi estudio.

—¿De qué color era su cabello, José?

—Café, o quizá más bien castaño oscuro. También sus ojos eran café y su piel, morena, por todos los días pasados bajo los rayos del sol.

—¿Y su voz?

—No muy profunda, más bien de un tono medio y siempre suave. Aun cuando hablara con enojo, sus palabras no ofendían los oídos.

Retrocedí, todavía tratando de fotografiar ese rostro con los lentes de mis ojos. Sobre todo en la parte superior de su rostro podía ver el parecido con su hermano, Santiago. ¿Santiago? De pronto recordé quién tenía la pieza que faltaba en mi rompecabezas. Volviéndome hacia José, casi le grité:

—¡Debo ver a Santiago nuevamente!

—¿Por qué? —preguntó con tono de voz preocupado.

—¿No recuerdas, José? Le pregunté por qué, si se rehusó seguir a Jesús cuando aún estaba con vida, ahora arriesga diariamente su propia vida, predicando una filosofía que acarreara la muerte a su hermano.

—Sí.

—Y se negó a contestarme en ese momento. Me dijo que volviera a hacerle esa misma pregunta después de que hubiera hablado con los demás. Y bien, ya he hablado con ellos.

—Matías, tu tiempo aquí se acorta. Recuerda, cuando llegaste te advertí que si algo llegara a suceder aquí, durante tu visita, que te hiciera perder la vida, yo no podría revivirte con el fin de enviarte de vuelta a tu propio tiempo y lugar de procedencia.

—Sí, lo recuerdo.

—Y una visita a Santiago, ¿vale la pena correr un riesgo así? ¿No estás ya convencido de que sabes la verdad acerca de Jesús sin necesidad de una prueba adicional de nadie?

—¡José, te lo suplico, no me envíes de regreso sin que vuelva a hablar de nuevo con Santiago!

Suspiró diciendo:

—¿Cuándo quieres verlo?

—El día de hoy, ahora mismo, mientras más pronto mejor, si, como dices, Pilato ya está dispuesto a atacar.

José se oprimió las manos con nerviosismo.

—Hoy no puedo acompañarte, Matías. Dentro de poco tengo que estar en mi almacén.

—¿En dónde encontraríamos a Santiago a esta hora?

—Probablemente en su negocio. Tiene un puesto en el mercado, en donde construye y repara mobiliario, carretas e instrumentos de labranza. Por las tardes siempre se encuentra en el Templo.

—Y tu almacén, ¿no se encuentra cerca de su puesto en el mercado?

—Todavía más lejos.

—Y bien, por qué no me dejas en el mercado en donde se encuentra Santiago y después sigues tu camino hasta tu almacén. Permíteme una hora en compañía de Santiago y después envía a Shem a buscarme. ¡Te lo suplico!

—Puede ser muy peligroso, hijo mío.

—No te preocupes; sé cuidar de mí mismo. Y solamente me llevará una hora.

—Matías, ¿en verdad es tan importante para ti?

—José, esa entrevista lo es todo para mí, especialmente después de haber hablado ayer con Juan, Marcos y Shobi. En el transcurso de todos los años de investigaciones que llevé a cabo para escribir mi libro, siempre me pregunté qué fue lo que hizo que Santiago cambiara de opinión acerca de Jesús, después de la crucifixión. Veinte años, viejo amigo.

—La mayoría de la gente se pasa toda una vida haciéndose preguntas.

—Lo sé, pero la mayoría de la gente no tiene la oportunidad que tú me has dado. Será mi última entrevista, te lo prometo.

Lo logré.

A pesar de la preocupación de José por mi seguridad, no pudo dejar de asumir su papel de guía cuando nos adentramos en la escualidez de la parte baja de la ciudad que, inexplicablemente, incluía el mercado más emprendedor y variado de todo el mundo civilizado. Ninguna peregrinación a la Ciudad Santa se consideraba completa sin hacer una visita al gran mercado. A lo largo de calles de adoquines separados, apenas suficientemente anchas para que pasara nuestro carruaje, José, una y otra vez, ordenaba a Shem que se detuviera mientras me indicaba los sitios pintorescos y los extranjeros aún más pintorescos procedentes de tierras lejanas. Los judíos de Babilonia alzaban sus largos mantos de terciopelo para evitar las deyecciones de los animales, mientras se mezclaban con sus hermanos de Persia, ataviados con brocados de seda. Los creyentes de Anatolia envolvían sus túnicas de pelo de cabra contra sus cuerpos para evitar las manos ávidas de los vendedores de voces estridentes o los cuerpos tambaleantes de los aldeanos galileos, quienes sólo tenían ojos para las mercancías más llamativas, las cuales abundaban. Observé cuando una pareja de soldados romanos, probablemente ayudantes sirios, según dijo José, pasaba silenciosamente en medio del torbellino de compradores antes del sabat, con sus yelmos relucientes y sus capas coloridas, que destacaban de manera prominente en la confusión cambiante de atavíos. Visitantes y nacionales, por igual, miraban hacia otro lado.

El mercado tenía algo para todos. Los puestos y casetas al aire libre, algunos tan pequeños que hasta el mercader tenía que permanecer fuera de ellos, complacían cualquier necesidad o deseo. Uno podía pedir que remendaran unas sandalias o zurcieran un manto, o bien, que tiñeran una túnica; se podía adquirir un brazalete de la plata más fina o un collar del más vil de los metales y aun cambiar oro por el equivalente de su peso en seda. Ante la vista de los compradores, los hábiles artesanos tejían alfombras, mientras que el siguiente puesto podía exhibir grandes estatuas de los dioses griegos y romanos. Por doquiera podía escucharse el vocerío de los agrios regateos, mientras los perfumes más embriagantes, los bálsamos, los frutos y aceites y aun el ganado cambiaban de propietario.

Mendigos, lisiados, enfermos y aun ciegos se enfrentaban a todos los compradores. Únicamente el aspecto amenazador de Shem, sentado en lo alto del carruaje con el látigo en la mano, impedía que nos volcara la multitud. La carne y los quesos, apilados sobre mesas endebles, recogían el polvo que se remolinaba a medida que avanzábamos. Los restaurantes, me indicó José, abundaban en cada calle, y servían una gran variedad de platillos de carne de cordero, de venado, perdices, codorniz, ganso, yogur, lentejas, guisantes, lechuga, pan de harina sin refinar, pescado fresco, pastel de frutas y langostas fritas, con una gran selección de vinos de Chipre, Samaria y de Canaán, y también cerveza egipcia. Y aun había prostitutas para el viajero solitario o el soldado, de todos los colores y de todas las razas, caminando de un lado para otro frente a sus puestos, susurrando palabras dulces de seducción y promesa a los peregrinos que vagaban por allí con los ojos abiertos.

Los sonidos del mercado debían ser ensordecedores, si no es que atemorizantes, para los visitantes rurales, acostumbrados a la tranquila vida pastoral de sus rústicas aldeas. Acompañando al monótono clamor de los mercaderes más osados, se escuchaba el rítmico golpeteo de los mazos y martillos de los artesanos al dar forma a la madera, al cobre, al cuero y a la plata. Las ovejas y todo el ganado chillaba en coros de rebuznos atemorizados, mientras sus nuevos propietarios los conducían bajo los golpes de sus látigos y bastones, con los cascos resonando y resbalando sobre la piedra y la madera. Los pregoneros sagrados, en sonoros tonos de voz anunciaban mensajes especiales del sumo sacerdote casi a cada hora, los niños gritaban, los tratantes de blancas discutían y regateaban, los perros ladraban, y cuatro veces al día el estallido de las siete trompetas de plata sacerdotales repercutía a través de la escualidez, haciendo que toda la gente se arrodillara.

Los habitantes de la parte baja de la ciudad, me explicó José, no solamente eran súbditos romanos, sino también prisioneros de su propia desesperación, y los preceptos piadosos de sus sacerdotes les ofrecían muy pocas esperanzas de llegar a alcanzar una vida mejor. Casi se amotinaron cuando supieron que Jesús fue crucificado; a diferencia de otros rabinos o maestros, él fue aceptado entre ellos.

Encontramos a Santiago en una de las muchas bulliciosas calles laterales, parado frente a su puesto, blandiendo un martillo en una mano y gesticulando furiosamente ante una pequeña multitud que se encontraba reunida delante de él.

—Aun cuando se supone que debe estar trabajando en su artesanía —dijo José con admiración— no puede olvidar su gran misión en la vida.

El anciano se volvió hacia mí tomándome de las manos y diciendo:

—Ten cuidado. Haz lo que tienes que hacer y espera a Shem. Volverá a recogerte dentro de una hora. Ve en paz. *Mizpah.*

—*¿Mizpah?* Sé lo que eso significa.

—Dímelo, hijo —me rogó, mordiéndose el labio inferior.

—El Señor vigile entre tú y yo, cuando estemos separados uno del otro.

Se inclinó y me besó en la frente.

—Esa es mi plegaria, Matías.

Me quedé mirando hasta que la carreta dio vuelta a la izquierda, hacia una de las calles principales, llena de gente. Me sentía tan inseguro como un jovencito que ha huido de su casa.

—¡Matías, bienvenido!

Me di vuelta a tiempo de ver a Santiago corriendo hacia mí, sintiéndome aliviado y emocionado, porque me había reconocido. Nos abrazamos y, en su exuberancia, casi me llevó en vilo a través del espacio abarrotado de muebles hasta su pequeña tienda.

Después de algunos minutos de charla informal, Santiago me preguntó:

—¿Qué puedo hacer por ti? Seguramente tu visita no es para ver este espectáculo, tal y como está.

Compartíamos la misma banca sin acabar. El olor a pino recién cortado inundaba el recinto.

—¿Recuerdas la promesa que me hiciste? —le pregunté.

Su rostro se nubló.

—¿Una promesa... a ti? No recuerdo.

—¿Recuerdas ese día que fui a verte al patio del Templo, en compañía de José de Arimatea?

—Por supuesto. Me hiciste muchas preguntas acerca de Jesús, y yo respondí a todas hasta donde pude.

—No respondiste a todas.

Empezó a ponerse de pie.

—Matías, como puedes ver, ahora no tengo tiempo para eso. Quizá esta tarde, cuando me encuentre en el patio...

—Santiago, sólo tengo una pregunta que hacerte, y estoy aquí porque tú me dijiste que viniera.

Volvió a instalarse en la banca.

—No te entiendo.

—El otro día, en el patio, admitiste que mientras tu hermano estuvo con vida, tú te sentías invadido por la vergüenza a causa de sus acciones y que estabas seguro de que seguía una senda imprudente que lo llevaría a la destrucción. Entonces, te pregunté por qué, si eso verdaderamente describía tus sentimientos, ahora te has convertido en su principal abogado, arriesgando tu vida cada día en el Templo. Contestaste diciéndome que hablara con los demás, tal y como lo tenía planeado, y que entonces responderías a mi pregunta.

Asintió, esbozando una sonrisa.

—Ahora lo recuerdo. Y bien, ¿has interrogado a todos los testigos que pretendías visitar?

—A todos.

—¿Y ahora te encuentras más cerca de la verdad que cuando empezaste?

—Lo estoy, pero todavía puedes ayudarme. Si tú, que no creías, ahora estás dispuesto a arriesgarte a sufrir la misma muerte que padeció Jesús, entonces, todo lo que sepas, cualquier cosa que se haya presentado en tu vida después de su crucifixión, también podrá ayudarme. Una cosa es contemplar la verdad a través de unos ojos que antes estuvieron ciegos, pero otra mucho mejor todavía es comprender la verdad que uno ve.

Santiago inclinó la cabeza hasta que casi quedó sobre sus rodillas frotándose la parte posterior del cuello con gran furia. Me quedé a su lado, esperando... esperando...

Por último se irguió. Justamente cuando abría la boca para hablar, una sombra se proyectó sobre el piso y escuché el choque de metales. Santiago se puso de pie de un salto y yo hice lo mismo, pero no antes de que tres legionarios penetraran al interior de la pequeña tienda. Uno de ellos dio un paso hacia adelante, y en su rostro no se adivinaba ninguna emoción.

—¿Tú eres el llamado Matías? —preguntó, señalándome con su espada corta.

—Lo soy —dije roncamente.

—¡Matías, por orden del procurador Poncio Pilato te prendemos!

15

—¿Quién eres tú?

Nuevamente me encontraba en el cuartel de Poncio Pilato; pero en esta ocasión no me ofreció vino y tampoco me invitó a tomar asiento en uno de sus elegantes sillones. Pilato iba ataviado con el uniforme completo. Con las manos sobre las caderas forradas de cuero, caminaba pavoneándose frente a mí, mirando, esperando.

—¿Quién eres tú? —preguntó nuevamente.

—Mi nombre es Matías. Soy un historiador de. . .

—¡Mientes! —gritó. Su puño derecho vino a estrellarse contra mi rostro, y su pesado anillo de oro me desgarró la carne justamente abajo de la nariz. Al caer hacia adelante, los soldados que estaban parados a cada lado se apartaron de mí. Fui incapaz de impedir la caída, ya que tenía ambas manos atadas a la espalda, así que golpeé el piso con la cabeza. Aturdido, permanecí allí tirado, hasta que la remachada bota de Pilato se deslizó bajo mi barbilla, echándome la cabeza hacia atrás.

—¡Levántate, impostor! —bramó. Ya podía sentir el sabor de la sangre a medida que corría hasta mi boca. Finalmente, me rodé y me las arreglé para deslizar los pies, apartándolos del cuerpo lo suficiente para ponerme de pie. Sentía que la cabeza me estallaba y mis manos estrechamente atadas ya empezaban a entumecerse por la falta de circulación. También estaba aterrorizado, pero eso Pilato jamás lo sabría. Maldiciendo en silencio mi estupidez por no haber seguido el consejo de José, afirmé los pies y esperé el siguiente ataque.

Ahora Pilato se convertía en el anfitrión hipócrita.

—Bienvenido, Matías. Me imagino que no tenías planeado que volveríamos a encontrarnos tan pronto.

—Ésta es una ciudad pequeña, señor —repliqué tan valerosamente como pude a través de mis labios que empezaban a hincharse.

—Ciertmente lo es —dijo con una risa ahogada—, sobre todo cuando se compara con Roma.

—Pero la gente de aquí es más cordial, ¿no lo crees tú así, señor?

Volvió a lanzar su puño, esta vez en un golpe directo a mi plexo solar. Me encorvé en agonía, quedándome sin aliento, pero esta vez los guardias deslizaron expertamente sus manos por debajo de mis brazos impidiendo que cayera de nuevo. Con la cabeza agachada observé cómo la sangre que escurría de mi boca salpicaba los mosaicos debajo de mis pies.

—Matías —rezongó el procurador—, me has engañado. Te acepté aquí otorgándote mi confianza, siguiendo el consejo de José de Arimatea, y respondí a todas tus preguntas abierta y francamente y ahora me entero de que ni eres un ciudadano de Roma, ni...

—¡Pero sí lo soy!

Pilato se cruzó de brazos, diciendo burlonamente:

—Muy bien, muéstrame tus papeles.

—Están... no los tengo en mi poder en este momento.

—Entonces, dime en dónde los guardas y enviaré a mis hombres en su busca, con el fin de que podamos verificar tu identidad. ¿En dónde están tus papeles?

No tenía adónde ir con esas evasivas. Y si me esforzaba en ganar tiempo enviando a los soldados a la casa de José para que buscaran en mi habitación, en una empresa inútil, solamente metería a José en más problemas de los que con seguridad ya tenía por ayudarme y encubrirme.

Suspiré.

—Los documentos se perdieron en el mar, durante una tempestad.

—No es una historia muy convincente —dijo despectivamente Pilato— sobre todo para un supuesto historiador. ¿Y acaso no me aseguraste también que eras amigo de nuestro gobernador, Lucio Vitelio?

—Hemos sido amigos durante largo tiempo.

Su tercer puñetazo cayó de pronto sobre mi oído izquierdo.

—¡Embustero!

Cuando, finalmente, miré hacia arriba, una vez que mi cabeza dejó de retumbar, otro oficial se había reunido con Pilato; también llevaba el atuendo completo, incluyendo la capa.

—Dime, Matías, ¿quién es este oficial que está de pie a mi lado?

Era joven y su cabello negro estaba recortado muy cerca de la cabeza. Su nariz había sido rota, cuando menos una vez, y su piel era tan morena como la de Pilato. Ojos, café. Boca, arrogante. Cicatrices, ninguna. ¿Quién podría ser que Pilato creía que yo debería conocerlo, si es que no era un impostor? ¿Alguien que venía de Roma? ¿O de Antioquía? ¿Alguien que tal vez venía de parte de Vitelio?

En todas mis investigaciones sobre Vitelio, un hombre asociado con él me intrigó especialmente, quizá porque fue muy poco lo que encontré acerca de él. De acuerdo con el historiador judío Josefo, un consejo de semaritanos fue a ver a Vitelio para quejarse de que Pilato había asesinado a muchos de ellos cuando se congregaban para sus ceremonias religiosas en el Monte Garizzim. Aparentemente, esa queja, después de otras muchas que recibió contra Pilato en el transcurso de los años, fue la gota final que derramó el vaso, porque Josefo escribió que Vitelio envió a un amigo suyo, llamado Marcelo, para destituir a Pilato de su cargo, enviando al procurador de regreso a Roma para rendir al emperador cuentas de sus fechorías. En mi libro inconcluso tenía planeado, originalmente, antes de perder la fe en ese proyecto, convertir al histórico Marcelo en uno de los miembros de mi ficticia comisión investigadora y, al final, lo hubiera hecho que enviara a Pilato de vuelta a Roma, no por su crimen contra los samaritanos, sino por sus acciones ilegales en contra de Jesús.

¿Me encontraba realmente cara a cara con el hombre que hubiera sido el héroe de mi libro, si alguna vez lo hubiera terminado? Todo era tan extraño y tan irreal, que empecé a reír, a pesar de mi posición tan precaria.

—¿Encuentras muy cómico a este hombre, Matías? —refunfuñó Pilato sorprendido.

—No, no —dije—. Por el contrario. Es uno de los mejores soldados de Roma y un buen amigo de Vitelio. Su nombre es Marcelo.

Pilato se dejó caer en su sillón como si lo hubiera golpeado. Giró y se quedó mirando a Marcelo, quien movió la cabeza sorprendido. Decidí continuar con mi juego, aun cuando tenía una mala mano; después de todo, no tenía nada que perder. De acuerdo con Josefo, Marcelo llegó a destituir a Pilato a finales del año 36 d. C. o a principios del año 37. Y bien; ¡estábamos a finales del año 36 d. C.! ¿Se encontraba Marcelo aquí para asumir el mando? Y lo que era todavía más importante, ¿aún no enteraba a Pilato de la noticia? ¿Qué sucedería si los sacudía un poco a los dos?

—Pilato —empecé—, pareces sorprendido por el hecho de que conozco a este hombre. No debes estarlo. Y todavía puedo hacer algo más al compartir contigo un secreto de estado, que afectará tu futuro mismo.

Esperó, mirándome con una mezcla de desconfianza y odio, lo que hizo muy poco en favor de mi confianza.

—¡Debo decirte, Poncio Pilato, que tus días de mando aquí han llegado a su término! ¿Acaso recientemente no diste muerte a muchos samaritanos a su llegada a la aldea de Tirathana antes de que pudieran subir al Monte Garizzim para asistir a sus servicios religiosos?

Durante un momento, se olvidó de que yo era su prisionero.

—Se encontraban reunidos en esa aldea —dijo con voz lastimosa—, no para rendir culto a su dios, ¡sino para movilizar una fuerza militar contra Roma!

—Mi amigo Vitelio no está de acuerdo contigo. Después de que lo visitó una delegación de samaritanos, ha llegado a la conclusión de que tu conducta en ese asunto fue ni más ni menos el asesinato de hombres, mujeres y niños desarmados y, finalmente, se ha cansado de tus métodos opresivos para tratar a la gente de aquí. Marcelo se encuentra en Jerusalén para destituirte de tu cargo de procurador. Ha venido a decirte que Vitelio ha ordenado tu regreso inmediato a Roma, en donde deberás rendir cuenta de tus acciones a Tiberio. ¡Marcelo se encuentra aquí para asumir el mando, mientras el emperador elige un nuevo procurador!

Era imposible medir cuál de los dos rostros registró mayor sorpresa. Tanto Pilato como Marcelo palidecieron tanto como se lo permitió su piel. Marcelo fue el primero en recobrar la suficiente serenidad para hablar.

—Puedo asegurarte, procurador, que el gobernador no tiene ningún conocimiento de la existencia de este hombre. Obviamente, es un agente extranjero enviado aquí para causar problemas. Quizá un rato pasado en el poste del flagelo lo animará para que revele su verdadera identidad y sus fines.

Por lo visto, Marcelo todavía no estaba preparado para destituir a Pilato de su mando. Quizá Vitelio sólo le diera instrucciones para que iniciara una investigación a fondo acerca del incidente cerca del Monte Garizzim antes de dar algún paso. De cualquier manera, mi treta no dio resultado; logré dividir al enemigo, pero no el tiempo suficiente para poder reclamar alguna victoria. A pesar de la reacción evasiva del tribuno, el color empezó a volver al rostro de Pilato y sus hombros se irguieron. Se dirigió a mí, con los ojos entrecerrados, así que me preparé para el siguiente golpe.

—¿Eres acaso simplemente otro creyente de ese rebelde muerto, Jesús, que fue crucificado? —preguntó—. ¿Es por ello que me hiciste tantas preguntas acerca de él?

Nadie tenía que recordarme que me encontraba frente a la suprema autoridad del país. Si Poncio Pilato decidía que debían clavarme en una cruz, ese mismo día, lo harían.

—No, solamente soy un historiador, de Roma.

De pronto recordé a Pedro y sus tres negaciones en el patio del sumo sacerdote. El instinto de conservación es tan poderoso que puede convertirnos a casi todos en cobardes.

—¿Está enterado José de Arimatea de tu verdadera identidad?

—José es un viejo amigo y conoce mi única identidad. Yo soy Matías.

Pilato levantó el puño e instintivamente desvié la cabeza para evitar el golpe. No hubo ninguno. En vez de ello, sentí su mano deslizándose hacia el interior de mi túnica, hasta que tuvo en sus manos mi pesado amuleto de oro. Pronto una sonrisa perversa floreció en su rostro hasta convertirse en una mueca victoriosa mientras Poncio Pilato daba vueltas al amuleto una y otra vez, e hizo a Marcelo una seña con la cabeza para que se adelantara.

—¡Mira el pez, tribuno! Es su signo, el de esos miserables cristianos. Ahora ya sabemos lo que es.

Marcelo asintió. Él también parecía complacido y aliviado.

—Después de todos los problemas que te na causado, señor, recomendaría que lo azotaran hasta que muera. Algún día, toda esta gente entenderá que Roma se propone mantener la paz aquí, no importa cuántos de ellos tengan que pagar con sus vidas.

Pilato lanzó el amuleto una y otra vez al aire, contemplando pensativo el techo. Entonces volvió a colocarlo cuidadosamente en el interior de mi túnica, dándole una palmada a través de la tela.

—No, Marcelo, tengo un plan mejor para este hombre. Mañana es el sabat judío y, ese día, debido a que la ciudad está tranquila, cerramos las puertas de esta fortaleza y disfrutamos de algunos juegos en el patio, allá abajo. Ya ha pasado mucho tiempo sin que mis hombres se diviertan con una competencia en el Círculo de la Muerte, y Porcio, nuestro experto en esa contienda, apenas hoy se quejaba de que está perdiendo su habilidad por falta de adversarios suficientemente osados que lo desafíen. Mañana tendrá uno.

Cuando Pilato, con un ademán me despidió, fui conducido a través del campo de desfile hasta el ala este de la fortaleza, donde fui arrojado en una celda con Santiago, a quien detuvieron junto conmigo. Después de echar un vistazo a mi rostro, me hizo recostar sobre el único colchón que había allí, mientras que apresuradamente desgarraba algunas tiras de su túnica, las mojó en agua de una pequeña jarra y me lavó el rostro y el cuello. Después, tuve que relatarle todo lo que sucedió con Pilato.

Luego empezó a pasar su mano callosa sobre mi frente.

—Matías, ¿sabes lo que es el Círculo de la Muerte?

—Cuando me entrevisté con Pilato por primera vez, recuerdo vagamente que mencionó que era un juego que solamente practicaban sus soldados más valientes. ¿De qué se trata?

—¿Recuerdas haber visto dos postes de madera, fijos en el suelo, probablemente a unos treinta pasos de distancia uno del otro?

—Sí. Pilato me los mostró, diciendo que Jesús fue flagelado en uno de ellos.

—Es cierto. En la contienda del Círculo de la Muerte, según lo que he oído decir, toman parte dos hombres, cada uno de ellos encadenado a uno de los postes por el tobillo. La cadena de cada uno de los gladiadores es suficientemente larga para permitirle moverse de un lado a otro del poste, una distancia no mayor de seis pasos. Si así lo quiere, también puede moverse alrededor del poste en círculo, eso es lo que le ha dado su nombre a ese juego.

Ahora me encontraba erguido, apoyado sobre un codo.

—¿Y después, qué?

—A cada contendiente se le entregan diez jabalinas que se colocan dentro de su propio círculo. A una señal, por lo general de Pilato, se les permite a ambos que tomen las jabalinas y empiecen a lanzarlas uno contra el otro. Por supuesto, ya que las cadenas les permiten cierta libertad de movimiento, pueden moverse de un lado a otro para tratar de escapar de los tiros de su adversario.

Santiago, Dios lo bendiga, trataba de hacer que todo eso pareciera tan natural como un paseo por el campo.

—¿Qué sucede —pregunté— cuando uno ya ha retirado su dotación de diez venablos?

Hubo una larga pausa.

—Si... el contendiente aún sigue con vida, se le permite que recupere las lanzas arrojadas por su adversario y que hayan caído a su alcance, considerando el largo de la cadena. Sin embargo, por lo que he oído decir, los duelos muy rara vez llegan al lanzamiento de las diez lanzas por ambos oponentes.

—¿Por qué?

—Porque normalmente uno de los dos competidores siempre es el mismo hombre, un famoso legionario que tiene la reputación de haber dado muerte a más de trescientos oponentes en ese juego, desde que llegó aquí, a Antonia, hace cinco años. Se dice que sus tiros con la jabalina son tan certeros que puede derribar a un gorrión a cincuenta pasos de distancia, y es tan fuerte que sus tiros han dado muerte a un caballo a esa misma distancia.

—Por casualidad, ¿conoces el nombre de ese soldado?

—Sí, se llama Porcio.

Más tarde, tuvimos un visitante sorpresa. Puesto que nuestra celda no era otra cosa que una habitación con una puerta de madera, cerrada por fuera, no lo oímos acercarse hasta que golpeó con los nudillos, pronunciando mi nombre en voz baja.

—Matías. . . Matías, ¿puedes escucharme?

—Sí, ¿quién eres?

—Cornelio. ¿Recuerdas cuando hablamos después de tu visita a Pilato?

—Jamás lo olvidaré, centurión.

—No puedo quedarme mucho tiempo, pero quería decirte que trataré de que tu captura llegue a oídos de José, tan pronto como sea posible.

—Gracias, pero mucho temo que José no pueda ayudarme ahora.

—Jamás debes perder la fe, Matías. Reza. Reza con Santiago.

—Créeme, Cornelio, así lo haré.

—Una cosa más. En tu contienda de mañana, si solamente arrojas una jabalina a la vez y después descansas antes de lanzar la siguiente, no tendrás ninguna oportunidad contra Porcio. Lo que debes hacer es arrojar una, después la segunda y la tercera, con la mayor rapidez que puedas. De esa manera, tendrás una oportunidad mayor de que mientras él está tratando de evadir la primera, una de las otras pueda dar en el blanco. Y ten cuidado, porque él intentará la misma táctica contigo.

—Gracias, Cornelio.

—Dios sea contigo, Matías.

Mantuve el oído pegado a la puerta, escuchando sus pasos que se alejaban por el corredor.

—Matías —preguntó Santiago poco después—, ¿tienes alguna experiencia en el lanzamiento de la jabalina? Entiendo que la mayoría de los jóvenes romanos las usan casi como juguetes.

—Jamás he lanzado una jabalina en toda mi vida —admití, empezando gradualmente a darme cuenta de que mañana por la mañana iba a morir y que ni Kitty ni mis hijos ni nadie se enteraría jamás de lo que me había sucedido. Entonces, recordé de pronto el motivo por el cual me encontraba en tal situación apurada.

—Siento haberte mezclado en todo esto, Santiago; no fue sino egoísmo de mi parte. José me advirtió del peligro que corría, pero simplemente tenía que hablar contigo otra vez.

Me acercó a él, pasándome la mano por la parte posterior de la cabeza para consolarme.

—No te preocupes por mí, Matías, ya he estado aquí antes. En un día o dos, Pilato me dará a probar otra vez su látigo y después me pondrá en libertad, siempre con la amenaza de que algún día me colgará de un árbol, como hizo con mi hermano. Ahora, ¿qué era lo que ibas a preguntarme en el mercado? Creo que con toda esa confusión, ambos olvidamos que tu visita tenía un propósito.

Nos sentamos uno al lado del otro sobre el maloliente colchón. Luché por apartar de mi mente a Porcio y su deporte favorito. A pesar de los testimonios que escuché de los demás, incluyendo el de Shobi, tenía que comprender con toda claridad qué fue lo que cambió a este hombre, en particular, de un incrédulo mientras Jesús vivió a uno de sus más fervientes devotos después de la crucifixión.

Así que... lo puse a prueba.

—Santiago, ¿en dónde han ocultado el cuerpo de Jesús?

—Matías, ¿por qué me haces una pregunta así? Si has terminado tu investigación y la has llevado a cabo a fondo, ya habrás llegado a la conclusión de que *nadie* pudo haber retirado el cuerpo de Jesús de la tumba de José. Para mí, una investigación de esa naturaleza jamás fue necesaria, aun cuando antes de su muerte mis dudas eran todavía mayores que las tuyas.

—¿Estás tratando de decirme que para ti fue suficiente la fe, una fe ciega? —pregunté—. ¡Yo jamás me conformaría con eso!

Santiago cambió de posición para poder mirarme directamente a los ojos.

—No. La fe sola tampoco me habría bastado a mí jamás. El hecho de dejar atrás, en Nazaret, una vida cómoda y pacífica y una familia amante, como lo hice yo, a cambio de malos tratos, humillaciones, provocaciones, un suelo duro, migajas de pan... y, sí, aun celdas en las prisiones, requiere algo más que la fe. Recuerda, Jesús era mi hermano; juntos jugamos, corrimos y luchamos, trabajando y creciendo a la sombra uno del otro. Durante muchos años dormimos en el mismo lecho. Por supuesto, él dijo la verdad cuando manifestó que es muy difícil, si no imposible, que un profeta encuentre reconocimiento en su propia casa. Estoy seguro de que aun los ordenanzas de Pilato se ríen a sus espaldas cuando bañan al poderoso gobernante. La familiaridad engendra muchas cosas, pero rara vez el respeto y jamás la adulación. No, Matías, la fe sola jamás me hubiera convertido en lo que ahora soy.

Todo mi peligro inminente quedó olvidado de momento. En ese instante, en lo que se refería a mi mente y a mi corazón, muy bien hubiésemos podido estar discutiendo en el patio atestado de gente del Templo, o en medio del verdor de Getsemaní o inclusive en la pequeña tienda en el mercado, en vez de encontrarnos en un calabozo provisional de la fortaleza de Antonia.

—Si no fue la fe, Santiago... ¿qué fue entonces?

Vaciló.

—Si llegas a sobrevivir a la contienda de mañana, ¿te propones incluir en tus escritos lo que voy a decirte?

—Sí, por supuesto.

Movió la cabeza en un ademán compasivo, diciendo:

—Si lo haces, se burlarán de ti y te despreciarán.

—Ya se han burlado de mí y me han despreciado... otras veces.

—Muy bien. Debido a la enfermedad de mi hijo menor, nuestra familia no pudo venir a Jerusalén para celebrar esa Pascua, cuando Jesús fue crucificado. No nos enteramos de lo sucedido sino hasta que Rehum, nuestro vecino, regresó de la ciudad con la terrible noticia. También nos dijo que por toda la ciudad empezaba a extenderse el rumor, con la rapidez con que corren todos los rumores, de que la tumba de Jesús se encontró vacía al tercer día después de su crucifixión y que algunos decían que su cuerpo fue robado por sus discípulos.

—¿Cómo te sentiste al enterarte de la crucifixión?

—Me sentí invadido por un remordimiento tan poderoso, que enfermé. Estuve llorando durante muchas horas, con lágrimas de culpa y vergüenza y de odio hacia mí mismo por la forma en que traté a Jesús durante su último año de vida, cuando Él intentaba tan arduamente de convencernos a todos de que el Reino de Dios estaba a nuestro alcance. Ni siquiera podía comer; todo lo que pasaba por mi boca tenía un sabor a sal...

La estridencia de las trompetas del Templo vecino interrumpió a Santiago, quien se tapó los oídos con las manos para ahogar el ruido.

—¿Qué hiciste después? —le pregunté, tan pronto como se calmó el sonido de las notas metálicas.

Se aclaró la garganta y continuó:

—Traté de encontrar alivio en el trabajo, pero todo fue en vano; aun el más pequeño de los martillos resbalaba de mis dedos temblorosos. La primera noche después de que escuchamos la noticia, dormí en el suelo del taller, no queriendo infligir mi pena a mi esposa, que ya estaba bastante preocupada prestando sus cuidados a nuestro hijo y llevando duelo por su hermano político. El día siguiente no fue mejor; traté de comer, pero todo era inútil. Esa noche volví a dormir en el taller, hasta que me despertó una voz que me llamaba por mi nombre. ¡Yo conocía esa voz! ¿Acaso estaba soñando? Me llamó nuevamente; para entonces, ya me sentía invadido por el temor. Me levanté tropezando en la oscuridad, hasta que encontré una pequeña lámpara de aceite y la encendí. Jesús se encontraba parado en el interior del taller, justamente en la puerta. ¡Mi hermano!

No llevaba nada, excepto una camisa larga de una blancura inmaculada, y cuando alzó las manos para calmar mi terror, pude ver las terribles heridas que tenía en ambas manos. Lentamente, avanzó hacia mí y también vi las heridas de sus pies. Entonces, se detuvo antes de que yo pudiera llegarme hasta él y abrazarlo, y dijo: "Trae una mesa y pan".

—¿Que hiciste?

—Corrí hacia la casa en busca de una hogaza de pan. Cuando volví, todavía se encontraba parado en el mismo sitio. Retiré una pequeña mesa de trabajo de un rincón y la llevé hasta el centro de la habitación y sobre ella coloqué el pan. Jesús tomó el pan y lo bendijo; después lo partió en dos y me lo entregó, diciendo: "Hermano, come tu pan, ya que el Hijo del hombre se ha levantado de entre los que están dormidos". Antes de tomar el primer bocado, me levanté de la mesa y me dirigí a un armario cercano, en donde siempre guardaba una botella de vino. Cuando me di vuelta... ¡había desaparecido! Solamente quedaban los dos trozos de pan como prueba de que estuvo conmigo; pero eso era suficiente, porque sabía que había visto y hablado con Jesús, de quien decían que estaba muerto. De manera que ya lo ves, Matías, no necesito otra prueba de que su cuerpo no fue robado, ni tampoco me encuentro en el Templo, cada día, exponiéndome al ridículo y a la persecución basándome sólo en la fe. Jesús me ofreció todas las pruebas que yo necesitaba. ¡Mira! ¡Mira!

Metió la mano en el delantal de carpintero que llevaba cuando fuimos aprehendidos y de él sacó dos objetos envueltos en una tela suave, colocando ambos sobre mis rodillas.

—¡Ábrelos! —ordenó.

Desenvolví las dos telas. En mis manos tenía dos trozos ennegrecidos y duros como una piedra de lo que en otro tiempo fueron las mitades de una pequeña hogaza de pan, reliquias inapreciables que eran testigos de una fuente bíblica que siempre me desconcertó y desafió.

Existen algunos relatos dispersos de un antiguo evangelio, supuestamente escrito en arameo, quizá antes que ninguno de los demás, llamado el Evangelio de los Hebreos, del cual solamente se han preservado unos cuantos fragmentos. Yo leí uno de ellos tantas veces, en mis primeros años de luchar con "Comisión: Cristo", que lo había memorizado:

Y, entonces, el Señor, cuando le hubo entregado la tela de lino al servidor del sacerdote, se dirigió a ver a Santiago y se le apareció (ya que Santiago había jurado que no comería pan desde la hora en la cual bebió de la copa del Señor hasta que nuevamente lo viera levantándose de entre los que duermen).

¿Un servidor del sacerdote que recibió una tela de manos de Jesús? ¡Shobi, tal y como me lo dijo él mismo, apenas ayer!

Traté de recordar el final de ese fragmento del evangelio:

Tomó el pan y lo bendijo, lo partió y dándoselo a Santiago el Justo, dijo: Hermano mío, come tu pan, porque el Hijo del hombre se ha levantado de entre los que duermen.

Sin saber cómo llegué hasta allí, me encontré de rodillas, no en el colchón, sino sobre el suelo de piedra.

—Santiago —sollocé—, no he rezado desde que era pequeño. ¿Me ayudarás con las palabras?

—¿Tú? —preguntó consternado—. ¿Cómo puede ser posible eso? ¿Qué clase de plegaria es esa, la que rezabas durante tu niñez, cuyas palabras no puedes recordar?

—La Oración del Señor —respondí, y al momento me di cuenta de mi error. De acuerdo con el calendario de la vida de Santiago, la Oración del Señor, enseñada por Jesús a sus apóstoles, apenas tenía siete años de existencia, poco más o menos, ¡de manera que no era posible que yo hubiera conocido sus palabras cuando era un niño pequeño!

—¿Quién eres tú, Matías? —susurró quedamente.

Introduje la mano al interior de mi túnica y sostuve el amuleto a fin de que pudiera ver el pez y la inscripción y el ancla de la esperanza.

—No soy nadie importante, Santiago. Simplemente un seguidor... igual que todos los demás.

Unió sus manos, inclinando la cabeza.

—Padre nuestro, que estás en los cielos...

Y yo repetí después de él:

—Padre nuestro, que estás en los cielos...

16

No hay nada más difícil que caminar hacia la propia muerte. Solamente unos cuantos cientos de legionarios se encontraban reunidos en la mitad oeste del campo de desfile de la fortaleza de Antonia, riendo y gritándome obscenidades, cuando, a tropezones, fui conducido allí, desde nuestra celda a través del pavimento cubierto por el rocío, a la mañana siguiente.

Mientras encerraban mi tobillo en el grillete al extremo de la cadena unida al poste cerca de la puerta, el mismo que Pilato me dijo fue utilizado para flagelar a Jesús, pude escuchar la voz inconfundible del procurador. Se encontraba en su balcón, reclinado a medias en un sillón blanco, teniendo a su lado a Marcelo y a Cornelio.

—¿Matías?

El balcón se encontraba a unos tres metros por encima del suelo y a sólo unos dieciocho metros de distancia. Mi primera reacción fue no prestar atención a su llamado, pero ya no quedaba en mí mucha de esa jactancia obstinada, después de una noche sin dormir, llena de autocompasión y desesperanza. Dicen que aquellos que mueren ahogados ven pasar toda su vida como un relámpago inmediatamente antes de morir. Yo hubiera preferido esa clase de muerte, en vez de las horas tortuosas que pasé meditando en todas las cosas que debí y pude haber hecho en mi vida. Tenía miedo de morir. ¡No quería morir! ¿No fue Twain quien escribió que cada persona nace con una posesión que sobrepasa en valor a todas las demás cosas... su último aliento?

—Matías, ¿puedes escucharme? —gritó nuevamente Pilato. Asentí en dirección suya.

—Dime quién eres y lo que has venido a hacer aquí y te pondrán en libertad después de recibir un castigo. De otra manera, tu sangre se derramará sobre las mismas piedras que se tiñeron de rojo con la sangre de tu amigo Jesús, ¡y morirás en el sitio mismo en donde fue flagelado!

Caminé en dirección al balcón, tan lejos como me lo permitió la cadena y grité:

—Pero si triunfo en esta contienda, ¿no tendrás que ponerme en libertad? Según las leyes de Tiberio, hasta los esclavos que combaten en nuestro Coliseo quedan en libertad cuando resultan victoriosos.

El sonido de la aguda risa entrecortada de Pilato quedó ahogado por las risotadas vulgares de los legionarios que se encontraban suficientemente cerca para escuchar nuestro intercambio de palabras. Cuando disminuyó el regocijo, Pilato se puso de pie, extendiendo ambas manos en mi dirección.

—¡Aquí no violamos ninguna ley del emperador, agitador! Si resultas victorioso, tienes mi permiso para cruzar esa puerta que está a tus espaldas y podrás llevar contigo a tu agitador amigo.

Más risas, interrumpidas súbitamente por los aplausos que venían del lado opuesto del campo: Porcio acababa de llegar, saludando con ambos brazos y flexionando los bíceps en dirección a sus camaradas mientras se pavoneaba confiadamente por el patio para llegar a su puesto y alzaba el puño en señal de saludo ante su máximo jefe.

El lanzador de jabalina ni siquiera miró en mi dirección, mientras parado, con los pies muy separados, esperaba con impaciencia que ataran la cadena a su tobillo. Por encima de sus botas, atadas hasta las rodillas con gruesas correas de cuero, solamente llevaba un taparrabo y parecía ser tan alto como Shem, que Dios me ayude. Llevaba tanto el cabello como la barba largos y descuidados, y al sonreír a uno de los guardias que le gritó desde lo alto del muro de la fortaleza, pude ver, a pesar de la distancia que nos separaba, que casi no tenía dientes.

Una vez que los guardias acabaron de encadenar a Porcio, otros dos cruzaron el patio desde mi derecha, cada uno de ellos llevando un montón de jabalinas que dejaron caer en la base de ambos postes. Porcio tomó una y la sopesó; yo hice lo mismo, después de contar las armas en mi montón; diez. Cada una tenía más de dos metros de largo, con metro y medio de mango de madera unido a un hierro de punta aguda de casi sesenta centímetros de largo. ¡Vaya si eran pesadas! Cuando menos unos siete kilos. Y ni siquiera estaba seguro de poder lanzar una de ellas a treinta pasos de distancia.

Me agaché y apreté las correas de mis sandalias, tanto como pude hacerlo con manos temblorosas. Traté de recordar lo que me dijo Cornelio y tomé dos jabalinas en mi mano izquierda, mientras sostenía la tercera en la mano con la que haría el lanzamiento. Moví el pie izquierdo para asegurarme de que la cadena estaba suelta, ya que un tropiezo podía ser desastroso. Pilato ahora se encontraba de pie, apoyado en el barandal del balcón, con ambas manos en lo alto.

—Empezarán tan pronto como dé una palmada... ¡y que triunfe el más valiente! ¡Larga vida a Tiberio!

De todos lados se dejo oír un clamor uniforme, seguido por el silencio. El mango de madera ahora se sentía húmedo en la palma de mi mano. Retrocedí desde el poste tanto como me lo permitía la cadena, tratando de apoyar el pie derecho contra una piedra levantada del pavimento. A diferencia de mí, Porcio solamente tomó una jabalina, y también, a diferencia de mí, parecía completamente tranquilo, luciendo una sonrisa condescendiente en su rostro velludo. Un pequeño remolino de polvo se atravesó momentáneamente entre ambos, volví la cabeza para evitar que me cegara y, al hacerlo, escuché la palmada de Pilato; me dejé caer sobre el estómago, saltando hacia la izquierda. ¡Justo a tiempo! La primera jabalina arrojada por Porcio cruzó antes de que pudiera verla y siguió una trayectoria baja durante varios metros antes de caer sobre las piedras, saltando ruidosamente sobre su superficie. Me erguí apoyándome en una rodilla, y observé cuando Porcio me volvía la espalda con despreocupación y caminaba tranquilamente hacia su montón de jabalinas. De un salto me puse de pie y lancé mi primer tiro, después el segundo y por último el tercero, cada uno de ellos tan rápidamente como pude. Todos cayeron a corta distancia, acompañados por más risas de los espectadores. Tomé otras dos jabalinas en mi mano izquierda y una más en la derecha, mirando a Porcio mientras lo hacía. Una vez más, solamente tomó una de su montón.

—¡Acaba con él, soldado! —gritó alguien, justamente antes de que el hombretón la arrojara con un fuerte gruñido. Una vez más me tiré hacia la izquierda y una vez más acerté. Mi primera suposición errónea sería la última. Porcio no parecía alterado en lo más mínimo por sus yerros; hizo una mueca hacia el balcón y se arrodilló al lado de las restantes.

Mientras seguía agachado, aparentemente sin preocuparse por mi puntería, lancé mis tres jabalinas siguientes, tomándome más tiempo entre cada uno de los lanzamientos. El primero cayó demasiado a la derecha, y los otros dos demasiado cerca; le faltaba velocidad a mis tiros; los dos que cayeron frente a Porcio rodaron lo suficientemente cerca como para que quedaran a su alcance, lo cual le daba la ventaja adicional de contar con más armamento. Con un gesto desdeñoso, apartó ambas de un puntapié y de su montón tomó una en cada mano, alzándolas para que todos pudieran verlas. Yo tomé una de mi montón, dejando todavía tres sobre el pavimento.

Porcio caminó hasta encontrarse detrás de su poste y nuevamente levantó las dos jabalinas, pero esta vez con una sola mano, la derecha. Se volvió de espalda, dio una vuelta completa y echó a volar las dos. Podía verlas venir, con sus puntas reluciente bajo el sol temprano de la mañana, separándose una de otra a medida que se aproximaban. Al darme vuelta, resbalé y caí de espalda. ¡Qué suerte! Ambas pasaron silbando justamente por encima de mí, con sus mangos de madera tallada haciendo un ruido semejante al de un enjambre de abejorros. ¡Porcio había estado a punto de anotarse un doble acierto!

Me puse de pie de un salto y eché a volar mi jabalina, determinado a que esta vez el tiro no fuera demasiado corto. No lo fue; hizo un arco directamente por encima de su cabeza al mismo tiempo que un dolor punzante, a lo largo de mi costado derecho, me hizo pensar que mi brazo se había ido detrás de ella. ¡Algo se había roto en mi hombro! No tenía ninguna sensación en el brazo, en la mano ni en los dedos. Si Porcio llegara a sospechar que estaba mal, me cortaría en pedazos, poco a poco. Me incliné para tomar otras dos jabalinas unos segundos antes de que su siguiente jabalina se incrustara en el poste, ¡a treinta centímetros de mi cabeza!

Sentí la boca tan reseca que mi lengua parecía tan larga como un pepino y el sudor que corría por mi rostro me dificultaba la vista. Estaba aterrorizado y también enojado, pero sobre todo me sentía frustrado. Éste era un caso perdido y yo lo sabía; no había forma de escapar. Estaría muerto en unos cuantos minutos.

Con mis dos jabalinas traté de dar en el blanco; apunté a su izquierda con la primera y a su derecha con la segunda; en cada tiro, sentía como si miles de agujas me perforaran el hombro. Mi oponente ni siquiera se vio obligado a moverse para evitar ambos tiros y ahora empezaba a provocarme. Recargó un codo contra el poste, como si sólo estuviera pasando el rato, ¡sin tener siquiera una jabalina en la mano! A los soldados eso les encantó.

Era obvio que también Pilato estaba disfrutando el espectáculo; podía escuchar su risa por encima de las demás.

—Matías —gritó—, ahora *sabemos* que no eres un romano; ningún romano se ha desacreditado tanto con la jabalina como tú lo estás haciendo ahora. ¡Eres una vergüenza aun para los miserables cristianos a quienes tanto amas, y ahora vas a morir por tu Jesús!

Me adueñé de mis tres últimas jabalinas, y al hacerlo, Porcio también tomó tres por vez primera; los soldados lo vitorearon, como si presintieran que el fin estaba cerca.

Rechiné los dientes y arrojé una; corta, pero más cerca. Retrocedí y luego corrí hacia adelante con todo el ímpetu que pude lograr y volví a tirar. El mango de madera se resbaló de mi palma sudorosa y giró sobre sus extremos en el aire, cayendo sobre su punta de metal a la mitad del camino entre Porcio y yo y después quedó en posición horizontal. La risa de Pilato llenó mis oídos; con el rabillo del ojo podía verlo sosteniéndose los costados, y su cabeza de cabello blanco se sacudía de arriba abajo sobre el sillón. Me volví en su dirección, asentando firmemente los pies, ¡y lancé mi última jabalina hacia el balcón!

Fue mi mejor lanzamiento del día, y la pesada punta fue a clavarse en una viga, a una distancia no mayor de noventa centímetros del rostro sorprendido de Pilato. En el campo reinó un silencio de muerte, pero el procurador se recuperó rápidamente, poniéndose de pie de un salto.

—¡Mátalo, mátalo, mátalo! —gritó señalando hacia Porcio y después en dirección a mí.

Porcio alzó sus tres jabalinas, respiró profundamente y lanzó primero una, después otra y por último la tercera. Me lancé hacia el poste y tropecé, aferrándome instintivamente a la parte superior mientras el primer proyectil pasaba por mi derecha y el segundo silbaba por mi oído izquierdo. Traté de retroceder a mi derecha, pero el tobillo se me había enredado en la cadena. ¡Muévete! ¡Muévete!, me decía tirando de ella con todas mis fuerzas. La tercera jabalina estaba tan cerca... tan cerca. La vi acercarse como si todo estuviera sucediendo en cámara lenta... y, después, sentí su negra punta forjada estrellándose contra mi cansado pecho...

El sonido persistía...

Aun cuando sepulté mi cabeza bajo la almohada, todavía podía escucharlo, implorando, insistiendo, exigiendo...

Me enderecé apoyándome sobre ambos codos, estiré el brazo para tomar el ruidoso instrumento y me lo llevé al oído.

—Buenos días —dijo una voz melodiosa—. ¡Son las siete treinta, y la temperatura en la ciudad es de 21.7° C!

Dejé caer el auricular al suelo y parpadeé varias veces hasta que mis ojos pudieron enfocar el grabado de un torero, con un marco llamativo, que colgaba al lado de un espejo sobre una cómoda. Volví a parpadear y dirigí la mirada hacia otros objetos más cercanos.

¡Estaba completamente vestido, con camisa, corbata, el traje de Calvin Klein y zapatos!

Al lado de la cama, la lámpara de la mesita de noche estaba encendida y bajo su luz podía ver mi anillo, mi reloj Omega de oro y la cartera. El reloj seguía caminando, y cuando revisé mi cartera se encontraban en su lugar todas las tarjetas de crédito y el dinero en efectivo.

Esto es imposible, pensé. ¡No es posible que me encuentre en mi habitación del Century Plaza!

Tambaleante, me dirigí hacia la cómoda, abrí mi portafolios y busqué el itinerario de mi viaje de promoción. En la página cuatro se mencionaba mi aparición en el programa de Carson para el día 8 de septiembre. Volví a la cama, recogí el teléfono caído y marqué el número cero. Cuando una voz con fuerte acento hispano me respondió, todavía estaba tratando de decidir cómo plantear mi pregunta.

—Señorita, estoy algo confundido. ¿Qué día es hoy?

No se desconcertó en lo más mínimo, ya que en Los Ángeles, la gente siempre anda perdiendo días.

—Hoy es nueve de septiembre, señor.

Colgué sin darle siquiera las gracias. Me dolía la mandíbula al abrir la boca y sentía un dolor sordo en el pecho. Por amor de Dios, ¿qué me sucedió? ¿Voces? Podía escuchar algunas voces. Tranquilízate, amigo, el televisor está encendido y un hombre está hablando, con marcado acento judío, pero fuerte y claro. ¿Qué estaba diciendo? Traté de concentrarme. "El premier Sadat debe reconocer que Jerusalén es el tesoro más preciado de nuestra nación. Nunca... Nunca... permitiremos que el país vuelva a ser dividido. ¡Jamás!

¿Jerusalén? Aun para mi mente nublada, era una transición fácil, de Jerusalén a José de Arimatea. ¿Había mantenido su palabra el anciano? ¿Realmente estuve allí, con él, o... o todo fue un sueño? Volví a la cómoda y me quedé mirando al espejo. ¡Uf! Ojos hinchados y enrojecidos, cabello desordenado. Y el tono de la piel hacía una combinación perfecta con el color de los muros, verde pálido amarillento.

El teléfono volvió a sonar. Di un salto. Una voz se identificó como el jefe del servicio de seguridad del hotel.

—¿Se siente bien, señor Lawrence?

—Sí, así lo creo.

Se rió con risa ahogada.

—Vaya noche que tuvo. Tenemos el nombre del hombre que lo atacó en el Salón Granada, en caso de que quiera presentar cargos, y también tenemos los nombres de una docena de testigos.

Me froté la quijada suavemente.

—No, no, creo que será mejor olvidar todo el asunto.

—Es muy considerado de su parte, señor. El hotel puede prescindir de esa clase de publicidad. ¿Hay algo en lo que podamos servirle esta mañana?

—No, sólo quiero que me diga cómo llegué hasta mi habitación.

—Dos de mis hombres... ah... lo ayudaron. Una vez que lo dejaron dentro de ella, usted les dijo que se sentía bien, así que se retiraron.

—Bien, quiero agradecer a todos ustedes su ayuda.

—Encantados de haber podido servirlo, señor.

Me dirigí tambaleante hacia el balcón y apagué el programa de Bárbara Walters al pasar. Al principio me cegó el sol de la mañana, pero pronto pude ver, a lo lejos, una pequeña figura afanada en cortar el césped más allá de la entrada circular del hotel. Al otro lado de la calle, unos trabajadores, subidos en sus escaleras, cambiaban poco a poco las letras de la marquesina del Teatro Shubert. A la izquierda, una ligera bruma ondulaba perezosamente por encima de los árboles en la Avenida de las Estrellas. En el aire se percibía un olor extraño, no como el del aire de...

¿No como el aire de dónde? ¿De Jerusalén? ¿En el año 36 d. C.? ¡Despierta! El sueño ha terminado. El más maravilloso de todos los sueños fue simplemente eso, un sueño. Pero, ¿cómo pudo ser? ¿Es posible soñar olores? ¿Cómo sé que son diferente de los de aquí? ¿Y qué hay de José y Santiago, de Mateo, Pedro, Caifás, Marcos y Pilato? ¿Pilato? Me llevé la mano al hombro derecho y después levanté el brazo por encima de mi cabeza. Ningún dolor. Pero, ¿no llegué a lanzar todas esas jabalinas? ¿No casi ensarto al procurador? ¡Tonto! Sólo fue un sueño, una función especial desbordante y sensacional a todo color; veinte años de investigaciones frustradas acerca de Jesús que llegaron a su punto culminante con un alarde egoísta en el programa de Carson, todo ello sumado a demasiados whiskies y a un puñetazo en la mandíbula.

Pero, si solamente fue un sueño, ¿cómo era posible que recordara tantos detalles? ¿No son los sueños, por lo general, fragmentos de diálogo y acción que rara vez tienen sentido? ¿Cuándo han tenido jamás un principio, una parte intermedia y un final, con todos los capítulos que intervienen en su lugar adecuado y pudiendo identificar todos los escenarios? Todavía podía cerrar los ojos y ver el huerto de Getsemaní y el Gólgota, el Templo y la tumba, ¡y si me concentraba, aun podía recordar la fragancia del jardín de Nicodemo! ¿Quién tiene sueños como este? ¿Acaso todo era producto de una mente hiperactiva, acostumbrada a crear miles de tramas ficticias, de acciones y escenarios y hasta aromas, en libro tras libro?

Escuché el batir de alas. Tres palomos de aspecto deslustrado se posaron sobre el barandal del balcón, mirándome a la expectativa, pero como no hice ningún movimiento para alimentarlos se alejaron volando. Ahora estaba empezando a captar los sonidos de la ciudad. No se oían trompetas que resonaran desde el Templo, ni vendedores gritando desde sus puestos en el mercado, sino bocinas de automóviles, frenos, un 747 descendiendo hacia el Oeste, sirenas.

Me incliné y vi pasar una ambulancia, con sus luces parpadeando furiosamente.

¿Qué me sucedió? ¿Es posible que la mente nos juegue trucos así? ¿Fue realmente sólo una fantasía? Si eso era verdad, jamás podría escribir acerca de ello, ¿o podría hacerlo? Dios sabe que ya hay demasiados locos escribiendo libros sobre temas como las voces del más allá, la transmigración de almas y la transposición de cuerpos. ¿Por qué no podía yo hacer lo mismo? ¡No! Jamás me resignaría a hacer eso. Pero aun así, tal vez sería conveniente que anotara todo, cuando todavía el recuerdo está fresco en mi mente. Los sueños se desvanecen pronto, de acuerdo con lo que he leído, y quizá algún día sea importante para alguien que investigue el funcionamiento desconocido de nuestra mente subconsciente. Realmente debería describir el aspecto de María Magdalena, el viaje de Marcos a una hora temprana de la mañana a la tumba vacía, por qué Pedro no estuvo presente en la crucifixión, y todo lo demás, especialmente la estatua de Jesús en el palacio de José.

Quizá todavía podría terminar mi "Comisión: Cristo". Pero si lo hacía, ¿no me acusarían de querer retractarme, de enmendar lo que dije en el programa de Carson? ¿Y cómo podría explicar mi conversión, de incrédula antes a creyente ahora? ¿Escribiendo en el prefacio del libro que *soñé* lo que creía era la verdad acerca de Jesús? ¡Eso nunca! Ya tenemos demasiados chiflados cantando esa tonada, mientras quitan el dinero de las personas crédulas y buenas que se aferran a cualquier insignificancia, para dar sentido a su fe. No, eso no resultaría en ninguna parte ¡ni siquiera en el Condado Marin! Pero, ¿quién me creería si yo decía que no fue un sueño, sino que realmente hablé con el oficial del Templo que recibió el lienzo de manos de Jesús cuando se alejaba de su tumba? ¿Quién creería que la piedra fue apartada *después* y no durante la resurrección? ¡Nadie! incluyendo a Kitty.

Tarde o temprano, algún psiquiatra caro escucharía mi historia, movería la cabeza sabiamente y me prescribiría unas largas vacaciones con mucho descanso.

De pronto sentí frío, aun cuando los rayos del sol matutino caían sobre mí. Me toqué la frente y la sentí ardiendo. Volví al interior de la habitación, dejé caer el saco sobre la cama y seguí hasta el baño. Abrí la llave del agua fría hasta que el lavabo estuvo casi lleno y me mojé el rostro y la cabeza. Me sentí mucho mejor. Entonces, dejé ir el agua y me cepillé los dientes hasta que me dolieron las encías. Con la cabeza sepultada en la toalla de manos, salí del baño, y al hacerlo, mi muslo rozó contra algo que colgaba del picaporte. Se columpió de un lado a otro, golpeando ruidosamente contra la madera, reluciendo bajo el resplandedor de la luz fluorescente que había encima del lavabo.

Dejé caer la toalla y caí de rodillas, sosteniendo tiernamente el amuleto de oro en mi mano. Estaba llorando. ¡Cuando volví la tosca pieza de metal pude ver el pez y la inscripción y también el ancla de la esperanza, todo ello grabado en el medallón de forma extraña que colgaba de una correa circular de cuero! Lo mantuve cerca de mi mejilla, sintiendo su frescura contra mi piel. Entonces, lo besé, antes de darme cuenta de que ahora se veía diferente. Muy diferente.

En su centro tenía una abolladura muy profunda, como si algo afilado y puntiagudo se hubiera estrellado contra él con gran fuerza...

¡...algo como la punta de una lanza arrojada por la mano de Porcio!

ESTA EDICIÓN SE TERMINÓ DE IMPRIMIR
EL 30 DE AGOSTO DE 2004 EN
LITOGRÁFICA TAURO, S.A.
ANDRÉS MOLINA ENRÍQUEZ No. 4428
COLONIA VIADUCTO PIEDAD
08200, MÉXICO, D.F.